ROULETTE RUSSE

Campbell Armstrong

ROULETTE RUSSE

Libre Expression

Libre Expression

Données de catalogage avant publication (Canada)

Armstrong, Campbell

Roulette russe

(Thriller)

Traduction de : The trader's wife

ISBN 2-89111-846-4

I. Piélat, Thierry. II. Titre.

PR6052.L22T7214 1999   823'.914   C99-940643-4

Titre original
THE TRADER'S WIFE
publié par CAMBPELL ARMSTRONG

Traduction
THIERRY PIÉLAT

Maquette de la couverture
FRANCE LAFOND

Éditions Libre Expression
2016, rue Saint-Hubert
Montréal, (Québec) H2L 3Z5

Dépôt légal :
3ᵉ trimestre 1999

ISBN 2-89111-846-4

A Diana Tyler

1

Ils arrivèrent à la première heure à la maison qui dominait le détroit de Long Island. Sara, qui dormait dans la chambre à l'étage, fut réveillée en sursaut par les coups frappés à la porte. Elle se leva, passa un peignoir, prit le Walther 22 mm dans le tiroir de la table de chevet – « Garde toujours le revolver à portée de la main, lui avait dit plusieurs fois Mark. On ne sait jamais. » – et s'approcha sans bruit de la fenêtre.

Deux voitures étaient garées dans l'allée. Nouveaux coups martelés à la porte, appels insistants. Elle sortit de la chambre, retint sa respiration et, du haut de l'escalier, vit des silhouettes sur le palier – quatre ou cinq personnes, on ne voyait pas bien. Elle descendit l'escalier à moitié, le Walther levé. « Si tu dois te servir du revolver, vise et ne réfléchis pas deux fois. » Elle n'aimait pas la sensation de l'arme dans sa main, le contact de l'acier sur la peau.

Elle entendit qu'on appelait son nom :

— Madame Klein ?

Léger soulagement. Les cambrioleurs n'ont pas

pour habitude d'interpeller les gens chez qui ils vont voler, pensa-t-elle. Ils ne viennent pas en groupe au petit matin et ne frappent pas non plus avant d'entrer. Non, ils viennent la nuit sans se faire voir.

— Police judiciaire, madame Klein. Ouvrez.

Police judiciaire ? Elle s'arrêta en arrivant au pied de l'escalier, le cœur battant.

— Prouvez-le, lança-t-elle, la voix rauque et sèche.

Une plaque fut appuyée contre la vitre de la porte. Sara avança de quelques pas pour pouvoir reconnaître l'emblème. Elle distinguait vaguement à travers le carreau l'homme qui tendait la plaque, ses cheveux blancs épais.

— Qu'est-ce que vous voulez ? demanda-t-elle.

— Ouvrez, madame Klein.

— Dites-moi ce que vous voulez.

— Nous avons un mandat de perquisition. Si vous n'ouvrez pas, nous enfonçons la porte.

— Pourquoi une perquisition ?

— Je vous ai demandé d'ouvrir, madame Klein.

C'est un rêve absurde, une hallucination, pensa-t-elle.

— Madame Klein. Une dernière fois, ouvrez.

Elle hésita, regarda encore la plaque, puis tira le verrou. La chaîne de cuivre lui effleura les phalanges. L'homme aux cheveux blancs, avec une raie à droite bien nette, entra, exhibant toujours sa plaque.

— Thomas McClennan, du FBI. Vous n'avez pas besoin d'un revolver.

La photo sur la plaque correspondait au visage de McClennan. Un de ses collègues tendit deux ou trois feuilles de papier à Sara.

— Le mandat, dit McClennan en lui prenant l'arme des mains.

— Je ne comprends pas...

— Vous êtes bien Sara Klein, n'est-ce pas ?

Elle acquiesça.

— Vous êtes l'épouse de Mark Klein ?

— Oui.

— Et nous sommes bien au 3242 Midsummer Avenue ?

— Oui.

McClennan la fixa, et il y eut l'espace d'un instant quelque chose de paternel et de dérangeant dans son regard, comme s'il s'était fait du souci pour elle. Ses collègues, quatre hommes en costume sombre et cravate, passèrent à côté d'elle et se dirigèrent vers l'intérieur de la maison.

— Qu'est-ce qu'ils font ? demanda-t-elle.

— Ils appliquent les ordres, madame Klein.

Elle se tourna et les regarda entrer dans les pièces du rez-de-chaussée.

— Quels ordres ? Je ne comprends pas. Je ne comprends rien à tout cela.

— Lisez le mandat, dit McClennan.

Elle regarda les papiers, mais les mots lui échappaient, n'avaient aucun sens. Son attention était attirée par le bruit que faisaient les intrus : portes de placards qu'on ouvrait, éternuements.

— Vous allez avoir à vous expliquer de tout ça, dit-elle.

— Je crois que c'est votre mari qui va avoir besoin de donner des explications...

— Mon mari ?

Elle se détourna de McClennan et regarda l'un des agents, un homme avec un gros grain de beauté sur la joue, entrer dans la pièce que Mark utilisait comme bureau.

11

— Bingo ! s'exclama-t-il. La tanière du renard.

— Au nom du ciel, c'est le bureau de mon mari, dit-elle à McClennan.

Elle se précipita vers la porte de la pièce. Deux agents avaient ouvert de force les classeurs. Un autre avait mis en marche l'ordinateur, dont l'écran luisait dans la pénombre. Le quatrième sortait des papiers des tiroirs du bureau. Une lampe fut allumée, éclairant brusquement la pièce aux murs nus. Sara porta une main à sa tête, prise d'un élancement douloureux.

Elle se tourna vers McClennan et s'efforça de parler d'une voix normale :

— Pourquoi faites-vous tout ça, bon sang ?

— Nous cherchons des preuves.

— Des preuves ? Des preuves de quoi ?

Il y avait une gentillesse inattendue dans les yeux bleus de McClennan. Il ne répondit pas à sa question.

— Je vais appeler un avocat, reprit-elle.

— Allez-y.

Elle se passa une main sur le visage, surprise par le froid de sa paume. Un avocat. Le nom de celui de Mark lui échappait. Elle revoyait son visage rouge et replet, sentait le parfum capiteux de son after-shave qui flottait autour de lui comme un nuage. Elle se rappelait ses épais sourcils et ses bagues en turquoise, mais son nom ne lui revenait pas.

— Non, je vais faire mieux, affirma-t-elle. Je vais appeler Mark.

Elle s'entendit débiter des phrases sans reprendre sa respiration :

— Vous êtes en train de commettre une gaffe énorme. Vous, les policiers, vous vous trompez toujours. On lit sans arrêt dans les journaux que vous faites irruption chez les gens...

— Appelez votre mari, dit McClennan. Si vous le pouvez.

L'agent qui était assis derrière l'ordinateur dit :

— Je vais tout copier sur des disquettes, OK ?

— Embarque l'ordinateur, Jack, lança un autre. Perds pas de temps à faire des sauvegardes.

Sara entra dans le bureau, passa entre les hommes qui faisaient main basse sur les dossiers et prit le téléphone. Elle se rendait compte que McClennan la regardait, avec une expression de... de quoi ? de pitié, de sympathie ? Elle porta l'écouteur à son oreille et tourna le dos à McClennan.

Mark. Où étaient ses coordonnées ? Elle les avait griffonnées quelque part et n'arrivait pas à se souvenir où. Elle ferma les yeux et réfléchit. Se concentrer. Ça allait lui revenir. Elle avait la curieuse impression que son esprit était en roue libre, tout ce qu'elle aurait dû se rappeler instantanément se mélangeait. *Où était donc Mark ?*

Elle vit un des agents débrancher l'ordinateur et la prise glisser sur le dessus du bureau. Pour la première fois depuis qu'elle s'était réveillée, elle éprouvait fortement le sentiment qu'on violait son domicile. Elle avait envie de taper sur ces hommes, d'effacer l'expression du visage de McClennan. Toute cette activité était irréelle, angoissante. Même la lumière de l'aube, faisceaux roses qui filtraient à travers les lames des stores, semblait provenir d'un soleil qu'elle n'avait encore jamais vu.

A quel hôtel se trouvait Mark ? Elle n'arrivait pas à s'en souvenir. Elle tenait l'écouteur contre son oreille et regardait l'agent du FBI enrouler le fil de la prise avec une détermination qui lui parut alarmante. Elle avait envie de lui empoigner les mains pour l'empêcher de continuer. Cinq policiers entrent chez vous de bon matin, vous montrent des documents officiels et, avant que vous ayez eu le temps de comprendre ce qui se passe, embarquent vos affaires. C'est du vol manifeste. Elle écoutait la tonalité persistante, sa plainte stridente qui résonnait à l'intérieur de son crâne.

— Allez-y, l'encouragea McClennan. Vous aurez peut-être de la veine.

De la veine. Qu'est-ce que cela voulait dire ? Elle le regarda, les sourcils froncés, en essayant de concentrer sa rage dans sa direction, mais son air bienveillant et la manière méticuleuse dont il refaisait sa raie l'agaçaient au plus haut point.

Elle détourna les yeux et le nom de l'hôtel lui revint à l'esprit : le Kimberley. C'était ça. Le Kimberley, à Hong Kong. Elle appela les renseignements internationaux et demanda le numéro, ne se rappelant toujours pas où elle avait mis le papier avec les coordonnées de l'hôtel. Elle avait l'impression d'être disloquée, une sensation de nausée lui montait de l'estomac jusque dans la gorge, et elle était prise d'étourdissements. Elle imagina le bébé flottant dans le liquide amniotique, inconscient de ce qui se passait et en sécurité. L'opérateur lui donna le numéro. Elle trouva un crayon, le nota et la mine se cassa pendant qu'elle écrivait. Hong Kong lui semblait être à une distance astronomique, sur la face cachée de la Lune. Pourquoi Mark n'était-il pas là avec elle ? Pourquoi n'était-il pas là pour faire face aux intrus ? Elle composa le numéro et attendit.

— Kimberley Hotel, annonça une voix aimable et chantante.

— Je désire parler à Mark Klein, dit Sara.

14

Son regard croisa celui de McClennan, qui l'observait, l'air sombre.

— Mark Klein ?

— Oui. Faites vite, s'il vous plaît.

Il y eut un moment de silence, puis la voix revint sur la ligne.

— Nous n'avons personne sous ce nom-là dans notre registre, madame.

— Vous devez vous tromper.

— Non, il n'y a pas d'erreur, madame. Nous n'avons pas de Mark Klein.

Pas de Mark Klein. Ça ressemblait à une épitaphe laconique.

— Est-ce qu'il a quitté l'hôtel ?

— Rien n'indique qu'il y soit venu, madame. Ce n'est peut-être pas le bon hôtel ?

— Voulez-vous vérifier encore une fois sur votre registre, s'il vous plaît ?

— Je suis désolé, madame. Nous n'avons personne sous ce nom-là, j'en suis certain.

Elle raccrocha violemment. Le Kimberley. C'était bien le nom que Mark lui avait donné. Elle en était sûre. Elle regarda à travers le store. Le soleil matinal avait teinté le ciel en orangé.

— C'est simple. Ma mémoire doit faire des siennes, dit-elle à McClennan.

— Je ne crois pas que votre mémoire soit en cause, répondit calmement McClennan. Mark a disparu.

— Disparu ?

McClennan traversa la pièce et lui toucha l'épaule comme aurait pu le faire un vieil oncle. Elle se déroba à son contact. Elle n'avait que faire de sa sympathie et n'avait pas envie qu'il la touche. Toute cette histoire devait avoir une explication simple : la perquisition, le mandat, l'absence de Mark à l'hôtel, tout cela était le fruit d'erreurs de jugement et de mémoire. Il ne pouvait en être autrement.

— Où est-il ?

— C'est ce que j'aimerais savoir, répondit McClennan.

— Mais enfin, il m'a téléphoné de Hong Kong...

— Comment savez-vous qu'il appelait de Hong Kong ?

— Parce qu'il l'a dit.

— Parce qu'il l'a dit, répéta McClennan en regardant rapidement le soleil. La vérité, Sara, est qu'il pouvait se trouver n'importe où. N'importe où sur la planète.

— Mark n'a pas pour habitude de me mentir...

— Il vous a dit qu'il était au Kimberley, n'est-ce pas ? Mais nous avons déjà vérifié et nous avons reçu la même réponse que vous.

— Comment avez-vous eu l'idée d'appeler le Kimberley ?

McClennan ne répondit pas.

— Le téléphone... dit-elle. Vous avez mis la ligne sur écoute, c'est ça, hein ?

Elle agita le mandat de perquisition. Ils violent votre domicile, écoutent derrière vos portes, espionnent vos conversations téléphoniques. La panique l'envahissait. Elle regarda le document. L'écriture était petite et floue, il lui fallait ses lunettes pour lire. Elle devait aller à l'étage les chercher, mais elle était paralysée et incapable de bouger. Grimper là-haut lui semblait au-dessus de ses forces. Epuisant. Elle regardait les policiers faire leur travail, comme si elle les observait à travers un Plexiglas couvert de buée. Son regard tomba sur le téléphone : ce n'était plus à ses yeux un instrument de communication inoffensif, mais un appareil plein de traîtrise. Elle était immobile, les bras ballants, la bouche entrouverte.

— Qu'est-il censé avoir fait ? demanda-t-elle. De quoi l'accusez-vous donc ?

McClennan croisa les bras et s'appuya contre le chambranle de la porte.

— Vous n'avez pas l'air dans votre assiette, madame Klein. Vous voulez un verre d'eau ?

De l'eau. Bien sûr qu'elle avait envie d'un verre d'eau. Mais elle n'avait pas besoin de McClennan pour aller se servir. Elle fit quelques pas, puis ses jambes la trahirent. Elle vacilla, ses perceptions se brouillèrent. Elle serait tombée si McClennan ne l'avait pas rattrapée.

— Attention, dit-il.

Elle s'écarta de lui et, l'air faussement assuré, se dirigea vers la cuisine où elle se fit couler de l'eau fraîche sur les poignets. Puis elle se versa un verre, mais l'idée même de boire l'écœura. Elle s'essuya les mains avec une serviette en papier.

McClennan apparut dans l'embrasure de la porte. Elle regardait par la fenêtre l'arrière de la maison, où une petite pelouse précédait un massif d'arbustes et d'arbres. Elle vit l'arbre que Mark avait planté un an après leur mariage, un bouleau argenté, toujours aussi chétif. Il lui avait consacré beaucoup de temps, l'avait arrosé avec des solutions spéciales, s'en était occupé avec une dévotion particulière, comme si sa croissance avait symbolisé la force de leur union. A une ou deux reprises, il l'avait appelé l'Arbre du Mariage.

— J'ai des questions à vous poser, dit McClennan. (Elle ne répondit rien, examinant toujours le petit arbre.) Vous m'écoutez ?

Elle se retourna et le regarda d'un air farouche.

— Je ne répondrai à aucune question avant d'avoir consulté un avocat.

— Bien joué. (McClennan resta silencieux un moment.) Le bébé est pour quand ?

Le bébé est pour quand ? Comme si c'était une conversation entre amis. Comme si c'était un matin ordinaire, comme si la vie suivait son cours normal, Mark au Kimberley de Hong Kong et Dieu toujours au ciel.

— Je vous l'ai dit, je ne répondrai à aucune question. Ni à propos de Mark. Ni à propos de moi-même. Rien.

McClennan s'attarda quelques secondes sur le pas de la porte.

— Je vous appellerai, dit-il.

L'instant d'après, il était parti. Sara froissa la serviette en papier dans son poing, la jeta dans la poubelle et écouta le bruit métallique que fit le couvercle en retombant. Elle resta au milieu de la cuisine et eut l'impression que les surfaces brillantes et les murs blancs l'écrasaient, elle s'imagina un instant qu'elle était le morceau de papier broyé par le compacteur à ordures.

2

Elle monta à l'étage, s'assit sur le lit et se concentra sur la lecture du mandat de perquisition en s'évertuant à ne pas faire attention aux bruits des allées et venues des policiers. Elle avait le sentiment qu'elle aurait dû rester au rez-de-chaussée et s'efforcer de les surveiller – mais à quoi bon ? Elle n'aurait pu les empêcher de continuer. Ils emportaient les affaires de Mark et les fourraient dans les coffres de leurs voitures.

Elle tripotait nerveusement son alliance et réfléchissait aux termes du mandat. Il autorisait les agents fédéraux à saisir au domicile de Mark Klein tous les documents afférents à des *transactions financières.* « Transactions financières » : l'expression était si vague qu'elle pouvait recouvrir n'importe quoi ayant un rapport avec l'argent. Mais pourquoi ? Quelle était la raison de cette perquisition ? Le mandat était particulièrement évasif. Elle vit qu'il était signé du juge Cecilia Askew.

Elle parcourut rapidement le texte. *Vous êtes par conséquent requis de procéder à une perquisition de jour au*

3242 Midsummer Avenue... De jour, pensa-t-elle. Ils n'avaient pas perdu de temps. Elle feuilleta les pages et lut : *chèques annulés, factures de téléphone, clefs de coffres-forts, billets d'avion, blocs-notes, agendas, livres comptables, documents concernant des dépôts fiduciaires, documents légaux, papiers d'immatriculation du véhicule, bordereaux bancaires, passeport, livrets de compte-épargne, hardware et software informatiques, disquettes, unités de disques, clavier, ordinateurs, imprimantes, documents contenant des listes de noms et/ou de numéros de téléphone, copies de toutes déclarations d'impôts...* Autrement dit, le mandat autorisait les agents à emporter tout ce qui se trouvait dans le bureau de Mark. Une sorte de viol. Une intrusion brutale dans votre vie privée, et vous ne pouvez rien y faire car vous n'avez pas la possibilité de résister.

Lorsque les voitures finirent par s'éloigner, elle retira ses lunettes et se dirigea vers la fenêtre. Les eaux du détroit miroitaient au soleil, paillettes d'or, mouchetures cuivrées. Elle s'habilla et descendit au rez-de-chaussée. Elle referma la porte du bureau de Mark, son sanctuaire profané, et erra à travers la maison, consciente d'un silence pareil à celui des églises.

Elle pensa : agir. Faire quelque chose. Trouver le bout de papier où elle avait griffonné le nom de l'hôtel de Mark. Chercher dans sa mémoire. Commencer par là. Elle fouilla dans les tiroirs de la table de nuit, redescendit au rez-de-chaussée et explora le contenu de la poubelle, en vain. Elle remonta à l'étage et farfouilla de nouveau dans toute la chambre, regardant entre les pages des livres et des magazines, mais ne put mettre la main sur le papier. Elle n'était plus certaine de l'avoir écrit sur une feuille. Peut-être avait-elle noté le nom machinalement au dos d'une enveloppe ou sur un journal.

Irritée par sa négligence, elle retourna à la cuisine, prit son carnet d'adresses dans un tiroir et le feuilleta. Elle se souvint du nom de l'avocat de Mark : George Borbokis. Elle appela son cabinet et tomba sur un répondeur. Il n'était que huit heures, le cabinet n'ouvrait vraisemblablement pas avant neuf heures. Elle raccrocha sans laisser de message. Le téléphone n'était plus fiable et elle ne voulait plus l'utiliser. Depuis combien de temps la ligne était-elle sur écoute ? Des conversations intimes entre elle et Mark avaient dû être enregistrées, les mots qu'un mari dit à sa femme dans le langage particulier du couple.

Elle resta assise un moment sans bouger. Ses pensées étaient sans suite. Le processus logique de la réflexion avait déraillé. Elle avait toujours le sentiment d'être prise au piège dans un tissu d'erreurs bureaucratiques, un dédale kafkaïen. Elle restait intimement convaincue que Mark était au Kimberley et que le réceptionniste qui lui avait répondu s'était trompé.

Elle se mit à aller et venir dans les pièces du rez-de-chaussée. Les objets familiers – le piano laqué noir dans le séjour, les estampes japonaises collectionnées par Mark, les bouquets de plumes de paon dans leurs supports cylindriques – lui paraissaient étrangers. Elle ne pouvait rester plus longtemps enfermée. Elle avait l'impression d'être en prison.

Elle passa un imper car le vent s'était levé et des nuages chargés de pluie dérivaient depuis la côte du Connecticut. Elle plia le mandat de perquisition, le fourra dans une poche et hésita en arrivant à la porte. Et si Mark téléphonait en son absence ? Elle brancha le répondeur, sortit de la maison, prit sa voiture et décida d'aller à Port Jefferson, où habitait son père.

Aller voir Papa, pensa-t-elle. Papa sait toujours quoi faire. Rentrer au bercail. Elle regarda la maison rapetisser dans le rétroviseur.

En arrivant à Port Jefferson, elle gara sa voiture devant chez son père. Elle remarqua que les feuilles commençaient à tomber – le processus de dépérissement. On entrait dans l'hiver. A mi-chemin de l'allée, elle s'arrêta et regarda la maison, grande bâtisse au style très orné, construite au début du siècle par un capitaine de la marine en retraite. Elle était en mauvais état, des bardeaux manquaient dans la toiture, la peinture marron du grand porche s'écaillait, une cheminée était fendue. C'est là qu'elle avait grandi. Tous ses souvenirs d'enfance étaient attachés à cet endroit. Le chêne gigantesque au milieu de la pelouse, les vestiges d'une vieille balançoire accrochée à une branche, la fenêtre de sa chambre à l'étage... Qu'allait-elle dire à son père ? S'agissant de Mark, il avait toujours adopté une attitude neutre. Elle n'aurait pu affirmer qu'il l'appréciait.

Elle le vit apparaître sur le perron, vêtu de son éternel pantalon en velours côtelé marron et d'un pull gris. Il avait renoncé à cette petite coquetterie qui consistait à peigner les quelques cheveux qui lui restaient.

— Tiens, une inconnue ! lança-t-il en souriant.

Elle monta sur le seuil et l'embrassa. Il lui déposa un baiser sur les sourcils, comme à son habitude.

— Ça faisait des semaines, dit-il.

— Je sais.

Il lui tapota le ventre.

— Comment va l'héritier ?

— L'héritier va bien.

Il lui passa un bras autour de l'épaule et ils entrèrent dans la maison. Elle s'assit en arrivant dans le séjour.

— Il ne doit plus y en avoir pour longtemps.

— Encore trois mois, à peu près.

— Tu n'es pas trop fatiguée ?

— Ça va.

Elle se sentit soudain nerveuse et jeta un coup d'œil circulaire – photos d'elle quand elle était petite, de sa mère lançant un sourire de défi à la leucémie à laquelle elle avait fini par succomber. La pièce était vaste et sombre, chargée de souvenirs.

Son père la regardait.

— Je sais toujours lorsque tu as des soucis.

Sara ne répondit rien.

— As-tu envie d'en parler ou as-tu l'intention de rester muette comme une carpe ? reprit-il au bout d'un instant.

Elle croisa ses mains sur son giron et pensa au mandat de perquisition dans la poche de son manteau. Elle aurait mieux fait d'aller en ville voir George Borbokis. Elle n'aurait pas dû venir ici. Son père était un prof de maths en retraite, il ne connaissait rien au droit. Et puis, pourquoi l'accabler de problèmes qui n'étaient pas les siens ? Il était dans l'expectative. C'était un homme d'une patience infinie. Il s'exprimait et agissait lentement, pesait longuement le pour et le contre avant de faire quoi que ce soit. Il avait eu une vie irréprochable. Vingt-deux ans en poste à Stony Brook, puis la retraite, qu'il passait à écouter sa chère musique classique et à lire des biographies de grands hommes d'Etat.

— Il s'agit de Mark, dit-elle.

Non, il ne s'agissait pas de Mark, mais d'un dysfonctionnement du système.

— Que se passe-t-il ?

Sara sortit le mandat de sa poche et se sentit alors ébranlée par le choc à retardement des événements. Elle ferma les yeux et eut un bref sanglot. Son père s'agenouilla devant elle et lui prit les mains. Les documents tombèrent sur le plancher.

— Je déteste te voir pleurer. Je vais aller te chercher à boire.

Elle secoua la tête et s'essuya les yeux avec la manche de son imper en regardant son père à travers ses larmes : l'inquiétude sur son visage, le reflet de son chagrin dans son expression.

— Jette un coup d'œil à ces papiers, dit-elle.

Son père ramassa les documents et les lut en silence.

— Tu crois que Mark a fait quelque chose de mal ? demanda-t-il quand il eut fini.

Elle secoua la tête avec fermeté.

— Jamais de la vie.

— Tu penses que c'est une erreur ?

— Bien sûr. Ce ne peut être que ça.

Le vieux monsieur se releva et fronça les sourcils.

— Où est Mark ?

Elle ne voulait pas se lancer dans des explications ni mentionner l'histoire de l'hôtel. Elle répondit évasivement qu'il était en Asie pour affaires.

— Mais sais-tu exactement où il est ?

— Non. Mais il va m'appeler. Il téléphone tous les deux jours quand il est en voyage d'affaires, répondit-elle avant de changer de sujet. Le mandat de perquisition m'a été remis ce matin à la première heure. Les agents du FBI sont venus à la maison et ils ont emporté des tas de choses dans le bureau de Mark.

Des papiers, des dossiers. Ils ont même pris l'ordinateur. C'est une erreur, Papa. Une énorme bavure.

— Tu veux que je te mette en contact avec Stan Jacobs? demanda John Stone. C'est mon avocat depuis des années. Je ne sais pas s'il est à la hauteur pour ce genre d'affaire...

— Mieux vaut que je m'adresse à l'avocat de Mark.

— Peut-être, acquiesça son père en parcourant de nouveau le mandat.

— Le FBI veut m'interroger, Papa. Qu'est-ce que je vais bien pouvoir leur répondre?

— Ça dépendra des questions qu'on te posera, Sara.

— Ce que je veux dire, c'est que je mène une vie tout ce qu'il y a d'ordinaire. En dehors de quelques contraventions pour excès de vitesse, je n'ai jamais enfreint la loi. Je n'ai jamais fait de tort à qui que ce soit délibérément. Et le FBI veut m'*interroger*.

Le bébé bougea dans son ventre, un léger frémissement. Une vie nouvelle en formation, attendant d'apparaître... Qu'est-ce qu'elle allait faire? La pensée du bébé la déprima subitement. Elle imagina son petit cœur battant, ses mains minuscules.

Son père se tenait le dos tourné à la cheminée. Derrière lui était accrochée au mur une photo encadrée de Sara le jour de son mariage. Elle la regarda distraitement, remarqua l'optimisme de son sourire, l'intensité du regard des yeux bleu clair de Mark. Quatre ans étaient passés depuis ce jour, quatre belles années.

— As-tu pris rendez-vous avec l'avocat de Mark?

— Pas encore.

— Fais-le tout de suite. Ne perds pas de temps.

Elle se leva, se dirigea vers le téléphone et vérifia le numéro de Borbokis dans l'annuaire. Borbokis, Slaney et Reichmann, c'était le nom de la société. Elle appela, se présenta et demanda à parler à Borbokis. Une secrétaire lui répondit qu'il était en rendez-vous.

— Il faut que je le voie le plus vite possible. Quand peut-il me recevoir ?

— Laissez-moi voir... Deux heures et demie cet après-midi, madame Klein. Il a un trou d'une demi-heure.

— Deux heures et demie. Je serai là.

Elle raccrocha et songea à rappeler Hong Kong. Peut-être tomberait-elle cette fois-ci sur un autre réceptionniste, une personne compétente qui lui confirmerait que Mark était bien descendu au Kimberley. Mais elle n'avait pas le cœur de recommencer la même comédie devant son père.

— Tu veux que je te conduise chez l'avocat ? demanda celui-ci.

— Je vais prendre le train. C'est plus simple.

— Je peux t'accompagner...

— Je crois que je préfère y aller seule, Papa.

Son père hocha la tête. Il avait l'air usé, ratatiné par les ans. Elle se rendit compte qu'il commençait vraiment à prendre l'aspect fragile des vieillards. Elle l'étreignit pendant quelques instants.

— Ne te fais pas de souci pour moi.

— Impossible, Sara. On s'inquiète toujours pour ses enfants. Quel que soit leur âge. On s'inquiète toujours. C'est le lot de tous les parents, tu verras.

Elle posa la main sur la sienne.

— Je te raconterai ce qu'a dit l'avocat.

Il parut ne pas l'avoir entendue, un instant perdu dans ses pensées, puis il sourit tristement.

— Ce pays devient infernal, Sara. La police se rend chez vous, emporte ce qu'elle veut et elle n'a même pas à se justifier. Que diable peut bien vouloir dire ce « transactions financières » ? Bon sang, dans quelle sorte de société vivons-nous ? Le FBI est censé défendre le droit et l'ordre, et pourtant il se comporte avec un mépris évident pour la vie privée des citoyens. Parfois, je n'arrive pas à voir quelle différence il y a entre les criminels et les forces de l'ordre.

Il l'accompagna sur le perron. Le vent éparpillait les feuilles mortes. Le grand chêne craquait, la vieille balançoire grinçait.

— Tu ne veux pas que je vienne avec toi, tu es sûre ?

Elle répondit qu'elle en était sûre.

Elle regardait par la fenêtre du wagon. La campagne laissa place à un paysage urbain, des lotissements, des immeubles. Le mouvement du train la berça pendant un moment. Elle observa les autres passagers, une Noire avec deux enfants grognons, un petit homme barbu absorbé dans l'examen de la page des courses, des adolescentes qui pouffaient de rire en feuilletant une revue porno – la vie quotidienne sur la ligne de Long Island.

Quelqu'un s'assit sur la banquette à côté d'elle, un jeune homme brun bien habillé. Son attention fut attirée par ses ongles manucurés, puis elle croisa son regard et il lui sourit aimablement. Elle avait remarqué ces derniers temps que des gens qu'elle ne connaissait ni d'Eve ni d'Adam lui souriaient parfois, comme si la grossesse attirait la sympathie.

Elle se retourna vers la fenêtre. La pollution dégagée par la ville, qui apparaissait au loin, cachait le soleil. Avant, la grande ville lui donnait toujours de l'énergie.

Depuis deux mois qu'elle avait cessé de travailler, elle lui semblait être devenue un lieu artificiel, peu attirant, où les gens couraient comme des déments à la poursuite de leurs ambitions.

Le jeune homme lui toucha le bras et elle le regarda. Il était d'une beauté parfaite, comme un mannequin, les traits un peu trop symétriques. Il se pencha vers elle et dit :

— Un vieux monsieur charmant.

— Pardon ?

— Je parle de votre père. Un vieux monsieur charmant. Ça va être un grand-père du tonnerre. C'est le genre.

— Qui êtes-vous ? demanda-t-elle.

— J'ai plusieurs noms.

— Vous êtes un des hommes de McClennan. Vous me suivez.

— Je veille sur vous, c'est tout.

Elle sentit le sang lui monter à la tête.

— Dites à McClennan, dites-lui que je trouve ça tout à fait inacceptable, une intrusion scandaleuse dans ma vie privée...

— Inacceptable ? répéta le jeune homme en riant doucement. Le mot est fort, Sara. J'en tremble.

— Dites-lui d'aller se faire foutre et de me ficher la paix.

— Dame, quel langage !

Elle se leva, passa devant le jeune homme, toujours souriant, remonta le couloir jusqu'au bout de la voiture et s'enferma dans les toilettes. Le plancher était glissant, couvert de papier hygiénique trempé. Elle s'agrippa au bord du lavabo, se regarda dans le miroir cassé et passa ses doigts furieusement dans ses cheveux courts. Son petit visage, que Mark avait comparé à celui d'un lutin, lui sembla tiré et anémique, ses traits estompés – grands yeux marron de myope, pommettes hautes. C'était bien lui, mais sa charpente s'était comme effondrée.

Suivie. Traquée. Comme une criminelle. Prise de nausée, elle sentit son estomac se retourner. Elle se pencha sur la cuvette des toilettes et eut un haut-le-cœur. Quelques filets de salive gluante montèrent dans sa bouche et rien de plus. Elle se prit à regarder fixement l'ovale d'eau jaunie miroitant sur le fond de porcelaine grisâtre. Affaiblie, consciente d'une forte pression derrière ses globes oculaires, elle s'appuya contre la cloison et écouta décroître le bruit des roues du train, qui ralentissait à l'approche de sa destination.

3

Il lui fallait tuer le temps avant son rendez-vous avec Borbokis et elle décida donc de remonter Wall Street. Après le trajet en train, elle avait besoin d'air, de marcher. La ville l'intimida par son gigantisme et elle se sentit minuscule, comme si elle se voyait de haut depuis un hélicoptère. Elle s'arrêtait souvent pour regarder les vitrines des magasins. De temps en temps, elle jetait un coup d'œil par-dessus son épaule pour voir si elle apercevait le jeune homme du train sur les trottoirs pleins de monde, mais s'il la suivait toujours, il se cachait bien.

« Charmant vieux monsieur », avait-il dit. Pourquoi avoir parlé de son père ? Peut-être pour lui montrer qu'il pouvait la filer sans se faire repérer. Considération lourde de menaces : où qu'elle aille, elle était surveillée.

Elle pensait toujours à lui quand elle arriva dans Wall Street. Le siège de la société de Mark se trouvait dans un immeuble, deux pâtés de maisons plus loin. Elle avait travaillé dans cette société pendant six ans, comme secrétaire particulière du vieux Sol Rosenthal. Mark y était entré un an après elle. L'idylle classique avec un collègue de bureau, coup de foudre et cœur battant à la clé. Elle se souvint qu'au début ils avaient essayé de ne pas se faire remarquer, car les relations amoureuses entre membres du personnel n'étaient guère encouragées. Mais il était impossible de garder ce genre de secret – les rencontres près du distributeur d'eau fraîche avec des airs de conspirateurs, les déjeuners, sa manière de trouver sans cesse des prétextes pour aller la voir dans son bureau et s'y attarder. Les autres s'en étaient immanquablement aperçus, même le vieux Sol Rosenthal – qui se montra tout à fait gentil lorsqu'ils décidèrent d'annoncer leur mariage.

« L'idée de vous perdre ne me séduit guère, Sara, lui avait dit Rosenthal. Vous êtes quelqu'un de pas ordinaire. »

Elle lui avait répondu qu'elle n'avait pas l'intention de démissionner.

« Vous dites ça maintenant. Mais ça viendra. J'ai déjà vu le cas. Le mariage, les enfants, et on jette la carrière et tout le reste aux orties. »

Vous êtes quelqu'un de pas ordinaire. Elle faisait bien son travail. Bigrement bien. Efficace, digne de confiance, pleine de ressources. Rosenthal avait dit un jour qu'elle était son bras gauche. De l'histoire ancienne. La vie et l'époque de quelqu'un d'autre. Qu'était devenue cette personne ? En passant devant l'entrée de l'immeuble, elle vit Tony Vandervelt, emmitouflé dans un long manteau noir à la dernière mode, en sortir. Il la remarqua tout de suite.

— Bonjour. Alors, vous ne pouvez vous passer de

votre ancien repaire, dit-il. De nouveau attirée par le saint des saints du capitalisme, hein ?

— Comment ça va, Tony ?

— On fait aller. Et vous ?

— En train de me transformer en ballon dirigeable.

— Foutaises. Vous êtes superbe. Qu'est-ce qui vous amène dans cet asile de fous ?

— J'ai rendez-vous dans le quartier.

Il se frotta les mains avec vigueur.

— Rosenthal a trouvé une nouvelle assistante, mais elle n'est pas à la hauteur. Alors, il est de mauvais poil la plupart du temps. « Je n'arrive pas à mettre la main sur ce dossier. Je ne trouve pas ce document. » Il se plaint sans arrêt.

Elle regarda le visage de Vandervelt, un visage anguleux, le nez trop proéminent, les pommettes saillantes. Elle connaissait Tony depuis six ans. Ils avaient dîné ensemble plusieurs fois avant que Mark entre en scène. Elle était sur le point de lui parler du mandat de perquisition, mais à quoi bon se confier à Tony ?

Il regarda sa montre.

— Faut que je me dépêche. La prochaine fois que vous venez dans le quartier, passez-moi un coup de fil, nous irons déjeuner ou prendre un verre.

Il l'embrassa rapidement sur la joue. Son haleine était froide.

— Tony...

Il avait déjà fait quelques pas.

— Oui ?

Elle avait eu envie de lui demander s'il connaissait le nom de l'hôtel de Mark à Hong Kong, mais se ravisa. « Vous ne sauriez pas par hasard à quel hôtel est descendu Mark ? » De quoi cela aurait l'air ? Il aurait sans doute touché le point sensible avec une phrase du genre : « Vous ne savez pas où est passé votre mari ? »

Elle lui fit au revoir de la main et le vit disparaître dans la foule. Elle se prit à regarder fixement l'entrée de l'immeuble. Il y avait quelque chose dans l'attitude de Tony... elle ne savait trop quoi. Peut-être moins démonstratif que d'habitude.

Il avait écourté leur conversation. Il était manifestement pressé et n'avait pas le temps de bavarder. Elle n'en éprouvait pas moins un vague sentiment de malaise.

Elle entra dans une rue adjacente où soufflait un vent glacial qui venait du fleuve. Elle remonta le col de son imper et se dirigea vers l'immeuble où se trouvait le cabinet de Borbokis. Un homme équipé d'un casque orange et de lunettes de protection était en train de percer le trottoir au marteau-piqueur. Un vacarme qui lui vrilla les tympans. Elle se demanda si le bébé l'entendait, si le bruit s'infiltrait jusque dans sa matrice.

Elle entra dans l'immeuble, prit l'ascenseur jusqu'au dixième. Elle sortit le mandat de perquisition de sa poche, le regarda et vit le nom de Mark en caractères gras. Un sentiment de solitude l'assaillit, un voile sombre sur son esprit. C'était comme si les documents qu'elle avait à la main étaient son seul lien avec son mari, deux ou trois feuilles de papier pelure accusatrices. S'il m'a menti, ce sera comme si on m'enfonçait un clou dans la chair, pensa-t-elle. Le mariage est fondé sur une confiance mutuelle ; Mark parlait toujours de l'importance de la sincérité. « Sinon, le mariage n'existe pas, disait-il. Il ne marche pas autrement. Ça ne peut fonctionner que s'il y a ouverture mutuelle. » *Ne rien cacher.*

Elle sortit de l'ascenseur. Les bureaux de Borbokis, Slaney et Reichmann étaient meublés dans un style feutré suggérant un club de gentlemen edwardiens : lambris de bois sombre, fauteuils en cuir, gravures représentant des scènes de chasse et de pêche. Tout cela visait à donner aux clients l'impression qu'ils entraient dans un univers très comme il faut, un lieu honorable empreint d'une dignité un peu vieux jeu où les poignées de mains avaient valeur de contrats notariés. La dame de l'accueil était une quinquagénaire vêtue d'un tailleur marron foncé qui la faisait presque se confondre avec les murs.

— J'ai rendez-vous, déclara Sara.

— Vous êtes madame... ?

— Sara Klein.

— Oui, avec M. Borbokis. (La femme décrocha un téléphone et annonça l'arrivée de Sara.) Suivez le couloir. Deuxième porte à gauche.

Sara entra dans une grande pièce couleur chocolat. George Borbokis se leva pour l'accueillir. Ses bagues de turquoise et d'argent scintillaient à ses doigts. Le parfum de son aftershave était fort, comme si on venait de pulvériser le jus d'une centaine de citrons. Il portait un costume croisé à rayures très fines coupé pour dissimuler son embonpoint.

— Ça faisait longtemps, Sara, dit-il en secouant la tête.

— Deux ans, il me semble.

— Au moment du testament, si ma mémoire est bonne.

— Oui, c'est ça.

Elle se souvint combien Mark avait insisté pour faire un testament et qu'elle-même s'y était opposée, se sentant trop jeune pour penser à ce genre de choses.

Mais Mark avait fait valoir qu'il ne s'agissait que d'une sage précaution... comme le Walther dans le tiroir de la table de nuit.

Mark était l'intendant, celui qui s'occupait des finances ; il remplissait les déclarations d'impôts, payait l'assurance de la voiture, les mensualités de crédit, les factures de la maison, et tenait à jour les comptes bancaires. Mark s'occupait de tout, c'était le financier de la famille. Si on avait demandé à Sara quel était le solde de leur compte joint ou de leur compte-épargne, elle aurait été incapable de répondre.

— Asseyez-vous, dit Borbokis.

Elle s'assit et étendit ses jambes.

— Bientôt maman, à ce que je vois. Mes félicitations. Je ne savais pas. Je ne vois pas Mark souvent non plus.

Les sourcils en broussailles de l'avocat et la façon dont ils se rejoignaient fascinèrent Sara quelques instants.

— Comment va-t-il ? demanda Borbokis.

— Je l'ignore. Je ne sais comment répondre à cette question.

Ne rien cacher, pensa-t-elle. Alors comment se faisait-il qu'elle se trouvait dans l'impossibilité de répondre à une question aussi simple ? Comment se faisait-il qu'elle ne pouvait tout bonnement pas répondre « Mark va bien » ?

Elle posa le mandat de perquisition sur le bureau de Borbokis.

Il ramassa les documents et les lut sans broncher. Il avait l'air d'un joueur de poker et donnait l'impression d'un homme au fait de mille secrets, de quelqu'un qui a été confronté à toutes les folies humaines et que plus rien n'étonne.

— Les agents du FBI ont débarqué chez nous ce matin. Ils ont emporté des tas de choses dans le bureau de Mark.

— Ce mandat leur en donne le droit. Mark n'était pas là quand le mandat a été présenté ?

— Il est en voyage.

— Où cela ?

— A Hong Kong.

— Vous vous êtes mise en contact avec lui ?

— Je n'ai pas pu le faire.

— Il n'est donc pas au courant.

Elle secoua la tête. Elle hésita.

— Il m'a laissé le nom d'un hôtel. J'ai appelé. On m'a répondu qu'on ne le connaissait pas.

Borbokis resta silencieux quelques instants.

— Il vous a raconté des histoires. C'est cela que vous voulez me dire ?

— Je ne sais pas ce que je veux vous dire, répondit-elle en percevant un accent de désespoir dans sa propre voix. Je ne sais plus rien, semble-t-il.

— Il se peut, bien sûr, que vous n'ayez pas appelé le bon hôtel.

— C'est ce que je crois.

— Vous n'en avez pas l'air certaine.

— Parce que je ne le suis pas.

Borbokis se tut un moment. Puis :

— Vous vous souvenez du nom du gars chargé de l'affaire ?

— Thomas McClennan.

Borbokis nota le nom et demanda :

— Vous travaillez dans la même société que votre mari, n'est-ce pas ?

— J'ai arrêté il y a deux mois.

— Congé maternité ?

36

— Non, j'ai donné ma démission. Je ne veux pas élever un enfant et travailler en même temps. Au moins pendant quelques années.

— Rosenthal Brothers... c'est le nom de la société, si je me souviens bien.

— Oui. (L'impatience l'envahit soudain. Pourquoi lui fallait-il répondre à ces questions sans importance ?) McClennan veut m'interroger. Je ne vois vraiment pas ce qu'il espère apprendre de moi.

— Vous êtes la femme de Mark. McClennan imagine que vous pouvez avoir des informations utiles.

— Par exemple ?

Borbokis lissa le mandat avec le bout de ses doigts.

— Ça dépend de ce qu'ils cherchent, Sara. Un mandat de perquisition n'a pas à spécifier la nature de l'acte criminel suspecté. Les agents fédéraux travaillent sur la base d'une «cause probable». Ils présentent une déclaration écrite sous serment à un juge afin d'obtenir le mandat. Celui-ci étant limité à la perquisition de documents liés à des «transactions financières», il ne faut pas être grand clerc pour imaginer qu'ils soupçonnent Mark d'avoir commis quelque fraude fiscale.

— De quel genre ?

— Oh, ça peut recouvrir un tas de choses. Mauvaise gestion de fonds. Opérations frauduleuses sur des actions et des parts de société. Transactions illégales.

— Des transactions illégales ? Mark ?

— Vous m'avez demandé des exemples, Sara. Je ne vous en donne que quelques-uns.

Elle était sur le point d'écarter toutes ces possibilités, mais Borbokis poursuivit :

— Il faut comprendre comment travaille un type

comme McClennan. Il pense probablement que vous savez quelque chose.

— C'est ridicule.

— Ridicule de votre point de vue. Pas du sien.

— Vous dites...

— Je dis qu'à ses yeux vous êtes peut-être aussi coupable que Mark...

— Formidable. Sauf que je ne vois pas où il est dit que Mark est *coupable* de quoi que ce soit, sans parler de *ma* culpabilité supposée. Le système judiciaire de ce pays ne prévoit-il pas que l'on est innocent jusqu'à preuve du contraire ? Ou bien c'est du vent ?

— Non, ce n'est pas du vent. J'essaie seulement de vous expliquer comment fonctionne McClennan. C'est son boulot d'être soupçonneux. Ce mandat montre manifestement qu'il a l'intention d'engager des poursuites contre Mark. Et puisque vous êtes sa femme...

— Je n'aime pas la tournure que prennent les choses.

— De plus, vous avez travaillé dans la même société...

— Je ne vois pas le rapport.

Borbokis tapota son stylo sur le bloc-notes comme s'il était las d'expliquer à ses clientes ce qui coulait de source.

— Bon. Pour les besoins de l'exposé, supposons que Mark a été impliqué dans, entre guillemets, une « irrégularité fiscale ». Supposons en outre que ce qu'il a fait a porté préjudice à la société pour laquelle il travaille... Vous voyez où je veux en venir ?

— Je vois.

Borbokis se massa les sourcils.

— McClennan flaire la complicité.

Elle avait la gorge sèche.

— Puis-je vous demander un verre d'eau...

— Naturellement.

Borbokis sonna sa secrétaire. Une jeune femme blonde et mince entra avec un grand verre d'eau glacée, puis ressortit du bureau immédiatement. Sara but une petite gorgée. L'eau était très chlorée. Elle était étonnamment sensible aux odeurs et aux bruits, ces derniers temps, comme si les changements biologiques provoqués par la grossesse avaient aiguisé ses sens. Incapable de boire cette eau, elle tint le verre glacé entre ses mains et pensa au mot « complicité » jusqu'à ce qu'il soit privé de toute signification.

— Il était à côté de moi quand j'ai tenté de téléphoner à Mark, dit-elle. Il *sait* que je n'ai pas pu joindre mon mari. Il a bien vu que j'essayais, George. Pour l'amour du ciel, s'il pense que je suis complice, comment peut-il expliquer le fait que je n'ai pas été en mesure de me mettre en contact avec Mark ? Drôle de complicité que celle où l'un des complices est incapable de joindre l'autre, vous ne trouvez pas ?

— Il a peut-être pensé que vous jouiez la comédie.

— *Jouer la comédie...*

— Bien sûr. Pour lui, vous savez où se trouve Mark. Vous utilisez ce stratagème qui consiste à appeler un hôtel où vous savez pertinemment qu'il n'est pas. Puis vous faites semblant d'être déconcertée.

— C'est complètement idiot. Sur quelle sorte de planète habite ce McClennan ?

— Imaginez une mare d'eau trouble et vous ne serez pas loin de la vérité, répondit Borbokis.

— Notre ligne est sur écoute.

— C'est McClennan qui vous l'a dit ?

— Il ne l'a pas nié.

Borbokis griffonna de nouveau quelque chose sur son bloc. Que notait-il ? Elle avait le sentiment étrange qu'il accomplissait mécaniquement les gestes typiques de son métier, qu'il prenait des notes parce que ça faisait sérieux vis-à-vis de ses clients. Il aurait très bien pu dessiner des hiéroglyphes dépourvus de signification sans qu'elle s'en aperçoive.

— S'ils ont enregistré les conversations que j'ai eues avec Mark, ils ont bien dû constater qu'il n'y avait pas le moindre indice de complicité entre lui et moi.

— Sauf si Mark et vous aviez préalablement convenu d'un code.

— Un code ? Enfin, George !

Elle se leva. Elle entendait le bruit du marteau-piqueur amorti par la distance, dix étages plus bas. Le monde était en état de confusion et de désintégration.

— Complicité. Codes. Il n'a même pas établi la culpabilité. Il a obtenu un mandat et saisi un tas de papiers, c'est tout ce qu'il a fait, Sara...

Borbokis se renversa dans son fauteuil, les mains croisées.

— Il n'y a pas moyen de savoir ce que Mark est présumé avoir fait ? Le juge qui a délivré le mandat. Vous ne pouvez pas le lui demander ?

— Ce n'est pas si simple, Sara. Au fond, les agents du FBI ont toutes les cartes de leur côté. C'est seulement quand ils décideront d'engager des poursuites contre Mark que nous en apprendrons davantage. Il faut généralement une dizaine de jours avant que nous apprenions quoi que ce soit.

— Il ne nous reste donc qu'à *attendre* qu'il se passe quelque chose ?

— En effet.

— Mais c'est scandaleux. Ils ont tous les pouvoirs...

— Oui.

— Et ils nous piétinent.

Borbokis remit le capuchon de son stylo.

— McClennan vous a dit quand il souhaitait vous interroger ?

— Non.

— Je vais me renseigner pour le savoir car je tiens à être là.

— Que suis-je censée faire en attendant ?

— Rentrer chez vous et attendre. Etre patiente. Et quand Mark vous appellera, lui demander de me téléphoner immédiatement. C'est impératif.

— Si vous avez McClennan au bout du fil, vous pouvez lui dire que je n'apprécie guère d'être filée. Il y avait un de ses hommes dans le train lorsque je suis venue ici.

— Comment l'avez-vous repéré ?

— Je n'ai pas eu à le faire. Il s'est présenté.

Borbokis eut l'air perplexe.

— Il vous a dit son nom ?

— Non. Il a juste commencé à me parler. Il savait qui j'étais. Il m'avait suivie.

— Généralement, ils ne se font pas connaître, Sara. Pour ce que j'en sais, ils préfèrent rester tranquillement dans l'anonymat.

— Pas celui-là. Peut-être essaient-ils une nouvelle technique. « Voyez comme nous, les gars du FBI, sommes malins. Vous n'êtes jamais seule. Les murs ont des oreilles et des yeux. »

Borbokis l'accompagna jusqu'à la porte, l'air préoccupé.

— Je sais que ce n'est pas facile, mais essayez de rester calme.

— Je ne peux vous le promettre.

— Je vous appellerai.

Elle redescendit par l'ascenseur. L'ouvrier au marteau-piqueur était parti. Le vent charriait l'odeur humide et déplaisante du fleuve. Un code, pensa-t-elle. *Complicité.*

Elle marcha rapidement pour chasser le sentiment d'incrédulité et de colère qui s'était emparé d'elle. Elle se sentait épuisée, esseulée. Sur une impulsion, elle entra dans une cafétéria et se dirigea vers le téléphone. Elle introduisit une pièce dans la fente et composa un numéro.

— Rosenthal Brothers, annonça une voix.

— Je voudrais parler à Jennifer Gryce, s'il vous plaît, dit Sara.

— Un instant, je vous prie...

— Allô ! fit une autre voix.

— Jen ? C'est Sara.

— Oh.

— Tu as le temps de boire un verre ? Je suis au coin de la rue.

— Tout de suite ? Je suis occupée, Sara.

— Juste un petit moment.

— Vraiment, je ne peux pas. J'aimerais que tu voies mon bureau...

— Je t'en prie, Jen. J'ai besoin de parler à quelqu'un. Je ne te le demanderais pas si je n'avais pas besoin de toi.

Jennifer Gryce, qui était entrée dans la société le même mois que Sara, était devenue sa meilleure amie de travail et la première à avoir été au courant de sa relation avec Mark. Elle ne répondit pas avant un bon moment. Le silence était embarrassant. Des souvenirs de son amitié avec elle traversèrent l'esprit de Sara – le jour où elles étaient allées à un spectacle des Chippendales et avaient ri comme des folles, la virée qu'elles avaient faite un soir dans les bistrots pour célibataires en goguette, un concert de Joe Cocker un soir d'été à Central Park. Un kaléidoscope d'expériences partagées, de secrets et de fous rires.

— Je suis désolée, Sara, je ne peux pas. Impossible de quitter le bureau maintenant.

— Cinq minutes, Jen, pas plus.

— Je ne peux pas, excuse-moi. On m'attend pour une réunion. Il faut que j'y aille.

— Cinq minutes, pour l'amour du ciel. Ne raccroche pas...

Mais la communication était coupée, le récepteur silencieux.

Elle sortit de la cafétéria et frissonna en se retrouvant dans la rue glaciale.

4

Elle était assise dans la voiture et regardait la maison comme si elle avait appartenu à quelqu'un d'autre. A mesure que le jour tombait, les fenêtres se transformaient en rectangles sombres peu accueillants. Le porche était plongé dans l'ombre. La maison s'est étiolée, pensa-t-elle.

Elle sortit de la voiture, monta sur le perron, tourna lentement la clé dans la serrure et entra. Un silence lourd, insupportable, régnait dans la maison. Elle alluma la télé dans le séjour. Le caquetage des publicités l'assaillit. Elle avait conscience des images – couches pour bébés, nourriture pour chiens – et des couplets publicitaires ; c'était d'un tel bruit de fond qu'elle avait besoin. Elle retira son imper et le laissa tomber sur le plancher.

Elle se dirigea vers le répondeur. Il y avait deux messages. Elle appuya sur le bouton de lecture. Le premier était de son père : « Appelle-moi dès ton retour. »

Le second avait été laissé par Jennifer Gryce. « S'il te

plaît, ne me téléphone plus, Sara. Je déteste avoir l'air désagréable, sincèrement, mais cela ne m'arrange pas que tu appelles. Je dois penser à ma position dans la boîte... Excuse-moi, excuse-moi vraiment. »

— Va te faire fiche, ma vieille, toi et ta position dans cette saloperie de boîte, pensa-t-elle tout haut avant de se laisser tomber dans un fauteuil et de fermer les yeux. Jennifer Gryce ne voulait pas être associée à elle et cela faisait mal.

Et Tony Vandervelt, qui s'était montré bourru. Conclusion : ce qu'avait fait Mark concernait directement la société Rosenthal. Jennifer était au courant et Tony aussi. Comme tous les autres. Les commérages devaient aller bon train dans les bureaux. « Mark Klein, qui aurait pensé ça de lui ? » Le golden boy avait mal tourné.

Non, se dit-elle, ce n'est pas possible. Il doit y avoir une explication simple à tout cela, à ces « irrégularités fiscales ». Mark n'a pas pu arnaquer la société Rosenthal. Il n'aurait jamais fait ça.

Que faire ? Quelle disposition fallait-il prendre ? Elle avait les yeux fixés sur le répondeur. Pas de message de Borbokis. Et surtout, pas de message de Mark. Le monde est plat, pensa-t-elle, et je me dirige vers le bord de l'abîme.

Le bébé bougea dans son ventre. Elle se demanda si, pendant la grossesse, les bébés percevaient la tension de leur mère, si les changements dans son état émotionnel affectaient leur milieu. Elle se serra les mains aussi fort qu'elle put, jusqu'à ce que ses articulations deviennent blanches. Mon bébé, pensa-t-elle, que va-t-il advenir de toi ? Tu es en moi, c'est moi qui te fournis ta nourriture, qui te donne la vie, et je ne suis même pas capable d'assumer la mienne. Ton papa est parti et je ne sais pas où le trouver. Des images se pressaient dans son esprit – vieux sampans amarrés dans le port de Hong Kong, gratte-ciel ornés d'enseignes au néon en caractères chinois, labyrinthes de rues étroites. Mais Mark n'apparaissait dans aucune de ces images.

Elle remonta son corsage et regarda son ventre en promenant ses doigts sur la peau. La forme de son nombril avait changé.

Tout avait changé.

Incapable de rester assise sans rien faire, elle fit des allées et venues dans la pièce pendant un moment. Elle s'arrêta près du téléphone et se demanda si cela valait la peine de passer le coup de fil dont elle venait d'avoir l'idée. Pourquoi pas – elle n'avait rien à perdre. Elle ne pouvait pas rester là à attendre, comme Borbokis le lui avait conseillé, que la machinerie du FBI se mette en marche et qu'une plainte précise soit déposée contre Mark. Elle composa un numéro.

— Oui ? répondit Sol Rosenthal.

Elle hésita, puis :

— Sol ?

— Oui. Qui est à l'appareil ?

— Sara.

— Sara. Ma collaboratrice préférée.

— Le suis-je toujours ?

— Celle que j'ai maintenant... vous ne le croiriez pas. C'est pas un cerveau, mais de la sauce blanche.

Il semblait être toujours le même. Sa voix rauque n'avait pas changé. Elle l'entendait tirer sur son cigare.

— Alors. Que puis-je faire pour vous ?

— Sol, vous savez bien quelle est la raison de mon appel.

— Oui, je sais.

— Je ne comprends rien à ce qui se passe, Sol. Dites-moi ce que Mark est censé avoir fait.

Elle l'entendit expulser rapidement la fumée.

— Je disais aux gens, cette Sara, même quand elle éternue, elle n'envoie pas de microbes.

— Sol, je vous en prie.

— Cette fille a de la classe jusqu'au bout des doigts, voilà ce que je leur disais.

— Bon sang, Sol, dites-moi ce qu'a fait Mark.

— Le problème avec les avocats, mon petit, c'est qu'ils vous bâillonnent. Vous permettent pas de parler. Ils vous flanquent quasiment en quarantaine et vous disent : « Ne racontez rien à personne, n'envenimez pas les choses. »

— Quelles choses ?

— C'est tout ce que je peux dire. Tout ce que j'ai le droit de dire.

— Sol, *je vous en prie.*

— Sara, pour votre bien, ne posez pas de questions, dit Sol Rosenthal avant de raccrocher.

Sara reposa le combiné. Elle se souvint que la ligne était sur écoute et imagina les bobines d'un magnétophone tournant lentement dans une pièce sombre ou une fourgonnette garée dans les parages, des hommes avec un casque. Sol savait, de toute évidence, il savait, mais il ne lui dirait rien. Il n'y était pas autorisé. Réduit au silence par les avocats. Muselé.

Le téléphone sonna et elle décrocha tout de suite. C'était son père.

— Tu as eu mon message ? demanda-t-il.

— Je viens de l'avoir. J'allais te rappeler.

— J'étais inquiet. Comment ça s'est passé ?

— Tu as déjà dîné ?

— Non.

— Tu veux qu'on aille manger un morceau quelque part ?

— Ça me paraît être une bonne idée.

— Je vais passer te chercher. On ira peut-être chez Sam. Ils ont de bons fruits de mer. Ça te va ?

— Oui, Sam, c'est très bien. Tu es sûre que tu ne veux pas que je vienne te prendre ?

— Non. Accorde-moi seulement une demi-heure.

— Tu es vraiment d'attaque pour sortir ? Tu me parais fatiguée.

— J'ai une faim de loup. A tout de suite.

Elle reposa le téléphone. Echange guindé. Quand vous savez qu'on écoute vos conversations, comment pouvez-vous être naturel ? Il lui faudrait se rappeler qu'elle n'avait plus de vie privée.

Elle regarda la porte du bureau de Mark. Quelque chose avait changé depuis son départ, quelque chose ne collait pas. Elle était certaine d'avoir fermé la porte du bureau avant de sortir et elle était à présent entrebâillée. Elle se dirigea vers la pièce, entra et alluma le plafonnier. Les tiroirs des meubles de rangement et du bureau étaient grands ouverts, des surfaces blanches et nues renvoyaient la lumière. Il y avait au milieu un carré de poussière à l'endroit où se trouvait l'ordinateur.

Elle avait fermé la porte le matin, elle en était certaine. Et maintenant, elle était ouverte. Je ne l'avais pas fermée comme il faut, se dit-elle. Voilà tout. Rien de plus simple. Défaut de mémoire. Les circuits fonctionnent mal.

Elle traversa la pièce et examina les meubles vides. Les agents du FBI avaient tout emporté, chaque dossier, le moindre bout de papier. Les tiroirs ne contenaient plus que des trombones et des élastiques, des crayons et des stylos bille. Elle regarda le fauteuil pivotant de Mark, se souvint de la façon dont il s'y asseyait, épaules voûtées, manches retroussées, le regard distant, quand il abattait tard dans la nuit le travail qu'il avait rapporté à la maison. Il lui sembla un moment qu'un fantôme de son mari était encore là dans la pièce. Elle éteignit la lumière et referma la porte. Quelque chose d'autre la travaillait...

Le Walther. Bien sûr. McClennan le lui avait pris des mains dès qu'il était entré dans la maison. Avait-il été confisqué avec le reste ? Sa présence allait-elle, elle aussi, être interprétée comme une preuve de la culpabilité présumée de Mark ? Elle chercha l'arme dans le tiroir de la table basse, sur le manteau de la cheminée, entre les coussins du canapé, regarda si elle n'avait pas glissé sur les côtés des fauteuils.

Elle ne la trouva pas.

A la place, collé entre un coussin et le cuir, elle découvrit un Post-it froissé. Elle n'eut pas besoin de ses lunettes pour voir ce qui y était écrit : *Kimberley, Hong Kong*.

Elle chiffonna le bout de papier dans le creux de sa main et le bord collant adhéra à sa peau. Elle était consternée, avait l'impression d'être broyée. Une porte de sortie venait de se fermer.

Il lui avait menti. Il lui avait bel et bien menti.

5

— Ce n'est pas par là qu'on va chez Sam, fit remarquer son père.

— J'ai changé d'avis, nous n'allons pas chez Sam.

— Tu n'as pas l'air bien. Tu es pâlotte.

— J'ai eu une longue journée.

Elle serrait le volant, les yeux fixés sur l'obscurité devant la voiture. Les phares balayaient de grands massifs d'arbustes. Elle regarda dans le rétroviseur. Aucune voiture ne les suivait. Elle se demanda si McClennan avait déjà envoyé un de ses sbires, l'un de ses espions, au restaurant Sam.

— Où allons-nous, Sara ?

— Il y a un bar, à quelques kilomètres d'ici. Ils font de bons hamburgers.

— Chez Jackson.

— Oui.

La viande grillée, des rondelles de bœuf haché saignant. L'idée de la nourriture lui répugnait. Elle sentait encore la partie adhésive du Post-it contre sa peau, elle voyait encore son écriture hâtive.

Son père lui passa une main sur la nuque.

— Que t'a dit l'avocat ?

— Que disent les avocats ? Il a dit qu'il allait se renseigner et me rappellerait.

Elle était d'une humeur noire et n'avait pas envie de communiquer. Elle se sentait isolée, prisonnière d'elle-même.

— Ce n'est pas le meilleur chemin pour aller chez Jackson, observa son père. On n'avance pas sur ces routes secondaires.

Elle ne répondit pas. Elle savait qu'elle aurait dit quelque chose qu'elle aurait regretté. Elle ne voulait pas user sa patience avec son père. *L'importance de la sincérité*, pensa-t-elle. Tu m'as caché tout un pan de ta vie, Mark. Tu as manœuvré en douce. Elle avait une envie terrible de le voir, ne serait-ce que pour se confronter à lui. Et pourtant, une partie obstinée d'elle-même se refusait à croire qu'il avait mal agi. Il devait y avoir une bonne raison au mensonge qu'il lui avait dit ; il ne pouvait en être autrement. Suspendue à un fil fragile, elle luttait contre la force de l'évidence. Il allait arriver soudain, lui expliquer les anomalies, démontrer que le mandat de perquisition résultait d'une terrible erreur. Il parlerait posément, comme à son habitude, et elle écouterait, elle comprendrait. Il faut que je me raccroche à quelque chose, pensa-t-elle.

— Tu es dans les nuages, dit son père.

— Excuse-moi, je réfléchissais.

— Tu ne veux pas partager tes réflexions avec moi ?

Le parking de la Jackson's Tavern apparut devant eux. Une enseigne électrique était suspendue dans le ciel nocturne : HAMBURGERS GRILLADES COCKTAILS.

— Je ne suis pas de très bonne compagnie, Papa.

— Si tu n'as pas envie de parler, ne dis rien.

Ils entrèrent dans le bar. C'était un de ces endroits qui essaient de se donner des airs « western » et campagnards. Sciure sur le plancher, tables en bois grossièrement équarri. Les serveuses portaient jupe courte rouge, bottes et gilet en cuir. Il flottait une odeur de viande. Un juke-box diffusait un vieil air de Tammy Wynette, *Stand by Your Man*. C'était bien la dernière chose que Sara avait envie d'entendre.

Une hôtesse s'approcha avec un sourire de commande.

— Une table pour deux ? Suivez-moi. (Elle les conduisit dans le fond de la salle.) C'est Bobby qui va vous servir. Bon appétit.

Sara s'assit face à la porte. Elle voulait voir qui entrait et sortait. Son père jeta un coup d'œil circulaire dans la grande salle et remarqua :

— Ça fait des années que je ne suis pas venu là. Je ne me souvenais plus que c'était si grand. (Il écoutait le juke-box avec une expression de dégoût.) Ces chansons… toujours des histoires de types qui languissent après une femme… ou vice versa. Du masochisme en musique.

Sara esquissa un sourire. Elle devait se forcer à faire la conversation à son père. La musique s'arrêta.

— Elles parlent parfois de Dieu et du pays.

— Ah, oui. Patriotisme, le style Nashville. Paillettes et strass.

Il tendit la main par-dessus la table et la posa sur la sienne. La douceur du toucher, l'inquiétude qu'elle lisait dans ses yeux : elle se sentit triste. C'était désormais la solitude qui la liait à lui. Il vivait seul depuis douze ans. Sa solitude à elle n'avait commencé que le matin même. Elle était novice en la matière.

Elle l'imagina menant son petit train-train quotidien dans la grande maison déserte et ce qu'elle entendit, ce fut le son produit par le vide, comme le vent sur un paysage désolé. Et elle, quel avenir avait-elle ?

— Bonjour. Je suis Bobby.

La serveuse était jeune, mince et pétulante. Elle leur tendit deux cartes et débita à toute allure la liste des plats du jour.

— Je prendrai un hamburger « à l'ancienne », annonça John Stone. Saignant, mais pas trop, et pas de frites.

Sara demanda la même chose. Bobby les gratifia d'un sourire, reprit les cartes.

— Et comme boisson ?

Sara commanda un scotch et de l'eau, son père, une Coors.

— Ne me regarde pas comme ça, dit Sara quand la serveuse fut partie.

— Comment, comme ça ?

— Tu sais bien, ta façon toute professionnelle de froncer les sourcils. J'avais envie d'un petit verre. J'en ai besoin. Ce n'est pas cela qui fera du mal au bébé, Papa.

— Je ne me rendais pas compte que je fronçais les sourcils.

— Tu peux me croire. Tu as dû terrifier plusieurs générations d'élèves avec cet air-là.

— J'en doute. Je me demandais souvent s'ils m'écoutaient vraiment. La plupart du temps, j'avais l'impression de parler dans le désert. Les maths, ça exige de la concentration, ce qui implique de fixer son attention pendant plus de trente secondes. De nos jours, il faut tout dire en deux phrases. Tout ce qui est plus long, tu peux oublier. On ne veut plus de la complexité.

C'était un de ses sujets favoris. Il lui arrivait de s'étendre sur cette question, dénonçant au passage le système éducatif américain. Quand il était dans cet état d'esprit, il se lançait dans des tirades contre la corruption des milieux politiques, l'influence pernicieuse des groupes de pression. Elle se demandait si, l'âge venant, il n'allait pas épouser des théories fanatiques de conspiration. Le fait d'écouter son discours habituel lui procurait cependant un peu de réconfort. Certaines choses au monde avaient de la constance.

Leurs boissons arrivèrent.

— A ta santé, dit-elle.

Le scotch était noyé sous les glaçons.

— A la tienne.

Il but sa Coors à petites gorgées. La bière laissa de la mousse sur sa lèvre supérieure.

— Tu n'as pas été très loquace à propos de l'avocat, Sara.

— Il a dit qu'il allait vérifier un certain nombre de choses, puis qu'il me téléphonerait.

Elle perçut de l'impatience dans sa propre voix. Comment ne voyait-il pas qu'elle n'avait pas envie de parler de l'avocat ? Elle avait besoin de faire semblant de croire qu'une certaine normalité existait, que le statu quo était inchangé. Parce qu'il faut continuer à vivre, de toute façon. Il n'y a pas le choix.

— A-t-il dit qu'il pouvait faire quelque chose ? insista-t-il.

— Oui.

— De quelle façon ?

Elle mordit dans son hamburger et de la

54

mayonnaise rose lui dégoulina sur les doigts. Elle en eut l'estomac retourné.

— Les avocats n'expliquent pas toujours ce qu'ils vont faire, Papa.

— J'ai l'impression que tu ne me dis pas tout.

— Je t'en prie, Papa, parlons d'autre chose.

— Je ne devrais pas te presser de questions.

— Et moi je ne devrais pas perdre patience. Excuse-moi.

— La patience, il n'y a pas que ça qui compte, Sara. Parfois, il est bon de la perdre. (Il ouvrit son hamburger et en retira soigneusement l'oignon.) Je suppose que tu n'as pas de nouvelles de Mark ?

— Je te l'aurais dit si j'en avais eu.

Elle reposa le hamburger sur son assiette et écarta le tout, puis but son scotch à petites gorgées et regarda le visage de son père pendant un moment.

— Puis-je te poser une question ?

— Vas-y.

— Que penses-tu de Mark ?

— Ce que je *pense* de lui ?

— Tu ne me l'as jamais dit.

— C'est une question délicate, Sara.

— Tu ne l'aimes pas.

— Je n'ai jamais dit ça.

— D'accord. Mais tu ne l'as jamais vraiment apprécié.

— Je ne crois pas le connaître très bien... Je me suis toujours dit que si tu étais heureuse, tout était bien ainsi.

— C'est un faux-fuyant.

— Non, Sara, je ne cherche pas d'échappatoire. J'essaie seulement de penser comment je peux te répondre. Je n'ai jamais eu de conversation vraiment personnelle avec lui, et je manque donc d'éléments pour former un jugement.

— Ne parlons pas de jugement. Dis-moi ce que tu ressens instinctivement.

— Instinctivement. J'ai passé la majeure partie de ma vie dans un monde de vérités mathématiques. Je crois bien que mon instinct est un peu rouillé...

— *Papa.*

John Stone resta un moment silencieux.

— Au printemps dernier, il m'a demandé si cela m'intéressait de faire un placement exonéré d'impôts à l'étranger. Un système astucieux qu'il avait trouvé.

— Tu penses que c'était... comment dire... illégal ?

— Illégal, non. S'il me fallait préciser ma pensée, je dirais que je n'aime pas avoir l'impression qu'on me force la main.

— C'est ce qu'il a fait ?

— D'une manière assez insistante. Je suppose qu'il travaille sur un marché où la concurrence est forte et il essayait de me vendre quelque chose dont je ne voulais pas.

Sara finit son verre. Elle ignorait que Mark avait tenté de décider son père à placer de l'argent. Elle ne pouvait l'imaginer essayant de forcer un vieux monsieur... mais apparemment, il y avait bien des choses qu'elle était incapable d'imaginer à propos de Mark.

— Il avait l'air désespéré, dit son père. C'est l'impression qu'il m'avait donnée sur le moment. Il *fallait* à toute force qu'il obtienne ma signature. Comme si sa vie en avait dépendu.

Elle regardait fixement son verre où les glaçons étaient en train de fondre. *L'air désespéré.* Elle n'avait jamais vu Mark dans un état de ce genre. Il travaillait trop, il était passionné et ambitieux. Il essayait sans cesse de trouver de nouveaux clients, de conclure de nouvelles affaires. « Il y a des quantités de gens naïfs, avait-il dit un jour. Et ils sont trop nombreux à donner leur argent à l'Etat pour la seule raison qu'ils ne savent pas investir au mieux de leurs intérêts. » La lampe de son bureau restait donc allumée bien après minuit, l'ordinateur bourdonnait, le fax bipait et le téléphone sonnait à toute heure du jour, des appels provenant de pays aux horaires décalés. Mais du désespoir... non, elle n'en avait jamais vu en lui.

La serveuse réapparut à la table.

— Pardonnez-moi de vous interrompre. Etes-vous Sara Klein ? Il y a un appel pour vous. Vous pouvez le prendre au bar.

Ce qu'elle fit.

— Nous voulons vous rencontrer, Sara, dit une voix d'homme.

— Qui est à l'appareil ? McClennan ?

— Il faut que nous parlions.

— Je ne parle pas à des inconnus. Et je n'aime pas qu'on me suive.

— Vous parlerez avec nous, fit l'homme.

— Je raccroche. Adressez-vous à mon avocat. George Borbokis. Il est dans l'annuaire.

— Vous n'écoutez pas ce qu'on vous dit. Nous ne *parlons pas* aux avocats. Nous préférons les face-à-face.

— Je me fiche de ce que vous préférez...

— Vous ne faites pas attention, Sara. Nous sommes dehors, dans le parking. Raccrochez. Sortez discrètement. Ne passez pas de coups de fil et ne dites rien à votre père. Vous ne voulez pas lui faire de la peine, n'est-ce pas ? A son âge. Vous comprenez ?

L'homme raccrocha. Sara reposa le combiné. Elle se retourna et regarda au fond de la salle la table où son père était assis. Il buvait sa bière à petites gorgées. Dans la lumière tamisée, il avait une apparence spectrale, vulnérable. Elle jeta un coup d'œil à la porte donnant sur le parking, surmontée d'un signe lumineux vert : *Sortie.*

6

L'air de la nuit était froid et sentait la pluie. Le vent faisait claquer le bas de l'imper de Sara. La grande enseigne au néon HAMBURGERS GRILLADES COCKTAILS jetait une lueur rouge sur le parking. Elle regarda les voitures garées. Il y en avait sept. Elle entendit l'enseigne lumineuse grésiller. Le G de HAMBURGERS clignota pendant quelques instants. Elle s'avança sur le parking et se demanda pourquoi elle n'était pas restée dans le restaurant. Mais elle le savait, la menace proférée par son interlocuteur, la référence à son père, ne lui laissait pas le choix. « Vous ne voulez pas lui faire de la peine, n'est-ce pas ? A son âge. » Elle se souvint du jeune homme rencontré dans le train et de la façon dont il avait dit « Charmant vieux monsieur ».

Soudain, elle eut peur. La peur n'anesthésiait pas, comme on le prétend parfois, elle aiguisait ses sens, affûtait ses perceptions. Elle entendait le sang affluer vers son cœur. Le vent lui picotait le visage et lui irritait les yeux. Sa respiration lui semblait anormalement forte et profonde.

« Nous voulons vous parler. »

Elle dépassa sa voiture. Le néon s'y reflétait comme si quelqu'un y avait vaporisé du sang.

« Nous ne parlons pas aux avocats. Nous préférons les face-à-face. »

Celui qui avait téléphoné n'avait aucun lien avec McClennan, n'appartenait pas au FBI, de cela au moins elle était certaine. McClennan n'aurait pas procédé ainsi. Il ne se serait pas refusé à parler avec son avocat, n'aurait pas insisté pour la rencontrer sur un parking désert. Mais si l'homme n'avait aucun rapport avec McClennan, s'il n'était pas en relation avec la machine fédérale, qui était-il ?

Elle entendit « Par ici, Sara » et vit un homme sortir d'une Buick bleu nuit en laissant la portière ouverte. Il portait une écharpe noire et un imper beige avec des épaulettes. Il avait le visage bouffi et déplaisant ; la pâleur de sa peau, teintée par le néon, lui donnait l'air d'un homme atteint d'hypertension. Il avait les mains dans les poches.

— Par ici, répéta-t-il.

Elle était à une dizaine de mètres de la Buick. Il y avait apparemment quelqu'un d'autre à l'intérieur de la voiture. Elle pensa à son père. Il devait se demander où elle était passée ; son absence n'allait pas tarder à l'inquiéter et il allait se mettre à sa recherche. Elle avança de quelques pas.

— Qui êtes-vous ? demanda-t-elle.

L'homme sortit ses mains de ses poches. Elles étaient grandes et gantées.

— Approchez, dit-il.

Elle secoua la tête.

— Tout ce que nous voulons, c'est parler tranquillement avec vous un petit moment.

Il fit l'effort de sourire, mais ce n'était pas un sourire chaleureux, engageant.

Elle entendit les premières gouttes de pluie tomber sur les carrosseries des voitures. Les bruits étaient amplifiés dans sa tête. Le tic-tac de la pluie sur le métal et, de nouveau, le grésillement de l'enseigne lumineuse. Le G clignota et, cette fois-ci, s'éteignit, laissant un trou étrange dans la trame du ciel.

— Sara, reprit l'homme. Venez donc. Approchez-vous de la voiture.

— Qui êtes-vous ? répéta-t-elle.

Il haussa les épaules.

— Vous êtes très proche de lui, hein ? Vous l'aimez beaucoup. Il doit en être ainsi. Père et fille. La famille.

Elle sentit la pluie sur son visage. Elle se demanda si elle aurait assez d'obstination. L'obstination ne suffisait pas et s'épuisait vite. Elle pensa de nouveau à son père et fit quelques pas en direction de la Buick. Elle se rappela le jeune homme dans le train. *Ce sera un grand-père du tonnerre.*

— Ce n'est pas si difficile que ça, après tout, n'est-ce pas, Sara ?

Elle voyait à l'intérieur de la voiture. Un personnage plongé dans l'obscurité occupait la banquette arrière. Sara s'arrêta à deux mètres de l'homme en imper beige. De si près, elle apercevait de la couperose sur son nez. Il avait la paupière gauche à moitié fermée.

— Je n'aime pas les menaces, dit-elle.

— Qui vous menace ? Ai-je fait des menaces ?

— La façon dont vous avez évoqué mon père...

— Vous y voyez une menace ? Je voulais seulement dire qu'il est sympathique, à notre époque, de voir un père et une fille étroitement liés, alors qu'on entend partout parler de familles désunies, de mésentente, de séparation. Si vous interprétez ces paroles comme une menace, ça vous regarde.

La silhouette à l'arrière de la voiture bougea légèrement. Sara eut l'impression de voir un reflet métallique. Sa première pensée fut que c'était une arme, mais elle se trompait. Par la portière arrière ouverte de la Buick, elle s'aperçut que la lueur provenait de l'armature en aluminium d'un déambulateur. Deux mains blanches et maigres agrippaient le métal. L'homme à l'imper se pencha à l'intérieur de la voiture. Le personnage à l'arrière, dont Sara ne pouvait voir le visage, chuchota quelque chose.

— Montez dans la voiture, dit l'homme en se retournant vers Sara.

— Pas question !

— N'en faites pas une histoire. Allez, montez.

— Non !

Il la saisit par les bras, la tira brusquement vers la Buick. Surprise par ce contact physique inattendu, elle se débattit.

— Quelques minutes seulement, Sara. C'est tout. Personne ne vous fera de mal.

Elle se sentit poussée en avant. Elle tenta de résister en empoignant le bord de la portière, mais il lui desserra les doigts sans effort et la fit asseoir, presque doucement, sur la banquette arrière. Elle se retrouva installée à côté de la personne au déambulateur. Il flottait une forte odeur de clous de girofle.

La personne assise à l'arrière était une femme.

Un vieux visage, les joues creuses, un simple trait de rouge à lèvres en guise de bouche, les cheveux teints en jaune et peignés en arrière, à plat, comme les hommes. Une rose jaune était piquée sur le revers de son manteau de fourrure sombre, dans lequel elle paraissait toute petite.

— Vous êtes Sara Klein, dit la femme d'une voix de gorge, rauque.

— Oui.

— Avez-vous peur, Sara Klein ?

Sara ne répondit pas. Elle avait l'impression que cette question n'appelait pas de réponse. La femme ouvrit une petite boîte marron, y plongea un coton-tige qu'elle porta ensuite à sa bouche et fit glisser entre ses lèvres.

— De l'huile essentielle de clous de girofle, dit-elle. J'ai mal aux dents et j'ai aussi une peur irraisonnée des dentistes. J'effectue moi-même les soins provisoires. Un dentiste risquerait de vouloir pratiquer une extraction, mais je répugne à me séparer d'une dent que j'ai dans la bouche depuis soixante-dix ans, à peu de chose près. On en arrive à attribuer de l'importance à ses petites possessions, aussi banales qu'elles puissent paraître.

Elle tendit le bras et posa sa main squelettique sur le ventre de Sara.

— Ses petites possessions, répéta-t-elle.

Sara ne bougea pas. Elle sentit la main décrire un mouvement circulaire sur son abdomen.

— Un garçon ou une fille ?

— Je n'en sais rien, répondit Sara.

— Ah, vous aimez les surprises…

— Pas toujours.

La femme reboucha la bouteille d'essence de clous de girofle et soupira.

— J'ai fait un long voyage pour vous voir, Sara. Je viens de Saint-Pétersbourg. L'ancienne Leningrad. Que pensez-vous de mon anglais ?

63

— Je ne sais pas qui vous êtes, je ne sais pas ce que vous voulez...

— J'ai appris l'anglais à Moscou, il y a des années. L'anglais est la langue des affaires, n'est-ce pas ? Sans anglais, on ne peut rien faire de nos jours. Commerce. Finance internationale. Dites-moi si mon anglais est bon.

— Oui, vous le parlez bien. Et alors ?

— Ça me fait plaisir, fit la femme en retirant sa main du ventre de Sara. Soit dit en passant, c'est une fille que vous portez. J'ai de l'instinct pour ce genre de choses. Je perçois certaines vibrations. Féminines. Masculines. Les garçons et les filles émettent des signaux différents. En d'autres temps, on m'aurait accusée de sorcellerie.

Elle rit à cette idée. C'était comme le bruit de petits cailloux agités dans une boîte à chaussures.

— Que voulez-vous de moi ? demanda Sara.

— Je ne doute pas que vous connaissiez déjà la réponse.

— Si je la connaissais, je ne poserais pas la question.

La vieille prit la main de Sara et la serra dans les siennes, qui étaient glacées.

— Votre main tremble, Sara. Vous n'avez aucune raison d'avoir peur de moi. Je ne suis pas une mauvaise femme. Au contraire, je considère que je suis raisonnable et généreuse. Mais vous ne me connaissez pas bien, évidemment.

Sara écoutait le crépitement de la pluie s'accélérer sur le toit de la voiture. Elle vit une autre lettre de l'enseigne lumineuse clignoter et s'éteindre. HAMB R ERS. Le parfum de clous de girofle lui agaçait les narines. Les doigts froids et parcheminés de la

64

femme lui caressaient la main. La nuit était chargée de troubles, de bouleversements, de renversements. Une vieille femme avec des maux de dents et un accent russe. Un homme capable de la bâillonner d'une main et de la ligoter dans la voiture. La pluie qui provoquait des courts-circuits dans l'enseigne au néon, laissant des mots sans signification flotter dans l'obscurité. Son père assis tout seul qui devait s'impatienter et commencer à s'inquiéter. Son mari...

Tout cela était directement lié à Mark. Elle se rendit compte qu'il n'avait pas simplement pris la fuite en inventant un mensonge, il avait laissé le chaos dans son sillage, des fragments d'une vie qu'il avait abandonnée, et elle était censée faire face à la situation. Elle libéra sa main.

— C'est à propos de mon mari, n'est-ce pas ?

— Votre mari, ma jeune amie, nous place devant un mystère. S'il ne s'agissait que de cela, ça pourrait être amusant. Un jeu pour les après-midi où l'on ne sait pas quoi faire. Malheureusement, ce mystère comporte un aspect sérieux.

— Comment cela ? Expliquez-moi.

— Expliquer ? Vous êtes certainement au courant.

— Non, je ne sais rien.

La femme approcha son visage tout près de celui de Sara. Il régnait une atmosphère d'intimité forcée ; Sara s'attendit un instant à recevoir un terrible baiser sur les joues. La senteur des clous de girofle ne parvenait pas à cacher la tenace odeur musquée de la chair en décrépitude et de la fourrure d'animal mort.

— J'ai parlé de ma générosité, dit la femme, mais elle a des limites, Sara. Et la malhonnêteté va bien au-delà de ces limites.

— La malhonnêteté ? Quelle malhonnêteté ?

— Nous devons absolument retrouver votre mari.

— Et vous croyez que je sais où il est ?

— Disons que c'est une hypothèse de travail.

— Elle est fausse, rétorqua Sara.

La vieille lui prit le poignet. Sa main osseuse avait une force inattendue.

— Je sais quand les gens mentent, Sara. C'est l'un de mes dons.

— Vous pensez que je mens ?

— Je reçois de vous des signaux contradictoires. Aucun don n'est absolument infaillible. Mais à la fin, je ne me trompe jamais. Je sais toujours. Avec une clarté parfaite. (Elle resserra son emprise.) Où est-il, Sara ?

— Je vous l'ai dit, je n'en sais rien.

— Cherchez encore.

— Vous me faites mal, bon sang !

— Vous êtes fragile, Sara Klein. Mais je me demande s'il n'y a pas autre chose sous la surface. Etes-vous solide ? Etes-vous forte ? Etes-vous capable de tenir la distance ? Où est Mark ?

— Lâchez mon poignet, nom de Dieu ! Je ne sais pas où se trouve mon mari...

— Réfléchissez avant de répondre, Sara.

— Réfléchir à quoi, pour l'amour du ciel ? J'ignore où il est. Combien de fois devrai-je vous le répéter ?

— Réfléchissez, Sara Klein. Réfléchissez.

Les ongles longs de la femme entraient dans la chair de Sara. Elle essaya de se libérer, mais la vieille était obstinée. Sara regarda son visage, les couches épaisses de maquillage, l'éclat déterminé de ses yeux, le trait rouge de la bouche. Il est impossible d'avoir le dessus avec une femme pareille, pensa-t-elle. Ses yeux laissaient supposer une vie passée à lutter et à sortir victorieuse de toutes les batailles.

— Je vous en prie, dit Sara.

La vieille femme soupira et relâcha son étreinte.

— Voilà. Vous êtes libre. Abracadabra. D'un seul coup.

Sara retira son bras. Elle sentait encore les ongles dans sa chair.

— Vous en avez fini avec moi ? Ai-je la permission de m'en aller ?

La femme sembla se ratatiner dans son manteau de fourrure, comme si elle était soudain épuisée et avait perdu tout intérêt pour Sara.

— Je n'en ai pas fini avec vous, mais vous pouvez vous en aller, ma bonne amie. Vous pouvez vous en aller.

Sara sortit de la voiture. L'homme à l'imper beige était appuyé contre la Buick, les bras croisés. Il regarda Sara et dit :

— Cette réunion n'a jamais eu lieu. Je suppose qu'il n'est pas nécessaire que je vous le précise, n'est-ce pas ?

L'attention de Sara fut attirée par la vue de son père, qui sortait du restaurant et tirait sa veste sur sa tête pour se protéger de la pluie. Quelque chose dans ce geste banal la toucha, l'attrista.

L'homme hocha la tête dans la direction de John Stone, qui appelait Sara.

— Vous savez déjà que le silence fait partie du jeu, n'est-ce pas ?

— Oui, je sais, répondit Sara.

— N'en parlez à personne. Je dis bien, à personne. Ni à votre avocat. Ni aux agents du FBI. Ni aux flics. Vous comprenez ?

— Je comprends.

— Nous ne tenons pas particulièrement à faire du mal, remarqua l'homme avant de monter dans la Buick.

La voiture sortit du parking. Sara se dirigea vers son père, la tête protégée par sa veste comme un capuchon.

— Où diable étais-tu passée ? demanda-t-il. Je m'inquiétais.

Le mensonge lui vint rapidement :

— J'étais allée chercher quelque chose dans la voiture.

— Rentrons, dit-il. Tu ne devrais pas aller dehors par un temps pareil. A quoi penses-tu ?

Il la prit par la taille et ils se hâtèrent de rentrer dans le restaurant. Il enleva sa veste et la secoua.

— Qui a téléphoné ?

Le deuxième mensonge se présenta à son esprit aussi vite que le précédent :

— Une amie. Je lui avais laissé le numéro d'ici pour qu'elle puisse m'appeler.

— Et ?

— Rien, Papa. C'est sans importance.

Il scruta son visage comme s'il y décelait le mensonge, mais parut comprendre. Il y avait des pans de la vie de sa fille qu'il ne connaîtrait jamais.

— Quelle est cette odeur ?

— De l'essence de clous de girofle.

— Tu as mal aux dents ?

— Oui, répondit-elle.

Mais c'était une autre sorte de douleur qu'elle éprouvait, une douleur que les clous de girofle étaient incapables de soulager.

C'était au cœur qu'elle avait mal.

7

Elle reconduisit son père chez lui. Hébétée, elle ne dit pas un mot pendant tout le trajet. Elle se gara dans l'allée et il lui demanda si elle voulait passer la nuit là. Elle fut tentée d'accepter. L'idée de retourner dans la maison vide ne l'attirait guère. Mais elle refusa car elle sentait qu'elle devait être chez elle, il fallait qu'elle reste près du téléphone. Mark pouvait appeler.

Son père rechignait à sortir de la voiture, comme s'il n'avait pas envie de rentrer dans sa grande maison silencieuse.

— Je pourrais dormir chez toi ce soir, dit-il. Ça ne me dérange pas du tout.

— Ça ira, Papa.

— Il me suffit de fourrer quelques affaires dans un sac, j'en ai pour une minute.

— Vraiment. Ça ira. Je vais rentrer, prendre un bain et me mettre au lit.

Elle lui tendit la main. Ses doigts touchèrent son alliance. Sa peau était douce, comme de la pierre sur laquelle l'eau a coulé pendant des années et des années. *Le silence fait partie du jeu* : les paroles de l'homme résonnaient dans sa tête. Elle avait compris. Elle ne pouvait parler à personne de cette entrevue étrange et alarmante sur le parking du restaurant à cause de ce qui risquait d'arriver à son père. La menace était vague. Les menaces les plus efficaces le sont toujours. Va te faire voir, Mark, pensa-t-elle. Ce que tu as fait n'a pas seulement troublé la paix de mon existence, mais met aussi en danger la vie de mon père. Il ne savait rien et elle ne pouvait se résoudre à lui parler.

Elle s'efforça de sourire.

— Je t'appellerai demain matin, dès mon réveil.

Il lui tapota la main.

— Je suis toujours à ta disposition, Sara. La nuit, le jour, n'importe quand. Je suis là si tu as besoin de moi. Je t'aime, ma fille.

— Moi aussi.

Elle se retrouva en enfance. Elle essayait d'apprendre le violon et son père lui exposait la relation qui existe entre la musique et les mathématiques. Elle ne comprenait pas et il tentait patiemment de lui expliquer, avec des phrases simples, mais tout cela la dépassait parce qu'elle n'avait pas la tournure d'esprit nécessaire.

Il ouvrit la portière de la voiture.

— Conduis prudemment, dit-il.

— Je ne fais jamais d'imprudences.

Elle sourit et sortit en marche arrière de l'allée en le regardant. Il se tenait immobile sous la pluie, la faible lumière du porche derrière lui. Elle savait qu'il la regarderait jusqu'à ce que la voiture ait disparu, et peut-être attendrait-il encore que le bruit du moteur se soit évanoui au loin. Un jour qu'elle avait rapporté à la maison un bulletin scolaire avec la mention *Sara n'a pas saisi les principes mathématiques de base*, son père y avait jeté un coup d'œil, il avait ri et dit : « Il n'y a, semble-t-il, pas d'atavisme dans la famille. » Un homme indulgent, facile, doux et patient. Une ombre planait à présent sur sa vie et il l'ignorait.

Elle roulait sur des routes sans éclairage. Elle ne voulait pas penser et aspirait à la bénédiction du sommeil profond. Elle écoutait la pluie, les eaux du détroit balayées par le vent. L'image de son père à l'enterrement de sa mère lui traversa l'esprit. Costume sombre, pâle de chagrin, digne. Elle se souvint de l'odeur de la terre retournée, du long cercueil noir descendu dans la tombe, de sa rage désolée au milieu de ses larmes, de ses sentiments indicibles. John Stone, qui ne croyait pas à la vie après la mort, l'avait prise à part et avait dit : « Je pourrais te parler de Dieu et du Paradis, mais je ne le ferai pas. Essaie de voir les choses ainsi, Sara : ta mère ne souffre plus, maintenant. Sois-en heureuse. »

Sois heureuse. Facile à dire.

Elle vit sa maison apparaître au loin. Elle avait laissé toutes les lumières allumées et les fenêtres éclairées se détachaient dans l'obscurité. Elle sortit de la voiture, ouvrit la porte et entra, puis tira le verrou. L'épuisement qu'elle ressentait était comme un poids mort dans son cerveau.

Elle regarda la porte close du bureau de Mark et éprouva un violent ressentiment. Vous épousez un homme, vous l'aimez, vous accueillez son sperme dans votre corps, vous portez son enfant... et vous vous apercevez que *vous ne le connaissez pas*. Vous l'entendez conclure des marchés au téléphone, vous faites sa valise lorsqu'il part en voyage d'affaires, vous lui abandonnez une partie de votre vie... *et vous ne le connaissez pas*. Et pourtant vous espérez *encore* entendre ses pas sur le perron, le son de sa voix, voir son sourire. Vous espérez que tout peut être clarifié, que la vie continuera comme par le passé et que tout cela – cet invraisemblable pétrin – n'est qu'une erreur monumentale.

Elle vérifia le répondeur – aucun message – et le débrancha. Elle remarqua sur son poignet les petites marques laissées par les ongles de la vieille Russe. « J'ai fait un long voyage pour vous voir, Sara. Saint-Pétersbourg. L'ancienne Leningrad. » Faites la queue, pensa-t-elle. Prenez votre place derrière McClennan et le FBI. Derrière moi. Nous voulons tous retrouver Mark Klein.

Elle se dirigea vers l'escalier, commença à monter et s'arrêta à mi-chemin. Le bébé remua soudain. Elle étreignit son ventre. Elle avait l'impression que l'enfant se retournait et descendait, puis il redevint immobile. Une fille, avait dit la femme.

Elle continua jusqu'en haut de l'escalier, entra dans la salle de bains, ouvrit les robinets et écouta le bruit de l'eau qui remplissait la baignoire. Elle saupoudra de sels de bain et les regarda mousser. L'eau prit une teinte bleu pâle. Elle se déshabilla, plongea la main dans l'eau, vérifiant la température du bain, et y entra avec précaution, s'y enfonçant jusqu'au cou. Le bébé bougea de nouveau, doucement cette fois-ci. Si je concentre mon attention sur cet enfant, pensa-t-elle, si je ne pense à rien d'autre, si j'organise ma vie autour de l'attente de sa venue, tout le reste sera sans importance. Cela faisait beaucoup de « si ». Elle glissa lentement vers le sommeil, imagina que Mark lui savonnait le dos, qu'elle l'entendait demander : « Ça fait du bien ? »

Elle ouvrit les yeux. Comment pourrait-il me quitter ? Ce n'est pas possible, il n'a pas purement et simplement disparu. Et s'il l'avait fait. Si elle ne le revoyait plus jamais ? Si elle n'avait plus aucun signe de lui pour le restant de sa vie ? Disparu de la face du globe, sans explication. Disparu à jamais. Elle fut envahie par un sentiment de panique, éprouva une sensation aiguë dans sa poitrine, sentit sa gorge s'obstruer de façon aussi tangible que si elle avait avalé un os de poulet.

Elle prit une serviette et se leva. L'eau savonneuse glissa de sa peau en miroitant, formant de petites bulles fugitives. Elle se sécha, prit un peignoir en éponge dans le placard, l'enfila puis entra d'un pas las dans la chambre et se mit au lit, mais le sommeil refusait de venir. Son esprit s'agitait. Quand elle fermait les yeux, elle continuait de voir clignoter l'enseigne au néon du restaurant. Elle sentait encore la main de la vieille femme sur son ventre. « Nos petites possessions. »

Elle se rassit et chercha machinalement une lime à ongles dans le tiroir de la table de nuit.

Le Walther se trouvait là, à côté d'un paquet de Kleenex et d'une bouteille d'antiacide. Elle prit le revolver et le regarda avec étonnement, se souvenant de l'avoir cherché partout dans les pièces du rez-de-chaussée. Elle avait dû le ranger là juste après la visite de McClennan. Bouleversée comme elle l'était, obnubilée par le mandat de perquisition, elle l'avait sans doute emporté à l'étage et fourré dans le tiroir sans y penser, parce que c'était sa place habituelle. Il se pouvait aussi que McClennan l'ait déposé là, mais elle ne se souvenait pas qu'il ait quitté le rez-de-chaussée. Et même s'il l'avait apporté à l'étage, comment aurait-il pu savoir qu'elle le rangeait dans le tiroir de la table de chevet ? Deux personnes seulement le savaient. Et si elle ne l'avait pas remis à sa place elle-même, ce qu'elle ne se rappelait pas avoir fait...

Elle sortit du lit, descendit au rez-de-chaussée et alla à la porte du bureau de Mark. Une espérance invraisemblable accéléra un peu les battements de son cœur. Elle allait ouvrir la porte, il serait là, debout derrière son bureau, déconcerté par la disparition de son ordinateur...

La pièce était vide.

Elle tourna les talons, s'efforçant de surmonter sa déception, se dirigea rapidement vers l'entrée et sortit sur le perron. La pluie se cognait aux arbres, le vent gémissait sur les eaux du détroit. Tout autour d'elle, la nuit était en fureur.

Que diable faisait-elle dehors à une heure pareille ? Quel désespoir stupide et sans motif l'avait conduite là ? Avait-elle vraiment espéré trouver Mark dans son bureau ou voir quelque signe de sa présence à l'extérieur ? Avait-elle réellement pensé qu'il était rentré à la maison et que, l'ayant trouvée vide, après avoir ramassé le revolver qui traînait au rez-de-chaussée et l'avoir remis à sa place, il avait décidé d'aller faire une petite promenade sous la pluie...

Tu es en train de perdre les pédales, pensa-t-elle. En train de dérailler, de te laisser aller à des espoirs vains, de voir des signes là où il n'y en a aucun. Elle referma la porte et poussa le verrou. Le vent battait contre la maison, ses mains tremblaient.

Avez-vous peur, Sara Klein ?
Oui.

8

Elle rêva qu'elle marchait pieds nus sur du sable blanc et tombait sur le grand squelette fragile d'une créature non identifiable qu'elle contemplait avec étonnement. La sonnerie du téléphone au rez-de-chaussée la réveilla. Dans la zone mal définie entre le sommeil et l'état de veille, elle s'imagina que la sonnerie provenait du squelette, comme s'il s'était animé d'une vie nouvelle. Elle avait en tête le mot « ptérodactyle ».

Elle se leva lentement. Elle avait une douleur musculaire dans la nuque et se massa le cou en allant répondre au téléphone. Mark n'avait pas voulu de poste dans la chambre. « Inutile d'être dérangé pendant qu'on dort. » Elle avait trouvé l'idée judicieuse sur le moment, mais maintenant, tandis qu'elle descendait à moitié endormie vers le séjour, elle la jugea débile.

C'était George Borbokis.

— Je vous réveille ?

— C'est sans importance. Il fallait bien que je me lève.

— J'ai parlé avec McClennan. Est-ce qu'on peut prendre rendez-vous pour midi ?

— Où ça ?

— A mon bureau.

— Quelle heure est-il ?

— Neuf heures et demie.

— J'y serai.

— Sara, un point important. S'il vous pose une question à laquelle vous ne souhaitez pas répondre, vous n'y êtes pas encore tenue légalement. Vous comprenez ? Et ne vous laissez pas impressionner. Ne vous laissez pas troubler par ce qu'il vous demande. Car c'est ce qu'il va essayer de faire.

— Je saurai lui répondre.

— Alors, à midi.

Sara raccrocha. Elle entra sans but dans la cuisine, fit bouillir de l'eau pour un thé et l'avala lentement. La perspective d'être interrogée par McClennan ne l'enthousiasmait guère, mais mieux valait en finir. Elle regarda par la fenêtre. Le ciel matinal était bleu et clair. L'eau tombée pendant la nuit scintillait sur l'herbe et les buissons. La nuit, pensa-t-elle ; elle s'inquiéta brusquement pour son père, prit le téléphone et composa son numéro. Il répondit à la deuxième sonnerie. Elle se sentit soulagée en entendant sa voix, plus qu'elle ne s'y attendait.

— Comment ça va, ce matin ? demanda-t-elle.

— C'est drôle que tu me poses cette question.

— Pourquoi drôle ?

— Je viens d'avoir une visite.

— Et alors ?

— Une visite étrange.

— Qu'avait-elle d'étrange ?

— Le type vendait des parcelles de terrain.

— Qu'est-ce que ça a de si curieux ?

— C'étaient des concessions dans des cimetières.

— Des *concessions dans des cimetières* ?

John Stone éclata de rire.

— Personne n'est jamais venu sonner à ma porte pour essayer de me vendre une tombe. C'est la nouvelle mode ou quoi ? Peut-être va-t-on voir des gars faire du porte-à-porte pour vendre des cercueils, avec des catalogues pleins de photos de bières sur papier glacé ? Je te le dis, Sara, nous vivons l'âge d'or du mauvais goût.

— Qui était-ce ? A-t-il laissé une carte de visite ?

— Non. Il m'a dit son nom, Frederick quelque chose, mais il n'a pas laissé de carte.

— A quoi ressemblait-il ?

— Oh, un beau gars, si on aime le genre photo de mode.

— C'était un jeune ?

— Pourquoi cela t'intéresse-t-il tant ?

— Réponds-moi, Papa.

— Entre vingt et trente ans. A mon âge, on a du mal à juger ce genre de choses. Pourquoi tiens-tu à le savoir ?

— Je crois bien que le même type s'est baladé dans le quartier. Des voisins ont eu des soupçons. Peut-être ont-ils cru qu'il repérait leur maison pour préparer un mauvais coup.

Elle était obligée d'abreuver son père de mensonges. Où cela allait-il s'arrêter ?

Jeune, beau garçon.

— Je lui ai dit que j'avais déjà une concession, enchaîna John Stone. Il a déclaré que les gens devraient se préoccuper davantage de prévoir l'affaire de leur décès, que c'était raisonnable. Prévoir l'affaire de leur décès... ça sonne pas mal, tu ne trouves pas ? Investir dans sa mort, en quelque sorte.

Sara sentit un froid l'envahir. Elle se souvint du jeune homme dans le train, de la symétrie de ses traits, de sa beauté parfaite. Etait-ce lui qui avait rendu visite à son père ? Imaginons que oui. Quel était le but de la manœuvre ? Une mise en garde, une nouvelle escalade dans la machinerie des menaces ? Elle avait supposé que le jeune homme travaillait avec McClennan, mais elle n'en était plus sûre du tout. « Prévoir l'affaire de son décès. »

Elle se représenta son père seul dans sa grande maison lugubre et se demanda si elle ne devait pas lui parler de la rencontre sur le parking de chez Jackson, s'il ne fallait pas lui dire qu'il courait un danger. Elle lui devait bien ça. Elle lui devait la vérité, dans la mesure où elle la connaissait elle-même. Mais elle ne pouvait prévoir comment il réagirait. Indignation ? Elle était incapable de le dire. Qui sait, peut-être ferait-il quelque chose de tout à fait stupide ? Elle ne voulait pas l'alarmer pour rien, mais en même temps il avait le droit de savoir.

— Des nouvelles de ton côté ? demanda-t-il.

— L'avocat a téléphoné. Nous allons rencontrer les agents du FBI.

— Aujourd'hui ?

— A midi. Il faut d'ailleurs que je m'en aille. Je passerai te voir après.

— Je t'attends.

Elle lui dit au revoir et raccrocha. Elle avait remis sa décision de quelques heures. Il lui semblait qu'elle jonglait avec des cerceaux couverts d'huile. Elle fit sa toilette, s'habilla en vitesse, se maquilla légèrement, se brossa les cheveux puis se rendit en voiture à la gare de Port Jefferson. Elle regardait de temps à autre dans le rétroviseur, mais apparemment personne ne la suivait, bien qu'elle ne pût en être certaine.

Elle se gara, acheta un billet aller-retour et attendit sur le quai. Quelques voyageurs l'entouraient, deux hommes en grande discussion, une jeune fille avec des lunettes noires, une femme qui tenait fermement sa petite fille par la main. L'ordinaire. Le quai, le soleil, les gens attendant le train. Il était difficile de faire le lien entre cet univers banal et la situation dans laquelle elle était plongée. Deux dimensions différentes, deux réalités qui devaient nécessairement se recouper quelque part. Soleil et banalité. Parking sous la pluie et terreur.

Elle entendit au loin le grondement monotone du train. Quand il s'immobilisa, elle monta à bord et trouva une place assise dans la voiture presque vide.

Elle pensa de nouveau au jeune homme. Des concessions dans un cimetière. Elle essaya de se convaincre que le visiteur de son père était un représentant ordinaire, mais elle n'avait jamais entendu dire que les concessions funéraires se vendaient au porte-à-porte. C'était possible, bien sûr. En Amérique, le pays où on a des drive-in pour les pompes funèbres, tout était possible.

Elle ferma les yeux, écouta le rythme du train, le clic-clac des roues. A chaque gare, elle examinait les passagers qui montaient à bord, mais ne vit pas trace du jeune homme ni de toute autre personne qui aurait pu suivre ses déplacements. Lorsque le train arriva à Penn Station, elle se demandait toujours si elle allait en parler à son père.

9

Borbokis l'attendait dans son bureau. Thomas McClennan était là, ainsi que l'agent au gros grain de beauté sur la joue.

— Je suis en retard, excusez-moi, dit Sara en entrant.

— Quelques minutes. Ce n'est pas grave, Sara. Prenez place.

Elle s'assit dans un fauteuil près de Borbokis, face aux deux agents fédéraux. La disposition des sièges était stratégiquement importante. Elle était plus près de l'avocat que des hommes du FBI. Une zone sûre.

— Voici l'agent spécial Ross, Sara. Ça ne vous gêne pas que je vous appelle Sara ? fit McClennan.

Elle secoua la tête et jeta un coup d'œil sur Ross, qui lui rendit son regard avec un froncement de sourcils. Il sortit de sa veste un calepin et un stylo. Sa fonction consistait manifestement à prendre des notes. Il était assis à droite de McClennan et légèrement en retrait, un personnage secondaire, un figurant.

— Sara, comme vous le savez, l'agent McClennan

a quelques questions à vous poser, annonça Borbokis. Répondez-y le mieux possible. Si vous ne connaissez pas la réponse, aucun problème. Dites-le.

C'était presque comme les instructions que l'on reçoit au collège avant un examen, pensa-t-elle.

McClennan prit un dossier dans sa serviette et l'ouvrit.

— Réglons d'abord quelques points de détail. Mark a travaillé pour la société Rosenthal Brothers pendant les cinq dernières années, n'est-ce pas ?

— C'est exact.

— Et vous avez travaillé pour la même société pendant six ans.

— Le passé professionnel de Sara a-t-il un rapport avec cette affaire ? demanda Borbokis.

Tel un joueur d'échecs réfléchissant à la façon de sortir d'une mauvaise passe, il se pencha sur son bureau, l'air concentré, ses sourcils broussailleux froncés.

— Les termes du mandat limitent vos activités aux documents et autres matériaux trouvés au 3242 Midsummer, ajouta-t-il.

— George, Sara est mariée au suspect. Elle a travaillé dans la même société. En conséquence, il se peut qu'elle ait des informations utiles à l'enquête. Vous savez bien que je peux sortir de votre bureau et y revenir dans moins d'une heure avec un mandat modifié. Il y a deux façons de jouer la partie, George. Choisissons la plus facile, qu'en dites-vous ?

— J'ai tout aussi hâte que vous d'en finir avec cet interrogatoire et je suis sûr que ma cliente est dans le même cas.

Sara avait le sentiment d'avoir été oubliée pendant ce bref échange. L'expression « cause probable » employée la veille par Borbokis lui traversa l'esprit. Elle était déroutante, mystérieuse, comme un code impossible à déchiffrer. Pour quelle raison McClennan ne pouvait-il tout simplement pas être direct et dire pourquoi le mandat de perquisition avait été délivré ? Cette « cause probable » était impénétrable. Elle procurait à l'agent certains privilèges, l'un étant la liberté de poser des questions à des gens pour les informer des motifs pour lesquels on les interrogeait.

Elle jeta un coup d'œil circulaire dans la pièce, vit les impressionnants livres de droit reliés pleine peau. *Je n'ai rien à faire ici. Je ne devrais pas être là, dans cette position.*

McClennan la regardait fixement. Il lui sembla moins sympathique que la veille. Elle lisait dans ses yeux une âpre détermination qui n'y était pas le jour précédent. Plus question de s'enquérir de la date d'accouchement.

— Au cours des deux années écoulées, combien de voyages à l'étranger votre mari a-t-il faits ?

Sara haussa les épaules.

— Je ne saurais vous répondre comme ça.

— Six ? Sept ? Une douzaine ? Quinze ?

— Je dirais une douzaine.

— Vous souvenez-vous des pays où il est allé ?

— En Extrême-Orient, au moins trois fois. Hong Kong. Shanghai. Je me souviens aussi d'un voyage à Sydney, à Auckland et quelque part dans les Caraïbes. Aruba, je crois.

Elle se demanda si elle apprenait quoi que ce soit de nouveau à McClennan. Son expression était insondable.

— Et en Europe ?

— Il est allé en France une fois, je m'en souviens.

— En Russie ?

— Je crois que je me le rappellerais.

Son esprit revint au parking du restaurant Jackson's. Les ongles de la vieille femme pareils à des serres. Saint-Pétersbourg. L'ancienne Leningrad. Mark n'avait jamais parlé d'un voyage en Russie. Jamais.

— En êtes-vous certaine ?

— Oui.

— Vraiment ? Aussi sûre que vous l'étiez à propos de l'hôtel de Hong Kong ?

Sara sentit une bouffée de mépris pour l'agent. Elle n'aimait pas la façon dont il lui avait jeté l'histoire de l'hôtel au visage, cette méchante petite gifle donnée au passage. Irritée, elle changea de position et ne prit pas la peine de répondre. McClennan poursuivit :

— Vous est-il arrivé d'accompagner Mark au cours de ces déplacements ?

— Non.

— Vous a-t-il parfois demandé de l'accompagner ?

— Je travaillais. Je ne pouvais m'absenter.

— Vous ne travailliez plus lors de son dernier voyage. Vous aviez déjà donné votre démission.

— En général, les femmes enceintes n'ont pas envie de rester assises dans un avion pendant douze heures ou davantage.

— Vous a-t-il demandé de l'accompagner au cours de ce voyage ?

— Non. Il savait que je ne voulais pas venir.

— Mais c'était un mari plein d'égards et il vous téléphonait toujours quand il était à l'étranger... reprit McClennan.

— Naturellement.

Elle n'apprécia pas sa manière sarcastique de prononcer « plein d'égards ».

— Vous deviez le croire sur parole lorsqu'il vous disait d'où il vous appelait, n'est-ce pas ? Vous supposiez qu'il disait toujours la vérité. Il pouvait très bien vous téléphoner de Yazzo City sans que vous le sachiez.

Elle regarda Borbokis.

— Suis-je tenue de répondre à des questions de ce genre ?

— Non, répondit l'avocat.

— Je peux donc disposer ? Je peux m'en aller ?

— Je ne vous le conseille pas, dit Borbokis.

— Vous auriez l'air de vouloir vous dérober, Sara. C'est ce que veut dire votre avocat, ajouta McClennan.

— Je n'ai rien à cacher, dit-elle.

— Rien du tout ?

— Rien.

— Qu'est-ce que Mark vous disait à propos de ses voyages ?

— Pas grand-chose. Il me parlait de ce qu'il avait vu, de certains endroits...

— Quoi par exemple ? Des sites touristiques ? Le port de Hong Kong, ce genre de choses ?

Elle décida de contrer avec calme les manières caustiques de McClennan et c'est d'une voix posée qu'elle répondit :

— Il me décrivait surtout ses chambres d'hôtel. Il n'avait guère le temps de faire du tourisme.

— Il ne vous parlait jamais des gens qu'il rencontrait, des gens avec qui il était en affaires ?

— Pas souvent.

— Et de ses affaires ? Est-ce qu'il vous en parlait ?

— C'est possible. Je ne m'en souviens pas.

— « C'est possible » n'avance à rien.

— Je ne vois pas comment vous répondre autrement.

— Fouillez dans votre mémoire, Sara.

Elle comprit qu'il voulait la bousculer, lui faire perdre son sang-froid. Elle était déterminée à conserver sa dignité. Ce n'était pas facile. Elle avait les mains moites. Le bébé donnait des coups de pied. Je t'en prie, pas maintenant, mon petit, c'est pas le moment. Sois sage.

— Il n'a jamais fait référence aux affaires qu'il concluait. Vous êtes formelle, Sara ?

— La finance ne m'intéresse pas. Tout cela me dépasse. Mark n'avait donc aucune raison de m'en parler.

— Vous espérez vraiment que je vais prendre ça pour argent comptant ? Vous avez travaillé chez Rosenthal pendant six ans, Sara. Six ans. A quoi passiez-vous votre temps ? A préparer du café ? A jouer les coursiers ?

— J'étais la secrétaire particulière de Sol Rosenthal.

— En quoi consistaient vos fonctions ?

— Gérer son emploi du temps. Arranger ses rendez-vous, ses voyages d'affaires. Il lui arrive d'être très bousculé et, à son âge, il n'est pas toujours capable de bien mener tout cela.

— La fonction d'une secrétaire.

— Non, bien plus que cela, fit-elle en secouant la tête.

— En six ans, vous avez bien dû acquérir quelques connaissances en matière financière, Sara.

— Ecoutez, mon rôle n'était pas de préparer des marchés, de planifier les investissements, de conseiller les clients ni de dialoguer avec les investisseurs. Je ne m'occupais pas de cet aspect de la question.

— Vous vous contentiez de tenir la main de Sol Rosenthal.

— Je faisais en sorte de lui faciliter la vie, voilà quel était mon rôle. Je l'aidais à fonctionner.

— Essayons de revenir en arrière, Sara. Voyons si vous pouvez fouiller dans votre mémoire rebelle. Mark n'a jamais mentionné le nom des gens avec qui il était en affaires ?

— Je vous le répète, il se peut qu'il l'ait fait.

— Mais, bien entendu, vous ne vous en souvenez pas.

— Non, je vous l'ai déjà dit.

McClennan se leva, posa les mains sur ses hanches et se pencha d'un côté et de l'autre comme quelqu'un qui essaie de se débarrasser d'un tour de reins.

— Ce que vous me dites, c'est que, lorsqu'il revenait de ses voyages à l'étranger, l'homme avec qui vous êtes mariée ne vous parlait jamais de ce qu'il faisait, des gens qu'il avait vus, de son travail ? Il ne partageait pas son univers avec vous, c'est ça ?

— Vous présentez les choses comme si nous ne communiquions jamais, dit-elle.

La question de McClennan avait une résonance dérangeante. Elle se concentra pour essayer de se rappeler ce que Mark avait pu lui dire, mais ses souvenirs étaient vagues. Le ressentiment qu'elle éprouvait à l'égard de l'agent fédéral se tourna vers Mark. Tu m'as mise dans de beaux draps, Mark. Tout ça est de ta faute. Lorsqu'il lui arrivait de parler de ses voyages à l'étranger, c'était toujours à propos de choses sans importance, qui s'oubliaient facilement. Il était toujours content de rentrer à la maison, comme si ses voyages d'affaires avaient été des virées dans la banlieue du purgatoire qu'il n'avait pas envie d'évoquer, et elle l'acceptait.

— Je ne crois pas lui avoir jamais posé de questions, dit-elle.

— Même en passant ? Allons, Sara. Il revient de pays exotiques et vous ne l'interrogez pas sur ce qu'il y a vu ou fait ? Quelle sorte de couple est-ce là ?

— Je ne pense pas que les liens matrimoniaux de Sara entrent dans votre sphère d'intérêt, intervint Borbokis calmement.

McClennan ignora la remarque. Il ne quittait pas Sara des yeux.

— Les époux discutent entre eux, me semble-t-il. Ils partagent tout, Sara. Ils n'ont pas de secrets l'un pour l'autre, n'est-ce pas ?

Elle regarda Borbokis, dont l'expression était difficile à déchiffrer. L'atmosphère qui régnait dans le bureau était étouffante. Elle comprit que McClennan avait pour but de saper sa résistance. Il attaquait la structure fragile de son couple comme quelque termite tenace. En même temps, il l'entreprenait sur un autre flanc, moins directement ; il se refusait à admettre que Mark ne lui parlait guère de ses voyages d'affaires et croyait qu'elle mentait pour le protéger. Elle se rendait compte qu'il chercherait des preuves de ce que Borbokis avait qualifié de complicité, des indications montrant qu'elle cachait quelque chose.

Comment l'avocat avait-il décrit l'univers dans lequel vivait McClennan ? « Une mare boueuse. » Elle se représenta de l'eau stagnante, des vrilles de plantes mortes flottant sur une surface visqueuse.

— Vous admettez que Mark avait des secrets ?

C'est ce que vous êtes en train de me dire ? poursuivit McClennan.

— Je ne vous ai rien dit de la sorte.

L'ennui avec la dignité, pensa-t-elle, c'est la rapidité avec laquelle elle s'effrite. *Des secrets.* Oui, Mark avait manifestement des secrets. Sinon, elle ne serait pas là en ce moment, agressée par un agent du FBI. Elle ne se serait pas retrouvée la nuit dernière dans une voiture garée sur un parking désert en compagnie d'une femme bizarre qui prétendait venir de Saint-Pétersbourg. Son père ne serait pas menacé.

— Tout ça ne me semble pas très cohérent, Sara, observa McClennan. Votre mari part en voyage, il rentre à la maison et ne vous dit rien de ce qu'il a fait, mais en même temps il n'a pas de secrets pour vous. C'est l'un ou l'autre.

Sara avait l'impression qu'un petit marteau tapait en cadence à l'intérieur de son crâne.

— Vous déformez mes paroles. Je vous l'ai dit, je ne lui posais pas vraiment de questions. J'étais contente de le voir revenir, et lui l'était toujours d'être de retour...

— Mais vous manquiez de curiosité, n'est-ce pas ? Bienvenue à la maison, Mark. Ne parlons pas de ce que tu as fait en ton absence. Cela ne m'intéresse guère, c'est ça ?

Elle se sentait sur la défensive, menacée.

— Vous n'arrêtez pas de parler de secrets. Pourquoi ne me dites-vous pas quel est le vôtre, McClennan ? Pourquoi ne parlez-vous pas franchement et ne me dites-vous pas ce que Mark est censé avoir fait ? Quel est ce grand secret ?

— C'est moi qui pose les questions, Sara.

— Peut-être devriez-vous répondre à quelques-unes.

— Ce n'est pas comme ça que ça marche.

Sara avait la bouche sèche. Elle dit :

— Je ne peux vous en dire davantage à propos de mon mari. Je n'en sais pas plus. Vous pouvez me poser des questions jusqu'à la saint-glinglin, je n'en serai pas moins incapable d'y répondre.

McClennan se rassit et déboutonna sa veste. Il resta silencieux un moment, les pointes de ses doigts appuyées sur ses tempes.

— Peut-être a-t-il une maîtresse, lâcha-t-il. Vous savez, une minette, une jeune toute mince qu'il aurait à côté. Une fille pas enceinte.

— Vous sortez de votre domaine, intervint Borbokis.

— Une *maîtresse* ? Mark ? fit Sara.

— Pourquoi pas ? demanda McClennan. Ces voyages à l'étranger aux frais de la princesse. Cette façon qu'il aurait de ne pas en parler. Ça a tout l'air d'un type qui a quelque chose à cacher. Alors, pourquoi pas une maîtresse ? Ça arrive. Dans un pays lointain. Il ne risque pas de tomber sur quelqu'un qu'il connaît...

— C'est nul, le coupa Sara. Ce n'est pas comme ça que vous allez m'avoir. (Une maîtresse. Elle n'y avait jamais pensé. Elle rejeta d'emblée cette idée. Elle n'allait pas le laisser planter ce genre de graine empoisonnée dans son esprit.) Je sais ce que vous essayez de faire, McClennan, mais vous n'y arriverez pas. Pas question.

McClennan eut un sourire forcé.

— Ce que j'essaie de faire ?

— Saper ma résistance. Secouer la cage.

— C'est ce que vous pensez ?

— Ça me paraît évident.

McClennan se pencha en avant dans son fauteuil, les coudes sur les genoux.

— Je vous le demande encore, Sara. Vous souvenez-vous de certains noms ?

Elle essaya et se sentit envahie par ce léger sentiment de panique qu'on éprouve lorsque la mémoire vous fait défaut. Peut-être si elle avait le temps, si elle n'était pas soumise à cette pression, assise calmement, en y réfléchissant bien, elle pourrait trouver des réponses. Pour l'instant, sa mémoire était comme une coquille vide. Elle écouta le grattement de la plume de Ross sur les pages du calepin.

— Bon. Laissez-moi vous rafraîchir les idées, dit McClennan en ouvrant son dossier et en lisant une feuille de papier. En juin dernier. Le 19 pour être précis. A dix-neuf heures, heure locale de New York. Votre mari vous a appelée de Sydney, Australie. Il a dit : « Je viens de sortir d'un rendez-vous avec ce Pearson. Trois heures enfermé dans un bureau, l'air conditionné en panne, je suis à l'agonie. » Vous avez répondu : « Mon pauvre chéri, j'aimerais que tu sois déjà rentré à la maison. » Vous voulez que je continue, Sara ? La conversation prend ensuite une tournure plus intime, si vous voyez ce que je veux dire.

Juin dernier. Déjà en juin leurs conversations téléphoniques étaient enregistrées. Leur vie privée, leur intimité mises en conserve sur bandes magnétiques. Elle se demanda combien d'agents fédéraux avaient écouté les bandes et ponctué ces dialogues personnels entre un mari et sa femme de plaisanteries salaces.

— Il n'est pas nécessaire que vous continuiez, dit-elle.

— Pearson. Vous ne vous souvenez pas de ce nom ? demanda McClennan.

— Pourquoi le devrais-je ? Mark l'a mentionné en passant, je suppose. Je ne me rappelle même plus cette conversation-là. Je ne dispose pas d'un magnétophone, moi.

— Je pourrais vous faire écouter d'autres conversations, Sara, d'autres exemples où Mark vous cite des noms. Un certain Lee à Macao. Un nommé Devlin à Auckland. Mais vous ne vous souvenez pas d'eux non plus, n'est-ce pas ?

Elle ne pouvait même pas dire que ces noms éveillaient en elle des échos lointains. Aucun ne s'était imprimé assez profondément dans sa mémoire pour qu'elle s'en souvienne.

— Soit, je le confesse, dit-elle, j'ai une mauvaise mémoire. Ou peut-être ne retenais-je que les choses importantes...

— Ou peut-être êtes-vous une fieffée menteuse, Sara.

— Je n'ai pas à écouter ce genre de réflexions, dit-elle, percevant dans sa voix une note aiguë qui lui déplut.

— Ne vous mettez pas tant sur la défensive, Sara. Je suis un type lucide, je comprendrais fort bien que vous mentiez. Mark est votre mari, après tout. Votre partenaire. Le père de votre enfant. Je comprendrais tout à fait que vous vouliez le protéger.

— Vous êtes plein de compassion, McClennan.

— J'ai quelques qualités.

— J'en suis persuadée. La franchise est justement l'une d'elles. Pourquoi ne me dites-vous pas si vous m'accusez de quelque chose ? Parce que si tel est le cas, je souhaite ardemment que vous crachiez le morceau.

— Vous ai-je accusée de quoi que ce soit ?

— Vous venez de dire que je suis une menteuse.

— J'ai dit « peut-être ».

— Ce n'est pas ce que vous dites qui compte, McClennan, c'est la façon dont vous le dites. Vous me donnez l'impression de penser que je vous cache quelque chose. Que je suis coupable.

— L'êtes-vous ?

— Bon sang ! lâcha-t-elle avant de regarder Borbokis en quête de soutien, mais il était en train de noter quelque chose. Pour autant que je puisse suivre ce qui se passe, personne n'a encore dit explicitement qu'il y ait eu activité criminelle. Vous venez chez moi avec un mandat de perquisition, vous embarquez un tas de choses, mettez ma ligne téléphonique sur écoute, vos hommes me suivent partout, vous êtes là à m'insulter, vous mettez en doute mon honnêteté. Et vous me demandez si *je suis coupable* ?

— Et vous ne répondez pas à ma question.

— Je n'ai pas à y répondre, dit-elle en se renversant dans son fauteuil. C'est une question stupide. Et vous le savez bien.

— Vous éludez le sujet.

— Je ne sais même pas quel est le sujet, McClennan.

— C'est simple. Je le répète encore une fois : *que savez-vous des affaires de Mark Klein ?*

— Comment puis-je vous faire comprendre que je ne sais rien ?

— Je ne le crois pas, Sara.

— Ça m'est égal. Croyez ce que vous voulez.

— Sara, vous n'arrangez pas votre situation. Si vous

me donniez un peu de grain à moudre, ça irait mieux pour vous. Vous adoptez une attitude négative qui ne vous mènera pas loin.

— Je suis venue ici aujourd'hui dans l'espoir que certaines choses s'éclairciraient, dit-elle. Au lieu de cela, tout ce que j'obtiens, ce sont des accusations et des insultes. Mon attitude ne devrait donc guère vous étonner, McClennan.

Elle le regarda en face. Etait-ce seulement la veille qu'elle se trouvait endormie dans son lit lorsqu'ils avaient déboulé avec leur mandat de perquisition, la veille seulement que sa vie avait commencé à s'effilocher ? Elle éprouvait envers McClennan une animosité féroce, aussi violente qu'une migraine. C'était l'ennemi. Un agent du gouvernement américain était son ennemi. Elle songea à la vieille femme de la Buick, à l'homme en imper beige. Eux aussi étaient des ennemis.

Elle se demanda ce qui arriverait si elle parlait à McClennan de la Russe. Elle lui dirait : « Ecoutez, McClennan, vous n'êtes pas le seul à rechercher mon mari. Vous avez de la concurrence. » Elle se souvint de son père qui sortait du restaurant, de la façon dont il avait rabattu sa veste sur sa tête pour se protéger de la pluie. Elle se souvint de cette image étrangement poignante. Et elle se souvint aussi des instructions : « N'en parlez à personne. Je dis bien, à personne. Ni à votre avocat. Ni aux agents du FBI. Ni aux flics. Vous comprenez ? »

Elle entendit comme le tic-tac d'un métronome à l'intérieur de son crâne. Si elle parlait de l'entrevue sur le parking, comment la femme de Saint-Pétersbourg et son charmant compagnon pourraient-ils l'apprendre ? A moins que Borbokis, McClennan ou Ross ne fassent passer l'information... hypothèse qui la laissa perplexe, face à des complications, des énigmes, des relations qu'elle ne pouvait établir. Elle avait le sentiment d'être sur la touche, exclue du saint des saints.

— Voilà comment je vois les choses, Sara, dit McClennan. Vous en savez plus que vous ne le dites. Ce qui veut dire que vous gênez l'enquête...

— Arrêtez vos conneries, fit-elle.

Borbokis intervint :

— Tom, allez-vous inculper ma cliente de quelque chose ? J'entends beaucoup d'insinuations et rien de tangible.

McClennan ignora totalement l'avocat et poursuivit en homme habitué à passer outre les doléances et les protestations. C'était lui qui détenait véritablement l'autorité ; il pouvait dire ce qu'il voulait et n'avait pas à écouter d'autres voix. Il se retranchait derrière ses mandats de perquisition, la cause probable et son insigne du FBI.

— Nous n'aboutirons nulle part de cette façon, Sara. Je propose que vous rentriez chez vous et preniez le temps de réfléchir, de réévaluer ce que vous m'avez dit. Demandez-vous ensuite si ça vaut la peine de vous enquiquiner avec toute cette histoire, d'en arriver à un procès.

— Un procès ?

Elle n'avait jamais envisagé cette éventualité. Elle était trop lointaine. L'image d'un tribunal – les avocats, le juge, tout le cirque d'un procès – lui vint à l'esprit.

— Puis posez-vous cette question, reprit McClennan. « Est-ce que je désire courir le risque de mettre au monde mon bébé derrière les barreaux ? » Un bébé né en prison, Sara. Pensez-y.

Un bébé derrière les barreaux. Si c'était du vent, McClennan n'y allait pas de main morte. S'il bluffait, il touchait le point sensible. Elle le regarda et pensa : Je n'ai rien fait de mal, je ne peux pas le laisser me mettre dans la peau de quelqu'un qui a quelque chose à se reprocher.

Borbokis s'anima brusquement en rebouchant son stylo :

— Il me semble que vous dépassez les bornes, Tom. Je vais conseiller à ma cliente de ne plus répondre à aucune question. Elle est venue ici dans un esprit de coopération, et je pense qu'elle s'est montrée aussi coopérative que vous pouviez l'espérer.

— Conseillez tout ce que vous voudrez, rétorqua McClennan.

L'avocat s'était levé et se tenait aux côtés de Sara.

— Vous êtes pâle. Voulez-vous quelque chose à boire ?

Pâle. Pâle de colère. La colère qu'elle essayait de contenir. L'attitude bienséante qu'elle avait cherché à s'imposer à elle-même avait disparu. Un procès. Son bébé né en prison. Toutes notions qu'elle ne parvenait pas à saisir entièrement. McClennan les avait fait naître à partir de rien, par un tour de passe-passe. Elle avait envie de dire quelque chose mais les mots n'arrivaient pas à se former. McClennan remettait le dossier dans sa serviette.

— Elle est enceinte, Tom. Je pense que vous devriez garder cela présent à l'esprit, fit remarquer Borbokis.

— Son état est à peu près la seule chose qui ne fait aucun doute dans toute cette affaire.

Sara regardait l'agent du FBI avec un air de dégoût. Il lui dit :

— Je fais seulement mon métier, Sara.

— Ah oui ? J'aimerais bien qu'on me dise en quoi il consiste exactement.

— C'est très simple. Je suis à la recherche de la vérité.

— Il vous arrive de la trouver ?

— Je ne me débrouille pas trop mal. L'ennui, c'est qu'elle se présente parfois par bribes et il faut recoller les morceaux pour en avoir l'ensemble. (Il se dirigea vers la porte, où il se retourna. Il la regarda.) Un détail. Vous avez dit qu'on vous suivait. Avez-vous vraiment vu quelqu'un vous suivre ?

— Mieux que cela. Il m'a adressé la parole.

McClennan sourit.

— C'est un effet de votre paranoïa, Sara. Primo, si un de mes hommes vous suivait, croyez-moi, vous ne le remarqueriez pas. Deuxio, en aucun cas il ne vous adresserait la parole. (Il ouvrit la porte.) Merci de m'avoir consacré un peu de votre temps. Nous nous reverrons.

Sara regarda la porte se refermer derrière les deux agents. Elle aurait dû être soulagée, mais elle ne l'était pas. Elle pensait au jeune homme du train. Elle se demandait pour qui il travaillait. Des pensées sans suite se bousculaient dans son esprit. McClennan. Le jeune homme. La femme de Saint-Pétersbourg. La disparition de Mark. Des bouts de verre dans un kaléidoscope.

— Bien. Je vous ai dit quelle sorte de tactique j'allais adopter, dit Borbokis.

— Un bébé derrière les barreaux. C'est à donner le frisson, George.

— Il a dit cela pour vous effrayer, Sara. Je n'en fais pas grand cas.

— Vous savez quel effet me fait toute cette histoire ? Un de ces rêves absurdes, et vous savez pourtant que vous rêvez mais vous ne pouvez pas vous réveiller. C'est tout à fait comme ça. Les événements s'enchaînent, ils n'ont aucun sens et vous êtes emportée par ce flot démentiel. Quand vous vous réveillez, vous êtes en sueur, votre cœur bat à tout rompre. Vous ouvrez les yeux et il vous faut plusieurs minutes pour vous rappeler où vous êtes.

— Si vous n'avez rien à cacher, Sara, vous ne risquez rien.

— Vous le croyez, George ? Vous croyez vraiment qu'il existe une sorte de justice immanente et que tout finit par rentrer dans l'ordre ?

— C'est généralement ainsi que les choses se passent. Pas toujours. Mais le plus souvent.

— Qu'est-ce qui va advenir maintenant, George ? Non, ne me le dites pas. Nous allons attendre. Attendre encore.

— C'est à peu près ça.

Borbokis lui toucha l'épaule dans ce qui semblait être un geste mécanique de sympathie et retourna s'asseoir.

— S'il entre de nouveau en contact avec vous, faites-le-moi savoir. Et si, de mon côté, j'ai de ses nouvelles, je vous appellerai. Tôt ou tard, il va nous offrir une prise.

Elle se leva d'un pas un peu incertain et sortit du bureau. Elle se dirigea vers les ascenseurs. Les questions de McClennan résonnaient dans sa tête. Elle se sentait écorchée, comme si on l'avait scalpée.

Elle appuya sur le bouton et attendit l'ascenseur. Elle savait où elle irait en sortant de l'immeuble. Où elle devait aller.

10

Le mendiant était coréen ou vietnamien. Il s'avança sur le trottoir pour barrer le passage à Sara, la main tendue. Habituellement, elle donnait quelque chose à ceux qui faisaient la manche, mais elle n'était pas d'humeur charitable. Elle essaya d'éviter l'homme, qui se plaça devant elle.

— S'il vous plaît, donnez quelque chose, dit-il en levant sa paume vers le visage de Sara.

Il avait les mains sales, les ongles cassés. Il portait une vieille veste de treillis. Son teint avait la nuance du papier journal exposé au soleil pendant des années. Il était difficile de dire son âge. Trente, trente-cinq ans. Elle tenta de le contourner.

— Un dollar, madame. S'il vous plaît. Rien qu'un dollar.

— Laissez-moi tranquille.

— Vous avez un bébé. C'est bien.

— Je suis pressée, pour l'amour du ciel, laissez-moi passer.

— Bébé garçon. Sera grand et fort comme son père, hein ? Son père est un homme fort, hein ?

Elle dévisagea l'individu. Ses yeux étaient fixés sur elle avec l'obstination pleine d'espoir des mendiants. Un garçon. Grand et fort comme son père. Son père est un homme fort ? Elle fouilla dans la poche de son imper et en sortit une poignée de pièces qu'elle fourra dans la main de l'homme. Il referma ses doigts sur le butin, le secoua dans son poing et l'écouta tinter.

— Le père homme bon, dit-il. Le bébé, bon aussi.

— Oui, oui, dit-elle en essayant d'opérer un mouvement tournant.

— Attendez. Cadeau pour bébé. Là.

Il farfouilla dans les poches de sa veste en lambeaux.

— Non, je ne veux rien.

— Un bienfait en appelle un autre. Tenez, madame, vous devez prendre.

— Non, non, je ne *veux* rien.

— Si. Prenez. Vous devez lire. Paroles de réconfort.

C'était un bout de papier chiffonné. Probablement un horoscope venant d'un beignet chinois, un tract religieux, une platitude de ce genre. Soyons polie, se dit-elle, ne serait-ce que pour se débarrasser de lui.

— D'accord, je le prends.

Elle fourra le papier dans la poche de son imper.

— Très bien. Vous, bonne mère. Mari heureux, hein ?

— Mari heureux, c'est ça.

— Merci beaucoup, madame. Bonne chance.

— Bonne journée.

Elle le dépassa et atteignit Wall Street. Mendiants et haute finance, contrastes du système, déséquilibres. Voilà le capitalisme en action. Ses vainqueurs et ses victimes.

Elle marchait d'un pas décidé. Même en arrivant devant l'immeuble, elle ne ralentit pas l'allure, ne se laissa pas aller au doute. Elle allait faire ce qu'elle devait. Il n'y avait pas d'autre voie. On ne peut rester très longtemps dans une telle situation. Cette colère, cette frustration, toutes ces choses nouées en elle. Il fallait se libérer de tout cela.

Elle entra dans l'immeuble et se dirigea vers les ascenseurs, comme elle l'avait fait mille fois dans le passé. Elle monta au troisième ; quand les portes s'ouvrirent, elle dépassa la zone de réception et la plaque indiquant la société Rosenthal Brothers. Elle parcourut le couloir familier moquetté de gris jusqu'à la porte en verre à deux battants, qu'elle ouvrit d'une poussée énergique. Elle entra dans une immense pièce où les secrétaires et les cracks de la finance avaient leurs bureaux et leurs ordinateurs, avec seulement quelques cloisons à mi-hauteur pour les supérieurs hiérarchiques. Les téléphones sonnaient, les fax débitaient des messages, les imprimantes des tableaux et des données. Elle poursuivit son chemin en regardant droit devant elle, consciente à présent des yeux fixés sur elle avec surprise, des chuchotements, entendant son nom prononcé. Peu importait. Elle continuait.

— Sara, qu'est-ce que vous faites là ?

Sara se tourna vers celle qui l'interpellait. Linda Brand, dans sa robe noire habituelle de chez Donna Karan, une broche cuivrée piquée dans le col, s'avança devant elle. Sara la dépassa en la frôlant.

— Sara, attendez, vous ne devriez pas être ici.

— Appelez la sécurité et faites-moi mettre dehors.

— Sara, soyez raisonnable. A quel jeu vous jouez ?

— Je viens voir Sol.

— Sol ?

— Vous avez bien entendu.

Jennifer Gryce apparut à son tour, cheveux plaqués, d'une maigreur qui ne lui disait rien qui vaille.

— Sara, pour l'amour du ciel, cette visite est malvenue...

— Ton aura est grisâtre, Jen. Personne ne te l'a jamais dit ? Tu ne te nourris pas comme il faut. Il te faudrait un homme dans ta vie. Il te manque manifestement quelque chose, ma vieille.

Jennifer Gryce lui saisit le poignet. Sara se libéra d'une secousse.

— Ne me touche pas, Jen. Enceinte ou pas, je suis tout à fait capable de te flanquer par terre.

— Tu perds la tête, Sara.

— En effet. Je suis cinglée.

Elle continua d'avancer. Elle se sentait bien, effectivement dérangée, et cette folie ne faisait que croître tandis qu'elle se dirigeait vers le bureau de Sol. Elle avait conscience de la présence de Jennifer Gryce et de Linda Brand, dans tous leurs états, autour d'elle, et alors même que d'autres membres du personnel se joignaient à elles, stupéfaits, elle poursuivait son chemin. Elle était lancée, maintenant. Tout tournait rond. Elle se sentait mieux qu'à aucun autre moment au cours des dernières trente-six heures. C'était un changement positif, ce qu'on appelle sortir de sa coquille, et pour de bon.

Tony Vandervelt sortait du bureau de Sol. Il la regarda avec surprise.

— Sara...

— Ecartez-vous de mon chemin, Tony.

— Vous ne pouvez voir Sol, si telle est votre intention.

— C'est bien mon intention.

— Vous ne pouvez pas débarquer comme ça, Sara. Soyez raisonnable.

Il essayait la gentillesse, la prenant par le bras, lui caressant la main.

— J'ai essayé d'être raisonnable, Tony, et ça n'a rien donné. Ayez l'amabilité de lâcher mon bras et de me laisser faire ce que j'ai à faire.

— Non, attendez, Sara. Ce n'est pas le moment. Vous ne pouvez pas entrer là.

— J'y vais pourtant, que cela vous plaise ou non.

— C'est stupide, Sol ne peut pas vous recevoir.

— Tu parles !

Elle se libéra, mais Vandervelt revint à la charge, la prenant par le poignet.

— J'en ai assez qu'on me tripote, je vous avertis, Tony.

— Vous n'avez pas l'air dans votre assiette, dit-il doucement.

— Je sais, je suis enceinte de plus de six mois et je suis pâle comme un linge. Mais ne vous fiez pas aux apparences.

— Pourquoi n'allons-nous pas boire un café quelque part et parler de tout cela ?

— Hors de mon chemin, Tony !

Vandervelt eut l'air troublé.

— Appelez un gars de la sécurité, dit-il en se tournant vers Jen Gryce.

— C'est déjà fait, intervint Linda Brand.

— *C'est déjà fait*, répéta à sa suite Sara, irritée, en imitant sa voix nasillarde. Ça ne m'étonne pas. La salope consciencieuse.

— Il devrait être là d'un instant à l'autre, dit Linda Brand. Il va s'occuper d'elle.

— Tony, enlevez vos pattes. Je ne vous le demanderai pas deux fois.

— Sara, nous essayons de nous montrer patients avec vous...

— Je vous ai averti, Tony.

Elle leva la main et le gifla à toute volée juste au-dessus de l'œil. Un de ses ongles lui égratigna la paupière et fit couler le sang. Elle éprouva une grande satisfaction en l'entendant gémir et le voyant reculer d'un pas. Le pied ! C'était le seul acte de violence qu'elle ait jamais commis de sa vie.

— Bon sang, Sara, pourquoi avez-vous fait ça ? lâcha-t-il en se touchant la paupière et regardant le sang sur ses doigts.

Elle en profita pour pousser la porte du bureau de Sol, puis referma à clé derrière elle au moment où Rosenthal levait les yeux dans sa direction. Le soleil qui entrait par la fenêtre faisait luire son crâne chauve. Il avait un cigare éteint dans la main droite. Un nuage de fumée planait encore dans la pièce. Elle connaissait bien ce bureau. Son aspect familier aurait dû lui procurer un certain réconfort, mais il n'en fut rien.

— Vous nous enfermez ? dit Sol. Me voilà transformé en otage ?

— Il faut que nous parlions sans être dérangés, Sol.

— Asseyez-vous, ne restez pas debout, ce n'est pas bon pour les femmes enceintes, dit-il en rallumant son cigare avec un briquet en forme de balle de golf.

— Merci.

Elle s'assit en face de lui et regarda les photos qui couvraient les murs vert sombre. Sol adorait être photographié en compagnie de célébrités du show-biz. Il assistait à des déjeuners et des dîners de charité, vêtu d'un vieux smoking qu'il se refusait superstitieusement à remplacer. Il était là, souriant en nœud papillon avec Bob Hope. Paul Anka. Joan Rivers. Sur toutes les photos, il avait le même large sourire. L'une d'elles attira l'attention de Sara. Sol était déguisé en Père Noël à une petite fête organisée pour les gens du bureau. C'était cinq ans plus tôt ; on apercevait Mark à l'arrière-plan, ses traits indistincts. Dans la pénombre. Tout à fait de circonstance, pensa-t-elle.

Elle reporta son attention sur Sol.

— Ils ont essayé de m'empêcher d'entrer, dit-elle.

— Comment avez-vous fait pour passer ?

— J'ai griffé l'œil de Vandervelt.

Sol sourit.

— Faites attention à lui. C'est un procédurier. Il est probablement déjà en train de téléphoner à son avocat pour lui demander d'intenter une action en dommages et intérêts.

— Je regrette de ne pas lui avoir griffé les deux yeux.

— Il ne manquerait plus que ça, mes employés aveugles ! J'ai déjà assez de soucis, Sara.

— Ouais, moi aussi.

Il se tenait légèrement voûté. Soixante-dix ou soixante et onze ans, il faisait mystère de son âge. Il avait un front imposant, les joues roses ; elle trouvait parfois qu'il ressemblait à un chérubin chauve au chômage. Le revers de son costume bleu marine croisé portait des traces de cendre. Il était débraillé, brouillon, manquait de ponctualité et oubliait ses rendez-vous, mais exigeant et redoutable en affaires. Il avait une incroyable capacité pour conclure des marchés et s'en souvenir. Il se rappelait avec précision des transactions remontant à vingt ou trente ans.

Il tira une bouffée de son cigare.

— Vous n'auriez pas dû venir ici, Sara. Ça me fait plaisir de vous voir, ne vous méprenez pas sur mes paroles, mais vous n'auriez pas dû venir.

— Ecoutez, Sol. Personne ne me dit rien. Le FBI débarque chez moi avec un mandat de perquisition et rafle à peu près tout ce qui se trouvait dans le bureau de Mark. Je viens d'être interrogée par eux. Ils agissent comme s'ils me soupçonnaient de quelque chose. Dites-moi ce qui se passe, Sol. Dites-le-moi.

— Sara, j'ai ces avocats sur le dos, je vous l'ai déjà dit. J'ai eu, moi aussi, la visite des gars du FBI.

— L'un d'eux ne serait pas un certain McClennan ?

— McClennan, un type avec des cheveux blancs coupés comme s'il sortait d'une prépa aux grandes écoles ? Ouais, il était là.

— Il me menace. Il parle de procès. Même de prison. De prison, Sol !

Rosenthal soupira, secoua la tête et contempla l'extrémité allumée de son cigare.

— Il veut vous faire peur. C'est un salopard.

— Mais il a une façon de dire les choses qui les fait paraître vraisemblables. Et peut-être a-t-il trouvé le moyen de les rendre réelles. On ne sait jamais...

Sol Rosenthal écarta cette éventualité d'un geste de la main.

— Vous n'avez pas à vous inquiéter, Sara.

Elle resta silencieuse un moment. Puis :

— Qu'est-ce qu'a fait Mark ?

— Sara, je vous en prie, je ne suis pas censé parler de ça.

— Allons, Sol, il est évident que tous ceux qui travaillent ici savent quelque chose que j'ignore. Quelque chose que j'ai le droit de connaître.

Un coup fut frappé à la porte et on entendit la voix de Tony Vandervelt :

— Sol ? Ça va ?

— Ça va. Ne vous inquiétez pas pour moi ! lança Sol en réponse.

— Elle est entrée de force, Sol.

— Je vous ai dit que ça allait, bon Dieu !

Il fit le tour du bureau, prit la main de Sara et la tint un moment, l'air sérieux.

— On croit que les affaires que je traite sont uniquement des affaires d'argent, Sara. Mais c'est faux. Elles concernent aussi les gens. Je dois plaire aux clients, et cela exige la confiance, une grande confiance. La confiance est une chose étrange : il faut des années pour la gagner et cinq minutes pour la perdre.

— Et Mark est en train de vous couler, c'est ça ?

— De vous à moi, la facture est lourde, Sara, dit-il en éteignant son cigare.

— Il a arnaqué la société, détourné des fonds ? Dites-moi la vérité, Sol.

— Nous nous retrouvons avec un trou.

— Important ?

— Enorme, Sara.

— Combien ?

— Selon la dernière estimation, trente-deux millions et des poussières, mon petit. Probablement plus. Beaucoup plus. Des types sont en train de vérifier les comptes. On dirait des médecins légistes examinant des cadavres.

— Trente-deux... ? répéta Sara.

— Oui, c'est pas de l'argent de poche.

— Pourquoi Mark ? Quelle preuve y a-t-il contre lui ?

Sol retira sa main de la sienne, tapota les poches de sa veste, trouva un cigare dans un tube argenté. Il le colla entre ses lèvres, mais ne l'alluma pas tout de suite.

— Je n'ai pas la liberté de parler de cela, Sara.

— La porte est fermée à clé. Personne n'entrera. Personne ne peut nous entendre.

Sol Rosenthal eut l'air songeur pendant quelques instants.

— Bon, d'accord. Vous voulez en savoir beaucoup ? De combien de temps disposez-vous, mon petit ? Il s'agit d'affaires complexes.

— Simplifiez.

— Ce n'est pas simple, Sara, je vous le dis. Emberlificoté au possible. Un tas de sociétés bidon. A Jersey, à l'île de Man, à Monaco, au Liechtenstein. Des fonds détournés sous mon nez vers ces sociétés. De l'argent viré ici, puis là, puis ailleurs, puis Dieu sait où. Des fichiers d'ordinateur falsifiés. Des documents tripatouillés comme vous ne l'imagineriez jamais. La totale. Tout ça juste sous mon nez. (Dans son agitation, il cassa son cigare en deux et le jeta dans le cendrier.) Je déteste gâcher un bon cigare, dit-il.

Elle pensa : Trente-deux millions. Probablement davantage à la fin de la journée. Le chiffre tournait dans sa tête : trente-deux millions, trente-deux millions.

— Vous êtes sûr...

— Sûr que c'est Mark ? C'est ça ce que vous voulez me demander ? Sara, ma bonne amie, nous parlons de *ses* clients. Nous parlons de gens qui ont investi leur argent sur *ses* dires. Ils ont écouté ses conseils, ont agi en fonction d'eux, ont signé des chèques avant de se renverser dans leur fauteuil et de penser : J'ai vraiment trouvé un type bien pour s'occuper de mes intérêts. Ils obtiennent des avantages fiscaux, la promesse d'un bon rendement de leur investissement et Mark a une auréole autour de la tête. Un type intelligent. Charmant. Qui inspire confiance. Pas d'entourloupe avec lui. Et le gars part à la pêche sur son beau bateau, là-bas dans les Keys, et il se dit : Mon fric est entre de bonnes mains et fait gentiment des petits. Ce qu'il ne sait pas, c'est qu'il s'est volatilisé. Pfuitt. Parti en fumée... (Il parlait vite. Sa salive se rassemblait à la commissure de ses lèvres.) Quand la nouvelle arrivera, ça va être la crise cardiaque pour une flopée de types. C'est le bon filon pour les avocats, mon petit. Lorsqu'ils entendront parler de l'affaire, vous croyez qu'ils vont laisser passer une si belle occase de nous rentrer dans le chou ? Ça va être procès sur procès. Moi et mon frère, Dieu ait son âme, on a monté cette affaire en 1947. Je ne peux même plus aller sur sa tombe, à cause de cette merde...

— Depuis combien de temps Mark...

Elle n'arrivait pas à trouver le mot. « Escroquer » avait du mal à sortir, « estamper » aussi.

— C'est important ?

— Non, je ne pense pas.

— Ce qui importe, c'est qu'il a brisé le système comme un œuf de poule. Puis il s'est transformé en Houdini et nous a laissé cette omelette indigeste.

— Je suis désolée, Sol. Tellement désolée.

— Vous vous excusez pour lui ?

— Non. Si. Je ne sais plus ce que je dis.

— Ne dites rien. Rentrez chez vous. Pensez à votre bébé. C'est la seule chose que vous devriez avoir à l'esprit.

Tony Vandervelt frappait de nouveau à la porte.

— Sol, le gars de la sécurité est là et il veut savoir si tout va bien.

— Dites-lui de s'en aller, répondit Sol.

— Vous en êtes sûr ? insista Vandervelt.

— Les indigènes s'agitent, Sara, dit Sol à voix basse. Vous feriez mieux de partir. Sinon, ils vont enfoncer la porte. Assez de dégâts comme ça.

Sara se leva de son fauteuil et toucha l'épaule de Sol :

— J'espère que tout cela se révélera être autre chose que ce qu'on croit.

— Quoi ? Par exemple, Mark réapparaissant et prouvant son innocence ?

— Quelque chose de ce genre.

— Il est difficile de prouver son innocence quand on a laissé ses empreintes digitales partout, ma bonne amie. Rentrez chez vous. Pensez au bébé. Et, surtout, ne prenez pas ceci en mauvaise part, mais ne revenez pas ici. Je ne peux vous avoir là à éborgner mes collaborateurs. Ecoutez-moi : si j'étais vous, je songerais sérieusement à prendre du champ, à faire un voyage dans un coin sympathique. Les Catskills sont agréables, à cette période de l'année. Les arbres changent de couleur. C'est joli. Peut-être un peu trop froid pour vous.

Elle réfléchit à cela un moment. L'idée était séduisante, bien sûr, mais ce n'était pas possible.

— Merci, dit-elle.

— Pour quoi ? Devez-vous me remercier de vous avoir dit que votre mari est un voleur ?

— D'avoir été franc avec moi.

Elle se dirigea vers la porte.

— Je vous téléphonerai, dit Sol.

— Votre appel sera le bienvenu.

Elle tourna la clé et ouvrit la porte. Un garde armé en chemise bleu ciel la croisa rapidement et entra dans le bureau, suivi par un Vandervelt anxieux. Elle entendit un « Depuis quand entre-t-on ici sans frapper ? Et la politesse, bon sang ? ». Sacré Rosenthal.

Elle dépassa les bureaux et les ordinateurs en direction des ascenseurs, ignorant les employés qui la scrutaient, consciente seulement d'une multitude de visages flous. Dans l'ascenseur, elle pensa : Mon mari est un voleur. Il s'est approprié l'argent d'autrui. Elle songea à ses victimes, aux gens qui avaient investi leur argent, à ceux qu'il avait lésés. Elle pensa à eux, à l'hypothétique pêcheur à la ligne de Sol, sur son bateau en Floride, aux autres ; elle imagina des médecins, des enseignants à la retraite, comme son père, des personnes qui avaient placé toutes leurs économies entre les mains de Mark. Elle se sentit désolée pour eux. Pourquoi n'avait-elle rien remarqué dans son comportement ? Comment avait-elle pu ne jamais soupçonner Mark ? Aveugle et confiante. Comme ceux qui lui avaient confié leur argent. De sa part, c'était plus que de la confiance aveugle : elle l'aimait.

Elle devait l'admettre : elle l'aimait encore. L'amour ne meurt pas du jour au lendemain.

Elle arriva dans la rue et se retrouva au soleil. La voiture glissa sans bruit le long du trottoir, la portière arrière ouverte. Une voix qu'elle reconnut dit :

— Montez, Sara. Nous allons faire un tour.

11

Elle était assise à l'arrière de la Buick avec la vieille Russe, vêtue d'une robe imprimée à gros motifs floraux rouges et verts, violemment contrastés. L'homme à l'imper beige conduisait. L'odeur de clous de girofle flottait encore dans la voiture ; Sara baissa la vitre de quelques centimètres.

— Vous êtes en beauté aujourd'hui, Sara Klein. La grossesse sied à certaines femmes. Elles s'épanouissent. C'est votre cas.

Sara regarda l'épais maquillage de la femme. A la lumière du jour, il ne parvenait pas à dissimuler ses rides. Ses lèvres étaient rouge vif, comme si elle avait bu du sang.

— Je n'ai jamais eu d'enfant. J'ai eu, bien sûr, de nombreux amants. Mais je ne me souviens d'aucun avec qui j'aie eu envie d'avoir un enfant. La plupart des hommes ne valent pas cher, vous n'êtes pas de mon avis ?

— C'est vrai de certains.

— Lorsque je me penche sur le passé, il m'arrive de

regretter de ne pas avoir eu d'enfant. Puis quand je pense aux douleurs de l'accouchement, je suis contente d'y avoir échappé. Tous ces efforts pour expulser une vie nouvelle d'entre ses cuisses ! Et puis cette chose rose qui émerge en criant, qui réclame, qui doit être nourrie et pleure à des heures indues...

— Je désire ce bébé.

— Bien entendu. Certaines d'entre nous sont faites pour être mères. D'autres pas. Vous êtes différente de moi.

La femme fit alors quelque chose de dérangeant : elle pencha lentement son visage et le posa contre le ventre de Sara. Celle-ci baissa les yeux vers les cheveux fins teints en jaune, tirés en arrière en mèches grasses. Ce contact du visage de la femme avec son corps l'écœurait.

— Qu'est-ce que vous faites là ?

— J'essaie d'entendre le battement de son cœur, Sara.

— Je n'aime pas ça.

Elle avait envie de repousser la tête, mais elle ne voulait pas toucher ces cheveux jaunes et graisseux.

— Pourquoi ? Ça vous dérange ?

— Oui.

— Vous êtes facilement contrariée, Sara.

— Je suis également contrariée quand on rend visite à mon père pour lui proposer d'acheter une concession dans un cimetière. Je veux qu'on le laisse tranquille, qu'on lui fiche la paix, vous m'entendez ? Il n'a rien fait et n'a pas besoin d'ennuis.

— Personne n'en a besoin.

— Fichez-lui la paix, c'est tout ce que je demande. Laissez mon père en dehors de cette histoire.

Elle s'écartait petit à petit de la femme, qui releva la tête et sourit.

— Silence total. Le produit de la semence de Mark Klein est aussi silencieux que Mark Klein lui-même.

— Je n'ai aucune nouvelle de Mark. C'est ce que vous voulez savoir, n'est-ce pas ?

— Ah, Sara. Il y a beaucoup de choses que j'aimerais savoir.

Sara sentait encore le poids de son visage appuyé contre son ventre. Elle regarda par la portière. La Buick remontait Amsterdam Avenue. Le soleil apparaissait par intermittence dans les rues transversales.

— Je ne sais pas où il est, dit Sara. Je continue d'espérer qu'il m'appelle.

— Les espoirs sont comme des papillons, Sara. Ils se posent une seconde, puis s'envolent.

— Je me passe très bien d'aphorismes.

— Etes-vous capable de vous passer de votre mari ?

Sara regardait la rue, les piétons, les gamins qui jouaient au basket. *Vous passer de votre mari*. Trente-deux millions de dollars et c'était loin d'être fini. Elle se demanda s'il attribuait une valeur monétaire à sa femme et à son enfant à naître, s'il estimait que trente-deux millions valaient davantage que sa petite famille. Elle essaya de l'imaginer quelque part dans le monde, assis sur une plage de sable au bord d'un lagon isolé ou flânant dans les rues bondées d'une ville crasseuse d'Amérique du Sud. Il devait porter des lunettes noires, un chapeau, et s'être laissé pousser la barbe : n'était-ce pas ce que font ceux qui veulent disparaître ? Il avait certainement un faux passeport, peut-être plusieurs.

Depuis quand ? se demanda-t-elle. Depuis combien de temps avait-il préparé sa disparition ? Elle n'était

113

pas le résultat d'une décision prise sur un coup de tête, cela en tout cas était certain. Des mois de préparation, peut-être plus, qui sait ? Qu'y avait-il derrière tout cela ? Quelque chose d'aussi élémentaire que l'appât du gain ? Comment se faisait-il qu'elle n'arrivait pas à se rappeler s'il avait montré des signes de cupidité ? Ce dont elle se souvenait, c'est qu'il semblait toujours content. Ambitieux, fonceur et travailleur, certes. Aimant aussi et prévenant envers elle. Mais à présent, une autre facette de lui-même se révélait, un aspect obscur, un Mark inconnu. Elle se représenta son visage – beaux traits irréguliers, épais cheveux noirs qu'il peignait en arrière, sourire électrisant dans lequel tous les soucis de la terre s'évanouissaient – et n'arrivait pas à établir le lien entre cette image et ce que Mark était censé avoir fait.

— C'est mon mari.

— Est-ce que vous l'aimez ?

Elle hésita un instant.

— Oui.

— Comme c'est touchant. Il disparaît de votre vie et vous l'aimez encore. Il vous abandonne et pourtant votre amour perdure. Il y a dans tout cela une certaine mélancolie romantique qui me plaît.

— J'en suis heureuse pour vous.

— Le bonheur n'est pas un état durable. (La vieille soupira et s'adressa au conducteur :) Mets un peu de musique. Du jazz. J'ai envie d'entendre Brubeck.

L'homme chercha une cassette, l'introduisit dans le lecteur et le son du piano emplit la voiture.

— Le mystère reste donc entier, Sara. Où est Klein ?

— Qu'est-ce qu'il vous a fait ?

— Vous ne le savez pas ? Vous vivez avec lui. Vous

couchez avec lui. Vous faites un bébé ensemble. Mais vous ne savez pas ?

Sara se souvint de l'interrogatoire de McClennan ; elle en entendait à présent l'écho à l'arrière de la Buick. Elle avait l'impression que sa tête était un tambour dans lequel se répétait inlassablement le même battement sourd.

— Il vous a volé de l'argent, c'est ça ?

La vieille ne dit rien et eut seulement un sourire bizarre en marquant le rythme de la musique sur ses genoux.

— Pourquoi ne vous adressez-vous pas à la société où travaillait Mark ? demanda Sara. Ou mieux, allez au FBI. Pourquoi me harceler ?

— Ce n'est pas aussi simple que cela.

— Pourquoi ? C'est ce qu'il y a à faire de plus logique.

— Ça n'a rien à voir avec la logique, Sara.

— Vous croyez que je suis impliquée dans cette escroquerie, n'est-ce pas ? J'attends le moment opportun pour le rejoindre dans un coin perdu et partager le butin – c'est ce que vous supposez ?

McClennan pense de même, comprit-elle.

— C'est une possibilité.

— Vous vous fourvoyez.

— Vous me cachez quelque chose, Sara. J'espérais qu'en vous donnant le temps de réfléchir à la situation vous seriez prête à me dire la vérité. Mais manifestement vous n'êtes pas disposée à vous montrer coopérative. Vous êtes têtue, stupide, ou les deux à la fois. Il me faut donc prendre d'autres mesures.

— Lesquelles ?

La vieille tapa sur l'épaule de l'homme à l'imper beige et dit :

— Charlie, dépose-la ici.

— Voilà, répondit Charlie.

Il obliqua dans une rue adjacente et arrêta la voiture, puis sortit, fit le tour du véhicule et ouvrit la portière de Sara. Elle regarda son visage, sa paupière tombante, le réseau de veines sur son nez.

— Un sale quartier, dit la vieille, mais je suis sûre que vous trouverez un taxi.

Sara sortit de la Buick.

— Quelles autres mesures voulez-vous prendre ? demanda-t-elle de nouveau. Dites-moi ce que vous entendez par là.

La femme sourit et se détourna. Charlie s'installa sur son siège, claqua la portière et la Buick s'écarta du trottoir. Seule. Sara se rendit compte qu'elle ne savait pas où elle était, un quartier inconnu de la ville, des enseignes de boutiques en espagnol, des hommes assis sur des vérandas qui tombaient en ruine, une musique latino-américaine arythmique qui s'échappait d'une cafétéria délabrée.

Elle s'éloigna un peu. Elle avait conscience d'être suivie des yeux, jaugée par des visages renfrognés. Ce n'était pas son New York, mais quelque faubourg où elle n'était jamais allée. Les circonstances lui avaient épargné de connaître des quartiers de ce genre. Ignorant ces zones urbaines réputées dangereuses, elle ne s'était jamais rendue dans cette partie de la ville, et elle avait l'impression d'être passée dans une autre dimension. Immeubles vides, fenêtres murées, mystérieux graffitis sur les murs.

Elle continua de marcher. Le bébé changea de position dans son ventre. Cette chose rose qui pousse des cris. Un petit élancement de douleur. Elle dut s'arrêter. Elle se rendait compte qu'un groupe d'adolescents la regardaient du coin de la rue. Ils se passaient une pipe de crack avec avidité. Ils semblèrent se désintéresser d'elle. Elle était un animal égaré, étranger à leur univers, sans danger pour eux.

Des cageots de fruits pourris – oranges, papayes, gourdes – étaient éparpillés autour d'elle sur le trottoir, abandonnés. Elle avait besoin de s'asseoir. Il fallait aussi qu'elle trouve un téléphone pour appeler son père car elle craignait pour lui. *D'autres mesures.* Qu'est-ce que cela voulait dire ?

Un téléphone. Où ? Elle frôla les cageots et dépassa le groupe de jeunes. Un gamin avec des marques d'acné sur le visage lui lança : « Oh, mama » en sortant le ventre pour imiter sa grossesse. Ses copains se mirent à rire et reprirent en chœur : « Oh, mama, oh, mama... »

Elle poursuivit son chemin puis s'arrêta devant une boutique de fruits et légumes. Des femmes touchaient la marchandise, pamplemousses, melons, mangues. Les écriteaux étaient en espagnol. Elle chercha un visage avenant, quelqu'un de réceptif qui pût lui indiquer un téléphone, se montrer aimable. Elle s'approcha de l'éventaire timidement. Où était cette énergie, cette bouffée de détermination qui lui avait permis de traverser les bureaux de Rosenthal d'un pas décidé et d'égratigner l'œil de Vandervelt ? Où s'était-elle envolée ?

— Il vous faut quelque chose, madame ? Je viens d'avoir un arrivage de fruits de la passion. Délicieux.

Elle vit une main lui tendre un fruit. Elle dévisagea l'homme. Il portait un foulard rouge autour de la tête. Un jeune Latino-Américain vêtu d'un T-shirt avec le logo *Este Mundo* à moitié passé.

— J'ai besoin de téléphoner, dit-elle la gorge sèche.

— Un téléphone ? Vous n'en trouverez pas dans le quartier.

— Vous en avez un dans la boutique ?

— Vous ne vous sentez pas bien ?

— Il faut seulement que je téléphone, répondit-elle en plaçant sa paume sur son front.

— Votre bébé fait des siennes, c'est ça ?

— Le bébé, oui.

— Entrez. Passez à l'intérieur.

Elle lui fut reconnaissante de ce petit geste de compassion. Il la guida derrière les éventaires, à l'intérieur de la boutique obscure. Petite, encombrée de caisses de produits d'importation. Elle avait l'impression que des centaines de régimes de bananes étaient suspendus autour d'elle, pareils à des animaux tropicaux immobiles et inconnus. Elle se demanda si elle pouvait s'asseoir, se reposer quelques instants sur une caisse. Le jeune homme discutait avec un type plus âgé, peut-être son père. Ils parlaient rapidement en espagnol. Elle comprit que l'autre, bedonnant et indifférent, émettait des objections. Il se détourna finalement avec un geste de congédiement de sa main levée.

— OK, madame, dit le jeune homme. Ne faites pas attention à lui. Il est soupçonneux de naissance. C'est une communication locale ?

— Long Island. Je vais appeler en PCV.

— En PCV. Oui, d'accord. Par ici.

Il la conduisit dans un bureau grand comme un cagibi. Le téléphone se trouvait sur une table jonchée de factures. Des papiers étaient fichés sur une pointe de fer. Elle prit le combiné et demanda la communication. D'autres mesures, pensa-t-elle. Des concessions dans un cimetière.

Elle entendit une voix d'homme répondre qu'il

acceptait le PCV. Ce n'était pas son père. Elle avait manifestement demandé un mauvais numéro... mais cela n'avait aucun sens. Pourquoi quelqu'un accepterait-il un PCV d'une inconnue ?

— Qui est à l'appareil ?

— A qui voulez-vous parler ?

— John Stone.

— Votre père ne peut pas venir au téléphone pour l'instant, Sara.

— Qui êtes-vous ? Appelez mon père, bon sang !

La communication fut coupée.

Le jeune homme la regardait depuis la porte.

— Des ennuis ?

Elle regardait fixement derrière lui dans la boutique. Elle ne savait quoi répondre. Sa poitrine était oppressée.

— Vous voulez vous asseoir un moment ? Vous reposer ?

— Un taxi. Où est-ce que je peux trouver un taxi ?

— Au coin de la prochaine rue. C'est là que vous avez le plus de chances.

Elle hocha la tête, passa à côté du jeune homme, sortit dans la rue en titubant au milieu des femmes rassemblées autour de l'étalage de fruits et se dirigea vers l'autre rue en se dépêchant.

J'aimerais remonter dans le temps, pensa-t-elle. J'aimerais revenir au moment où Mark Klein est sorti pour la dernière fois de la maison du 3242 Midsummer, au moment où, valise dans une main, attaché-case dans l'autre, il est monté dans le taxi qui devait l'amener à l'aéroport. A l'instant précis où il a souri et agité la main quand le taxi démarrait. J'aimerais arrêter le temps à ce moment-là, un arrêt sur image. J'aimerais lui dire : « Ne t'en va pas ! »

12

Le taxi qui l'avait conduite à Penn Station, le train pour Long Island, le trajet en voiture jusque chez son père, ces épisodes furent distillés en une série de tableaux brossés à coups de pinceau incertains : un enfant qui tenait un ballon sur le pont de chemin de fer, des maisons serrées les unes contre les autres qui surplombaient la voie, un cacatoès en cage découpé dans l'embrasure d'une fenêtre. Elle passa par un maelström de sentiments : impatience, agitation, colère. L'énergie capable de canaliser et d'organiser les émotions semblait épuisée en elle. La femme de l'escroc. Voilà ce que Mark avait fait d'elle : quelqu'un qu'elle ne connaissait pas.

Arrivée à Port Jefferson, elle prit sa voiture, se dirigea vers chez son père, se précipita sur le porche et ouvrit la porte grillagée. Elle entra et appela. Pas de réponse. Debout au pied de l'escalier, elle écoutait sa voix s'évanouir dans la maison obscure.

Elle alla vers le séjour, hésita sur le pas de la porte et appela encore :

— Papa ?

Rien. La maison absorbait la lumière et les sons. Un espace mort.

Elle revint sur ses pas et entra dans la cuisine. Il y avait une tasse vide sur la table, une tranche de pain complet, un pot de confiture de cassis sur lequel s'était posée une guêpe. La porte de l'arrière-cour était ouverte. Elle sortit. La cour était vaste et envahie par la végétation en une débauche de couleurs automnales.

— Papa ?

Elle se dirigea vers la serre au fond de la cour. Illuminée par le soleil déclinant, elle ressemblait à un cristal éclairé du dedans. Quelque chose remua entre les hautes herbes. Simon, le chat de son père, pelage noir et soyeux. L'animal se frotta contre ses jambes, puis se désintéressa d'elle et s'éloigna.

— *Papa ?*

La serre était vide. De grosses tomates trop mûres avaient poussé contre les vitres. Elle se tourna et regarda les fenêtres arrière de la maison où se réfléchissait le soleil. Elle s'imagina que son père avait, comme Mark, disparu dans une autre réalité. Son mari et son père, tous deux évaporés dans les mêmes ténèbres.

Elle rentra dans la maison en continuant d'appeler son père.

Il apparut en haut de l'escalier. Elle entendit le bruit de ses pas, un soupir, et monta pesamment vers lui.

— Je faisais un petit somme, dit-il.

Elle le serra dans ses bras, un peu trop fort dans l'enthousiasme de son soulagement.

— Eh, eh, moi aussi je t'aime, lâcha-t-il, mais tu me

coupes la respiration. N'oublie pas que je suis un vieux crabe.

Elle desserra son étreinte. Elle avait le visage appuyé contre sa poitrine. L'odeur familière de son père la réconfortait – le parfum de son aftershave, son haleine qui, elle ne savait pas pourquoi, lui rappelait toujours la « root beer ».

— Tu es sain et sauf, dit-elle. Tu es sain et sauf.

— A quoi t'attendais-tu ?

— Je ne sais pas.

— Tu trembles, Sara. Ton cœur bat à toute vitesse. Je le sens. Il faut que tu t'assoies. Je vais faire du thé.

— Non, je ne veux pas m'asseoir. Je veux rester contre toi.

— Que me vaut cette accès d'affection soudain ? demanda-t-il en lui caressant la joue.

— J'étais inquiète.

— Inquiète ? Pour moi ? J'aurais plutôt pensé que tu...

— Tu es resté à la maison toute la journée ?

— Je suis allé à l'épicerie dans l'après-midi, puis je suis rentré, je me suis senti un peu fatigué, j'ai fait une petite sieste et j'ai entendu ta voix.

— Je t'ai appelé cet après-midi. (Il fallait qu'elle le lui dise ; elle ne pouvait pas le garder pour elle plus longtemps.) Un homme a répondu. Il a dit que tu ne pouvais pas venir au téléphone.

— Un homme ? A quelle heure ?

— Entre trois et quatre. Ou un peu plus tard, je ne sais plus.

— Tu veux dire que quelqu'un est entré ici en mon absence, a décroché le téléphone et t'a parlé...

Il semblait troublé et se frotta les yeux, encore somnolent. Elle acquiesça.

— La porte de derrière était ouverte. Tu le savais ?

— Non.

— On devrait vérifier pour voir s'il ne manque rien.

— Mieux vaut appeler la police, dit-il.

Elle hésita.

— Non, je ne crois pas, Papa.

Il la prit par le menton, lui releva la tête pour la regarder dans les yeux et la dévisagea un long moment. Elle connaissait cette expression, cette façon qu'il avait d'examiner les choses ou les gens minutieusement.

— J'ai l'impression que tu me caches quelque chose. Si tu ne veux pas en parler, ça te regarde. Mais si tu veux le faire, je serai heureux de t'écouter, plus qu'heureux. Que décides-tu, Sara ?

Se sentant soudain vidée, elle s'assit sur la dernière marche et regarda, vers le bas de l'escalier, la porte d'entrée. John Stone s'assit à côté d'elle et passa son bras autour de son épaule.

— C'est grave, Sara ?

— Oui.

— Explique-moi ce qui se passe.

Elle ne pouvait le regarder en face ; elle sentait qu'elle s'attribuait la responsabilité de la situation à la place de Mark. Si elle n'était pas tombée amoureuse de lui, si elle ne l'avait pas épousé, rien de tout cela ne serait arrivé. Elle avait écouté trop vite les injonctions de son cœur. Elle aurait dû être plus prudente, quatre ans auparavant. Mais elle avait agi inconsidérément, avec égoïsme, et à présent, c'était son père qui trinquait. La faute n'incombait pas uniquement à Mark. Elle partageait la responsabilité avec lui. Il y a bien complicité, McClennan. La seule complicité qu'il y ait.

— Explique-moi ce qui se passe, Sara, insista son père.

Elle prit une profonde inspiration et parla à voix basse. Elle lui parla de l'entrevue avec les hommes du FBI, de la vieille Russe de Saint-Pétersbourg, des fonds détournés de la société Rosenthal. Elle n'omit rien. Il écoutait en silence. De temps en temps, il tirait sur sa lèvre supérieure, la tenant entre le pouce et l'index en un geste contemplatif caractéristique. Quand elle eut fini, il ne parla pas tout de suite. Elle le vit cligner des yeux dans la pénombre qui régnait en haut de l'escalier, vit ses paupières se fermer doucement.

— Le FBI veut retrouver Mark, et cette Russe aussi, dit-il. Et tous croient que tu es dans le coup.

— Il y a une petite différence entre les deux. Jusqu'ici, le FBI ne t'a pas menacé...

— Il n'en reste pas moins que c'est une fichue situation, Sara. Pas de celles qu'un vieux prof de maths s'attend à rencontrer au cours de sa retraite, tu ne crois pas ?

— En effet.

— Je me demande comment je suis censé réagir à l'idée que des gens que je ne connais ni d'Eve ni d'Adam font des bruits menaçants autour de moi. Je n'ai jamais été confronté à ce genre de problèmes. Il y a bien eu au fil des années quelques-uns de mes élèves qui ont voulu me casser mes phares parce que je les avais fait redoubler, mais ce n'est guère comparable. (Il sourit en marquant une pause.) Et toi, Sara ? Est-ce que tu tiens le coup ?

— J'essaie.

— Tu penses que Mark est un escroc ?

Elle haussa les épaules.

— Ça dépend, Papa. A certains moments, je le crois. L'instant d'après... Bon sang, comment savoir ?

— Trente-deux millions de dollars. Est-ce assez pour laisser en plan femme et enfant ?

— Peut-être.

— Si c'est un salaud. Est-ce que c'est le cas ?

— Je ne sais plus.

— Je comprends.

Il posa sa main sur la tête de Sara et ébouriffa ses cheveux courts comme si elle était encore une enfant, quelqu'un sur qui il lui fallait veiller.

— Tu as gardé tout cela pour toi, ma pauvre petite.

Pauvre petite. Quelle allait être l'attitude des gens quand la presse s'emparerait de l'affaire ? Certains se retourneraient dans son dos en chuchotant « Pauvre petite ». Mais d'autres se montreraient plus fielleux. « Elle est fatalement dans le coup. Elle ignorait ce que trafiquait son mari ? Allons donc ! Il aurait fallu qu'elle soit complètement idiote ! »

Elle prit son père par le poignet.

— Ne songe plus à moi pendant un moment, Papa. Mets-moi de côté. La question est : que faisons-nous ? Cette vieille bique de Saint-Pétersbourg se sert de ta sécurité pour faire du chantage et obtenir de moi ce qu'elle veut. Or je ne peux lui donner ce qu'elle veut. Et elle ne le croit pas. Ce qui n'est pas bon pour toi.

— Le jeune démarcheur de concessions funéraires fait partie de ses hommes ?

— Elle ne l'a pas nié.

— Et celui qui était là quand tu as téléphoné aussi ?

— Je suppose. A moins que ce ne soit le même.

— Qu'est-il censé venir faire ici, Sara ?

— Peut-être espérait-il te trouver là. Peut-être avait-il l'intention de se montrer violent.

— En ce cas, il va revenir.

— Et alors ?

— J'étais poids moyen à l'université.

— Je ne crois pas que cela soit suffisant.

— J'ai toujours mes gants au grenier.

Il leva ses poings fermés, pencha la tête en avant, lui fit admirer son jeu de jambes. Il lui jouait cette petite comédie pour essayer, elle le savait, de dédramatiser la situation, de la faire apparaître plus normale. Des menaces, bon sang, ça n'a rien d'extraordinaire, c'est aussi banal que les imprimés publicitaires dans la boîte aux lettres.

— Sérieusement, dit-elle.

— Pourquoi n'allons-nous pas voir les flics ? Je leur expliquerai et ils me fourniront une protection.

— Pas de flics, dit-elle. Ils ont insisté là-dessus. Pas de flics, pas de FBI.

— Il faut trois minutes pour les appeler, Sara. Je peux avoir un agent en uniforme à la porte de la maison en une demi-heure. Je veux dire, s'ils se dépêchent. Comment ta Russe et ses amis s'en apercevraient-ils ? A moins d'avoir mis ma ligne sur écoute. C'est peut-être ce que faisait mon visiteur de cet après-midi... installer une écoute sur mon téléphone...

Il y avait quelque chose qui n'allait pas dans le fait d'alerter la police, bien qu'elle n'arrivât pas à mettre le doigt dessus. A première vue, cela semblait raisonnable, mais elle n'était pas convaincue.

— Je ne crois pas que nous devions prévenir la police, Papa.

— Pourquoi pas ? Il n'est même pas nécessaire que nous le fassions par téléphone. Nous pouvons très bien faire un saut jusqu'au commissariat. C'est à deux kilomètres d'ici. Va-t-on nous empêcher de sortir de la maison ? Sommes-nous sous surveillance ?

Et s'ils l'étaient ? Sara se releva en se tenant à la rampe. Elle se sentait lourde. Son père se remit debout lui aussi et l'aida à descendre l'escalier. Elle le suivit dans le séjour où il s'approcha de la fenêtre et regarda dans l'arrière-cour. Elle admirait son attitude, sa démarche décidée, sa façon de prendre les choses avec légèreté. Il avait cette force intérieure, il l'avait toujours eue.

— Je ne vois personne, à l'exception de Rigby, qui balaie les feuilles dans l'allée. Ce cher vieux Rigby, sourd comme un pot. Il ne ferait pas un bon espion. Je ne vois personne d'autre, Sara. Bon, alors, qu'est-ce qu'on fait avec les flics ?

— Attends. Réfléchissons.

— Réfléchissons à quoi ?

— A ce qu'ils pourraient faire s'ils découvrent que nous avons prévenu la police. Réfléchis, Papa.

— Je commence à trouver cette histoire de menaces extrêmement déplaisante. J'y vois une violation des quelques droits constitutionnels qui me restent. « Tu ne seras pas menacé. » C'est un des commandements non écrits. On devrait se sentir en sécurité chez soi. Pouvoir se balader dans son quartier sans avoir à craindre des menaces.

— On *devrait*. Je ne crois pas que les impératifs moraux soient à l'ordre du jour, Papa. Ces gens n'ont sans doute que faire de tes opinions.

— Je n'ai plus qu'à les laisser régir mon existence, c'est ça ? Me terrer dans mon mausolée et ne rien faire ? Ne pas résister ? Tu oublies que je suis le produit de trois générations d'une famille de Nouvelle-Angleterre, et que nous sommes de sacrées têtes de mules quand on vient nous chercher des crosses.

Elle voulait croire qu'il avait raison. Mais il y avait une faille dans son argumentation. Quelque chose qu'il omettait de considérer. Elle ne savait trop quoi. Peut-être ses propres craintes l'empêchaient-elles d'envisager les possibilités d'action. Peut-être déteignaient-elles sur tout.

Elle regarda par la fenêtre, observa le voisin qui balayait les feuilles mortes de l'autre côté de la rue et en faisait des petits tas. Elle se demanda si McClennan avait posté quelqu'un dans les parages. Il lui vint à l'esprit que la filature du FBI n'était peut-être pas aussi efficace qu'elle l'avait imaginé. Peut-être ne la surveillaient-ils pas continuellement. Peut-être estimaient-ils que la perspective d'être suivie suffisait à l'empêcher de tenter de s'enfuir. Elle ne savait que penser.

— Tu es prête ? demanda-t-il.

— Je ne suis pas certaine que ce soit la bonne solution. Et puis, qu'allons-nous dire aux flics ?

— On leur racontera toute l'histoire. Du début à la fin.

— Tu supposes évidemment qu'ils nous croiront...

— Pourquoi ne le feraient-ils pas ?

— Je n'ai aucune preuve de ces menaces. Je ne connais même pas le nom de la Russe. Je ne peux même pas prouver son existence. Elle pourrait très bien être un produit de mon imagination, l'imagination de quelqu'un qui est à bout. Sans preuve, c'est du vent. Regarde-moi. Je suis enceinte, mon mari a détourné une fortune et a disparu dans la nature. Par conséquent, je ne peux être que dans un état d'instabilité émotionnelle. Il se peut qu'ils voient les choses ainsi, Papa...

— Mais ce n'est pas sûr. Ça vaut la peine d'essayer.

Ta voiture est dans l'allée, Sara. Autant que je sache, personne ne surveille la maison. Le moment ne peut être mieux choisi.

C'est trop simple, pensa-t-elle. Voilà ce qui la chiffonnait. *Tout cela est trop simple.* On allait les laisser sortir de la maison, prendre la voiture pour aller jusqu'au commissariat du quartier ? Elle n'y croyait pas.

Elle s'arrêta près du téléphone. La ligne sur écoute. Comment faire pour le savoir ? Dévisser le capuchon du microphone et le dispositif vous tombe dans la main ? C'est ainsi que ça se passe dans les films policiers. Elle avait le sentiment que la réalité devait être différente. A la télé, on trouvait tout de suite les micros, de petites ventouses collées sous un pied de lampe, quelque chose de ce genre. Mais elle ignorait quelles étaient les dernières trouvailles en la matière ; l'univers de la surveillance électronique relevait de la haute technologie et la dépassait. Elle ne savait même pas ce qu'elle était censée chercher.

— Alors ? demanda son père.

— D'accord, faisons comme tu as dit, Papa. Nous allons tenter le coup. Mais même si les flics croient à mon histoire, ils vont probablement prévenir le FBI. Tout ça remontera à McClennan et je ne sais pas si *lui* me croira.

— Ne jamais créer de problèmes avant qu'ils ne se présentent, c'est du temps perdu.

Il la prit par le bras et sourit. Tous deux se dirigèrent vers la porte d'entrée.

Ils n'allèrent pas loin.

— A votre place, j'y réfléchirais à deux fois, dit le jeune homme.

13

Il avait dû arriver par l'arrière-cour. Il se tenait dans l'embrasure de la porte de la cuisine. Son sourire était glacial, ses yeux morts. Il faisait penser à un beau jeune homme embaumé.

— Vous n'allez pas me dire que vous avez encore une concession intéressante à me proposer ? Un petit bout de terrain paradisiaque avec vue sur la rivière ? dit John Stone.

Le jeune homme, vêtu d'un coûteux costume droit, haussa les épaules.

— Pas cette fois-ci, monsieur Stone. Excusez la plaisanterie, mais ma carrière de représentant est morte et enterrée.

— Vous êtes tout excusé. Mais je vous fais remarquer que vous êtes entré chez moi sans ma permission.

— Je plaide coupable. Je confesse même avoir écouté aux portes. Ce sont de mauvaises manières, je sais. Mais vous parliez d'aller rendre visite à la flicaille, n'est-ce pas ? Ne m'obligez pas à vous en empêcher.

Sara sentit l'atmosphère changer autour d'elle.

Jusque-là planaient l'incertitude et un espoir fragile d'obtenir, peut-être, une protection de la police, l'espoir d'une porte de sortie. L'air était à présent lourd de violence. Sara était oppressée, elle avait du mal à respirer.

— Les flics n'ont pas d'yeux derrière la tête, dit le jeune homme. Ils ne sont jamais là quand on a besoin d'eux, vous ne l'avez pas remarqué ? Pareil pour le FBI. Le fait est qu'ils ne peuvent être partout à la fois.

— Je vois ce que vous voulez dire, observa John Stone.

Sara se demanda comment faisait son père pour paraître si calme. Il donnait l'impression de discuter d'un théorème mathématique, de quelque chose d'abstrait sans le moindre rapport avec la réalité vécue.

— Vous croyez que je vais tout casser, n'est-ce pas ? Que je vais vous fracasser le crâne ?

— Ça m'a effleuré l'esprit, je l'admets.

Le jeune homme rit, un rire agréable, léger et musical.

— C'est drôle ce que pensent parfois les gens.

— Vous voulez dire que nous pouvons sortir d'ici et vaquer à nos affaires, je présume.

— Nous sommes dans un pays libre. Vous pouvez aller et venir à votre guise. Vous n'avez pas à pointer.

— En ce cas, nous partons.

C'est trop facile, pensa Sara. Elle sentit son père l'entraîner vers l'entrée. Elle flaira un désastre imminent. Ils allaient franchir la porte et il allait leur arriver quelque chose, un sale coup.

— Avant que vous partiez, j'ai une question à vous poser, monsieur Stone, dit le jeune homme.

— Je vous écoute.

— Vous voulez devenir grand-père, n'est-ce pas ?

— J'en ai la ferme intention...

— Oui ou non, monsieur Stone. Comme au tribunal. Oui ou non.

— Naturellement que je veux être grand-père.

— Super, fit le jeune homme avant de regarder Sara. Ce bébé...

Tendue et hébétée, elle attendait la fin de la phrase. Ce bébé. Elle avait l'impression de flotter dans l'air.

— Vous avez l'intention de le mettre au monde à l'hôpital ?

— Oui, répondit-elle.

Où voulait-il en venir ? Elle était incapable de penser. Le jeune homme se caressa le menton et déclara :

— Je n'aime pas les hôpitaux, Sara. Vous voyez ce que je veux dire ?

— Non, je ne vois pas.

— On entend des histoires horribles. Des enfants confondus avec d'autres. On se trompe d'étiquette et ils se retrouvent avec des parents qui ne sont pas les leurs. Et il y a pire... De temps en temps, on entend parler de bébés qui n'arrivent pas à survivre. Quelque chose de défectueux dans leur façon de respirer. Le cœur, peut-être. Comment appelle-t-on ça, déjà ? La mort subite des nourrissons ? Je crois que c'est le terme.

— La mort subite des nourrissons, répéta-t-elle.

Elle n'arrivait pas à se représenter ce que ces mots signifiaient.

— Oui. Ce que je veux dire, c'est que ce n'est jamais la faute de personne. Vous savez comment sont les hôpitaux. Il y règne parfois la confusion la plus complète. Les infirmières commettent des erreurs.

Elles sont débordées, trop de choses à faire. Elles manquent parfois de vigilance.

John Stone se rapprocha du jeune homme.

— Etes-vous... Etes-vous en train de *menacer* cet enfant ?

— Je souligne seulement certaines déficiences du système hospitalier, monsieur Stone, c'est tout. Il arrive que des bébés meurent. C'est un fait. Qu'un psychopathe s'introduise dans un hôpital et vole un nouveau-né dans la nursery. C'est aussi le genre de choses que l'on voit dans les hôpitaux. Voilà pourquoi je n'aime pas les hôpitaux.

— Bon sang, mais vous êtes la dernière des saloperies ! éclata John Stone.

— On m'a déjà traité de noms pires que celui-là.

Sara ferma les yeux. Elle entendait les voix des deux hommes comme si elles sortaient d'une radio mal réglée. Son enfant. La mort subite des nourrissons. Des gens qui s'introduisent dans les hôpitaux et volent des nouveau-nés. Elle avait l'esprit en feu. Elle entendit son père dire : « De ma vie, je n'ai jamais rien entendu d'aussi monstrueux. »

Elle rouvrit les yeux. Elle était debout quelques instants plus tôt, et elle se retrouvait assise. Elle ne se souvenait pas d'être allée vers une chaise, du déplacement de son corps dans l'espace.

John Stone était tout près du jeune homme, les poings serrés.

— Vous voulez me frapper, monsieur Stone ?

Son père ne répondit pas. Il avait l'air en colère, frustré, et tenait sa tête de manière belliqueuse, la mâchoire en avant, comme Sara ne l'avait jamais vu faire.

— Je pourrais, dit-il. Je pourrais...

— Vous pourriez quoi, monsieur Stone ?

Le père de Sara leva la main pour frapper. Il essaya d'atteindre le visage du jeune homme, mais il était lent et vieux, et l'autre se contenta d'arrêter le poing dans la paume de sa main.

— Vous pourriez quoi, monsieur Stone ? Ne m'obligez pas à vous faire mal.

Il tordit la main de John Stone en arrière. Le père de Sara, sa vie complètement chamboulée depuis un quart d'heure, essaya quelques instants de résister puis s'affaissa sur ses genoux.

Le jeune homme lâcha son poing et sourit.

— Vous n'êtes pas à la hauteur, grand-père.

Sara se leva péniblement, s'approcha de son père, se pencha sur lui et lui caressa les épaules comme pour le consoler de son échec.

— Papa, murmura-t-elle.

— Ne vous mettez pas en peine de me raccompagner, Sara, je connais le chemin, dit le jeune homme en repartant vers la cuisine.

Sara ne le regarda pas. Elle l'entendit traverser la cuisine, le bruit que fit la porte de derrière en se refermant. Elle remit de l'ordre dans les quelques mèches qui restaient à son père. Il leva la tête et la regarda.

— Un vrai héros, dit-il.

— Je n'ai pas besoin d'un héros, Papa.

Elle se sentait submergée d'amour et de pitié. Elle lui prit la main et la regarda. Les os donnaient l'impression d'être fragiles, cassants. Sa peau était semée de taches de rouille amenées par l'âge.

— Il t'a fait mal ?

— Ce n'est pas seulement physique, Sara.

— Je sais.

John Stone se releva lentement puis passa ses doigts sur ses yeux.

— L'âge est une malédiction. Un jour, je...

— Ça va, Papa, ça va.

— Non, ça ne va pas. C'est loin d'aller.

Elle lut sur son visage le désespoir, l'humiliation face à son incapacité de protéger non seulement sa fille, mais aussi son petit-enfant, le bébé qui, en ce moment précis, remuait dans son ventre, tendait peut-être un bras, une jambe, comme s'il essayait de se défendre contre un danger qu'il ne pouvait voir mais sentait.

John Stone se frotta le poignet, fit jouer ses doigts.

— Bon Dieu, Sara, c'est une chose de me menacer, mais c'en est une autre de...

Il ne finit pas sa phrase et se mit à tourner lentement en rond dans la pièce comme une bête en cage.

— C'est monstrueux, reprit-il, monstrueux, il n'y a pas d'autre mot. Quelle espèce de gens est-ce là, bordel de merde ?

Elle réalisa qu'elle l'entendait jurer pour la première fois de sa vie. Il s'approcha de la cheminée et examina la collection des photos de famille, comme s'il tentait de faire revivre des temps meilleurs, cherchait la confirmation que sa vie avait été un jour rythmée par des actions ordinaires – se lever le matin, donner des cours, classer des papiers. Le prof titularisé, l'homme tranquille menant une vie respectable. *Merci encore, Mark*, pensa-t-elle. *Merci pour tout.*

— Ta mère a été malade et a souffert pendant de longues années, dit-il. Je ne me rappelle pas l'avoir entendue se plaindre. *Pas une seule fois* elle n'a dit qu'elle souffrait, Sara.

— Je me souviens.

— Elle souriait malgré cette fichue maladie. Elle riait. Après avoir perdu ses cheveux, elle plaisantait à propos des perruques qu'elle devait porter. Elle disait que c'étaient ses crinières. Elle me demandait : « Quelle crinière vais-je mettre aujourd'hui, John ? Tu as envie d'une blonde ou d'une brune ? » D'où tirait-elle tout ce courage, Sara ?

— Elle l'avait en elle, tout simplement, Papa. Elle avait du cran.

— Ça, elle n'en manquait pas !

— Toi non plus.

— Je ne lui arrive pas à la cheville.

— Mais tu en as, Papa, tu en as.

— Je n'ai pas ses réserves de vaillance. Qu'est-ce qu'on fait, Sara ? Qu'est-ce qu'on va bien pouvoir faire, bon Dieu ?

— Tu pourrais partir.

— Fuir ?

— Ce n'est pas ce que je voulais dire...

— Je ne fuis pas, Sara.

— Tu pourrais aller en Floride ou en Californie, n'importe où, et rester à distance tant que cette histoire n'est pas terminée.

— Terminée ? Quand cela ?

— Si tu partais quelque part, ils ne pourraient pas te retrouver, c'est tout ce que je dis. Un endroit où tu sois en sécurité.

— Crois-tu honnêtement que je vais te laisser tomber ?

— Je pense à ta sécurité, Papa.

— Ma sécurité ? Et la *tienne* ? Et celle du bébé ?

— Ecoute, tu te trouves dans une situation dont tu n'es aucunement responsable. Tu n'as pas demandé à te mettre dans un pétrin pareil...

136

— Toi non plus.

— Papa, c'est moi qui suis mariée avec Klein. Pas toi.

— Tu es aussi ma fille, bon sang ! Tu as entendu ce type-là, Sara. Ce n'est pas moi seul qu'il menace... ce n'est pas uniquement sur *ma* tête qu'il braque un revolver. Comment peux-tu même imaginer que je m'en aille ? Ça ne me viendrait jamais à l'esprit. Je suis un vieil entêté, je suis ton père, et tu ne te débarrasseras pas de moi comme ça. N'en parlons plus, c'est du temps perdu.

Elle dut se rasseoir. Le bébé était en train de se déchaîner ; il se tournait, poussait, s'étirait. Cet enfant était une partie essentielle d'elle-même, aussi importante que son cœur, même davantage. Elle lui était liée par son sang et son oxygène. Elle existait afin que le bébé puisse exister. C'était aussi simple que cela. Elle posa ses mains sur son ventre. L'enfant n'avait jamais encore bougé avec tant de vigueur. Elle prit plusieurs inspirations profondes, fit son possible pour se détendre. Elle ne laisserait personne lui faire de mal. Quoi qu'il arrive, l'enfant s'en sortirait indemne.

Elle regarda l'expression inquiète de son père et ses pensées se tournèrent vers Klein. Elle essaya de se représenter son visage, mais son image s'était désintégrée dans son esprit. A l'arrière de la Buick de la vieille Russe, elle l'avait évoqué à la perfection, alors qu'il lui fallait à présent le reconstituer à partir de souvenirs qui commençaient à s'estomper. Ce n'était plus qu'une esquisse dans sa tête. Comme s'il avait été porté disparu depuis des années, victime de guerre, mort ou se traînant dans une rizière, un marécage.

— Si seulement je savais où trouver Mark, dit-elle à voix basse.

— Que ferais-tu ?

— Je leur dirais où il est, voilà ce que je ferais.

— Tu le balancerais. Tu en es sûre ?

Je ne suis sûre de rien, pensa-t-elle.

— Je sourirais et dirais : il est là. Voilà où est celui que vous cherchez, et maintenant fichez-nous la paix, à moi et à mon père.

— Si tu savais où il est. Mais tu ne le sais pas.

— Je me demande s'il n'a pas laissé quelque chose derrière lui, un petit indice, une petite trace. Quelque chose qu'il aurait oublié, je ne sais quoi.

— Tu ne sais même pas où commencer à chercher.

Elle considéra cette question, songea aux costumes de Mark suspendus dans le placard, aux tiroirs où étaient rangés ses chemises, ses sous-vêtements, ses chaussettes. Aux choses qu'il avait abandonnées. Elle sentit une pointe de tristesse inattendue à cette pensée.

— Viens avec moi, dit-elle.

— Où allons-nous ?

— Chez moi.

— Tu crois que tu pourrais trouver...

— Honnêtement, je ne sais pas si je pense à quoi que ce soit, Papa. Je me contente de réagir. Je ne peux rester assise là, à attendre que ça se passe. Il faut que je fasse quelque chose.

La perspective d'échapper au piège lugubre de cette maison sembla donner de l'énergie à son père.

— D'accord. Allons-y.

Il l'aida à se lever. Elle prit les clés de la voiture dans la poche de son imper. Un bout de papier accroché au porte-clés tomba par terre. Elle se souvint du mendiant, de la feuille chiffonnée qu'il insistait pour lui donner. Elle se pencha lentement et la ramassa. Elle la

138

déplia et s'efforça de déchiffrer le texte en majuscules mal imprimé et maculé : RIEN NE PEUT GRAVEMENT VOUS NUIRE OU VOUS FAIRE PEUR SI VOUS PRENEZ VRAIMENT REFUGE EN DIEU. Super, pensa-t-elle. Magnifique. Tenez, lisez ces mots et trouvez-y un réconfort. Que Dieu soit vraiment mon refuge. S'il vous plaît. Elle commençait à chiffonner le papier quand elle remarqua que quelque chose d'autre y était écrit au crayon.

14

Elle circulait à travers les rues de Port Jefferson tandis que le soleil commençait à glisser sous l'horizon. Assis à la place du passager, son père examinait le bout de papier.

— Que t'a dit exactement ce mendiant ?

— Quelque chose à propos du bébé. Que mon mari devait être un homme heureux. Je n'arrive pas à me souvenir avec précision de ses paroles.

Il lut le message à haute voix :

— « Rien ne peut gravement vous nuire ou vous faire peur si vous prenez vraiment refuge en Dieu. » Pensée réconfortante, si on aime ce genre de discours. (Il lissa le papier entre ses doigts.) « Appeler le 213 456 8453. » Il n'y a pas de quoi tomber à la renverse, Sara. D'accord, il y a un numéro de téléphone griffonné dans la marge, mais qu'est-ce que ça signifie ?

— Sans doute rien. Mais pourquoi insistait-il tant pour que je prenne le papier alors qu'il voyait de toute

évidence que je n'en voulais pas ? Il me l'a pratique-
ment donné de force.

— Tu penses qu'il voulait que tu aies ce numéro ?

— C'est seulement une possibilité.

— C'était un mendiant que tu as croisé dans la rue,
quelqu'un que tu n'avais jamais vu.

— Je sais, je sais...

— Mais tu penses pourtant qu'il aurait pu avoir une
raison cachée de te donner ce numéro ?

Une raison cachée. Sara s'arrêta à un feu rouge. Elle
jeta un coup d'œil dans le rétroviseur. Juste derrière
elle se trouvait un gros camion frigorifique. La cabine
était trop haute pour qu'elle puisse voir le visage du
conducteur. C'est ainsi qu'était sa vie, à présent : elle
passait son temps à regarder par-dessus son épaule,
balayer du regard les trottoirs, observer les visages, se
poser des questions ; des personnes tout à fait inno-
centes lui inspiraient des doutes. Rien n'était ce qu'il
semblait être. Rien n'était plus comme avant. C'était
un monde de reflets déformés, de mirages, peuplé de
gens aux intentions cachées.

— Bon, d'accord. Supposons qu'il voulait que tu
entres en possession de ce numéro de téléphone et que
tu appelles, dit John Stone. Pour quelle raison ? Etant
donné le style de la phrase, c'est probablement le
numéro de quelque secte religieuse. Tu vas les appeler
et ils vont te demander de faire un don. Ils se servent des mendiants comme canaux de diffusion de
leur numéro de téléphone.

— Papa, le numéro a été griffonné au crayon,
comme après coup. Si c'était celui d'un groupe religieux, ils auraient indiqué le nom de leur organisation.

— Ce n'est pas certain. Il est écrit au crayon pour
éveiller ton intérêt. Tu téléphones parce que tu es

intriguée et une charmante dame te réclame de l'argent...

Elle n'était pas convaincue. Son père avait parfois une façon pratique d'aborder les choses qui était très irritante, une attitude de mathématicien. Il ne semblait pas comprendre que certains domaines de l'expérience étaient si mal définis qu'on ne pouvait les éclairer en accumulant des considérations de sens commun.

— Il n'y a qu'une façon d'en avoir le cœur net, dit-elle en passant une main dans ses cheveux.

Le feu passa au vert. Le camion frigorifique obliqua à droite et fut remplacé dans le rétroviseur par une conduite intérieure vert pâle. Elle observa la voiture pendant quelques instants sans pouvoir distinguer les visages des personnes assises sur la banquette avant. Le capot miroitait dans le soleil couchant.

Il y avait un bar un peu plus loin sur la droite. Elle entra sur le parking. La berline vert pâle ne la suivit pas.

C'est absurde, pensa-t-elle. Un homme vient vers toi dans la rue, te force à prendre un bout de papier, et parce qu'il y a un numéro de téléphone écrit dessus, tu en conclus immédiatement qu'il t'est personnellement destiné, qu'il a une signification, tu as le cerveau en ébullition, il faut absolument que tu appelles ce numéro, c'est capital.

Elle resta dans la voiture, le regard fixé sur la porte du bar. Une enseigne lumineuse pour la bière Schlitz brillait dans l'encadrement de la fenêtre. Elle prit le papier des mains de son père et pensa : Je suis en train de dérailler. Elle était partagée entre l'envie de déchirer le papier et celle d'entrer dans le bar pour téléphoner.

— Attends-moi ici. J'en ai pour une minute, dit-elle finalement.

— Je vais avec toi.

— Ce n'est pas la peine.

— Peut-être, mais je viens quand même.

Elle l'embrassa sur le front. Il lui tint la main quelques instants, puis ils sortirent de la voiture et traversèrent le parking. Elle avait la vague impression d'être observée. Deux hommes, qui riaient de quelque chose, flemmardaient près de la porte du bar. Elle les dépassa et entra, suivie de son père. La pièce était longue et obscure, le fond plongé dans l'ombre. La femme derrière le bar les regarda.

— Vous avez un téléphone ?

— Au fond, ma belle, répondit la femme, les yeux braqués sur le ventre de Sara.

— Il marche pas, fit remarquer un poivrot assis sur un tabouret du bar, l'unique client de l'établissement.

— Il a été réparé, Billy, rétorqua la femme.

— Ouais. Alors comment ça se fait qu'il bouffe mes pièces ?

La femme, une rousse décharnée, autour de la soixantaine, sourit à Sara.

— Ne faites pas attention à lui. Il n'a pas téléphoné une seule fois depuis l'époque où Eisenhower était à la Maison-Blanche. De toute façon, il ne connaît personne qui ait le téléphone.

— Le téléphone est en panne, je vous le dis, insista le poivrot. Tout est foutu dans ce bastringue.

— Allez, bois un coup, ça t'évitera de dire des conneries, dit la femme en se tournant vers Sara. C'est juste là, ma belle. Près des toilettes. Pouvez pas le rater.

Sara la remercia.

— Je t'attends là, dit son père en se dirigeant vers une table sur le côté de la pièce afin de ne pas la perdre de vue.

Elle dépassa un juke-box silencieux et entra dans la zone d'ombre. Elle entendit le poivrot dire :

— J'ai des tas de potes qui ont le téléphone, Bernice.

— Et moi, je suis la Vénus callipyge de tes rêves, répondit ladite Bernice.

Sara continua d'avancer jusqu'à l'écriteau *Toilettes réservées à la clientèle*. Elle trouva le téléphone près de la porte des toilettes pour hommes. Une odeur de désinfectant flottait dans l'air. L'endroit était mal éclairé par une unique ampoule de faible puissance. Elle regarda le numéro. Le 213 était l'indicatif de la région de Los Angeles. Elle introduisit une dizaine de pièces dans la fente sans les compter, puis composa le numéro. *Rien ne peut gravement vous nuire ou vous faire peur*, mais pourquoi Dieu se cachait-il toujours quand on avait besoin de lui ? La sonnerie s'arrêta, un homme répondit.

— Allô.

— Qui est à l'appareil ? demanda-t-elle.

— Vous êtes au Cresta Vista Motor Lodge à Los Angeles, et je suis Eric. Que puis-je pour vous ?

La voix était celle d'un réceptionniste poli et qualifié.

— Je vous explique : votre numéro se trouvait sur ma facture de téléphone et je ne l'ai pas reconnu.

— Vous voulez donc savoir si quelqu'un a utilisé votre téléphone sans y avoir été invité...

— Exactement. Je sais que je n'ai jamais appelé votre numéro.

— Une erreur de la compagnie téléphonique. Ça arrive tout le temps.

Elle ne voulait pas raccrocher, lâcher ce fil ténu.

— Eric, dit-elle.

— Oui ?

Elle ne savait trop quoi dire, comment prolonger la communication. Elle ne savait même pas pourquoi elle y attachait de l'importance. *Un mendiant te donne un numéro à Los Angeles. Pourquoi ?* Un hôtel. Pourquoi un mendiant a-t-il le numéro d'un hôtel à Los Angeles ?

— La question est inhabituelle, Eric, mais est-ce qu'un groupe religieux ou une œuvre de bienfaisance opère à partir de votre hôtel ?

— Une œuvre de bienfaisance ? Oui, oui. Qu'est-ce que ça a à voir avec votre facture de téléphone ?

— Je ne sais pas.

Elle était à court de questions, se trouvait dans une impasse, mais elle répugnait cependant à raccrocher. *Appeler le 213 456 8453.* Etait-ce un pense-bête à l'usage uniquement de celui qui avait noté le numéro ou une instruction qui lui était destinée et à elle seule ? Ses pensées se dispersaient.

— Une dernière chose, ajouta-t-elle, hésitante. Quelqu'un a-t-il laissé un message pour moi ?

— Quel est votre nom ?

Elle le lui dit et entendit que son interlocuteur posait le combiné sur une surface dure. Elle imagina le réceptionniste fouillant dans un tiroir plein d'enveloppes. Il reprit l'appareil.

— Madame Klein. Madame Mark Klein ?

— Oui.

— Il y a une enveloppe à votre intention.

Une enveloppe. Elle fut prise d'une étrange faiblesse, comme si quelque chose s'affaissait en elle.

— Voulez-vous l'ouvrir, s'il vous plaît ?

— Bien sûr.

Elle entendit le bruit de l'enveloppe déchirée.

— Dites-moi ce qui y est écrit.

— Un seul mot. « Attends. » C'est tout. Pas de signature.

— Vous rappelez-vous qui vous a remis l'enveloppe ?

— Des centaines de gens passent ici. Beaucoup laissent des messages.

— Et vous ne vous souvenez pas d'avoir reçu celui-ci ?

— Non. Désolé.

Le sang battait dans les tempes de Sara.

— Avez-vous eu récemment un Mark Klein parmi vos clients ?

— Il faudrait que je vérifie sur l'ordinateur.

— Vous pouvez le faire, s'il vous plaît ?

— Naturellement.

Elle l'entendit pianoter sur un clavier.

Un message. Un seul mot. Pas de signature. Elle regarda l'ampoule nue au-dessus d'elle en clignant des yeux. Des papillons de nuit morts étaient collés sur le verre opaque.

Eric dit :

— Non, nous n'avons eu personne de ce nom-là. Désolé.

Elle ne savait trop ce qu'elle ressentait. Déception, perplexité, un mélange des deux. Mais si Mark était descendu à l'hôtel, aurait-il donné son vrai nom ? Les fugitifs voyagent sous de faux noms.

— Merci de votre amabilité.

Elle raccrocha et resta près du téléphone, presque comme si elle s'attendait à ce qu'Eric la rappelle pour lui dire qu'il avait fini par trouver Mark Klein sur l'ordinateur.

Attends. Quel était le sens de ce mot ? Quelqu'un laisse à son intention un message dans un hôtel de Los Angeles, fait en sorte qu'un mendiant lui transmette le numéro de téléphone de l'hôtel... une démarche compliquée, une obscure charade. Elle ne s'éloignait toujours pas du téléphone et appuya la tête contre le mur. Elle se demandait si elle n'allait pas retourner à Wall Street à la recherche de l'Asiatique et l'interroger, mais les chances de le retrouver étaient des plus minces. Il ne devait plus y être ; il avait été utilisé comme messager et sa tâche était accomplie.

Utilisé par qui ?

Attends. Attendre quoi ?

Qui d'autre que Mark aurait pu lui laisser ce message ?

Attends. *Sois patiente.* C'est cela qu'il voulait lui dire ?

Peut-être le message n'était-il pas de Mark. De quelqu'un d'autre. Mais cela ne l'aidait en rien. Seulement ce mot désespérant : *Attends.* Attendre que tu reviennes, Mark ? Attendre que tu rentres au bercail pour justifier tranquillement la merde dans laquelle tu m'as flanquée ? C'est ça que tu veux dire ? Elle était en rogne tout en continuant de caresser un espoir sans fondement. Espoir de quoi ? Qu'il réapparaisse dans sa vie, avec des excuses et des explications sensées ? Il faudrait qu'elles soient bonnes, sacrément bonnes.

Elle retourna lentement vers le bar.

Le poivrot se retourna sur son tabouret.

— Le téléphone marche ?

— Oui.

— Tu vois, qu'est-ce que je t'avais dit ! remarqua la femme derrière le bar en poussant l'homme du coude en un geste d'amicale réprimande.

Sara regarda vers la table où son père s'était assis. Pas trace de lui. Elle eut un petit choc. Elle jeta un coup d'œil circulaire dans la pièce. Il n'était pas là. Il avait dû décider d'aller prendre l'air ; peut-être avait-il trouvé l'atmosphère du bar déprimante.

Non, pensa-t-elle. Il n'aurait pas abandonné sa faction.

Elle se tourna vers le comptoir et demanda :

— Mon père est sorti ?

— Pour vous dire la vérité, je n'ai pas remarqué, répondit la femme rousse.

— Il était assis là.

— Je me souviens de l'avoir vu entrer avec vous, mais je n'ai pas vraiment fait attention.

— Ça manque de lumière ici, observa le poivrot après avoir rôté doucement.

Elle sortit de l'établissement. Le soleil était couché. Il n'en restait plus que quelques balafres qui s'estompaient dans le ciel assombri. Elle regarda de l'autre côté du parking. Peut-être était-il reparti à la voiture. Pour quelle raison ?

Elle fourra les mains dans ses poches. L'air s'était rafraîchi. Ça sentait l'hiver ; les longues nuits, les vents glacés, la neige approchaient.

Elle arriva à la voiture. La place du passager était vide.

15

Ne pas paniquer, rester parfaitement calme. Son père était allé se promener, se dégourdir les jambes, il serait de retour d'un instant à l'autre. Elle s'adossa à la voiture, attendit et attendit encore. Il ne revenait pas. La nuit tombait irrévocablement.

Elle fit les cent pas dans le parking pendant un moment. Parti se promener, se dégourdir les jambes – l'hypothèse ne tenait plus. Elle serra ses bras autour d'elle ; un vent froid sortait de l'obscurité.

Elle regarda de nouveau la façade du bar. L'enseigne lumineuse Schlitz émettait une lueur uniforme. Elle ne pouvait pas rester là à attendre. Il fallait qu'elle bouge, ne serait-ce que pour ne pas attraper froid.

Elle s'éloigna de la voiture, contourna le bar lentement et se retrouva dans une allée. Il y avait une grande poubelle rectangulaire en plastique noir près de l'issue de secours de la taverne, sous la lumière blafarde qui tombait de la fenêtre arrière du bar.

Une poubelle. Là où l'on jette les rebuts, les restes,

les choses dont on ne veut plus. L'air sentait mauvais, une odeur de pourriture. Elle repoussait la pensée qui lui venait à l'esprit. Son cerveau était en feu. Faire comme si de rien n'était – mais le feu refusait de s'éteindre. Prise de terreur, elle gardait les yeux fixés sur la poubelle.

Elle ne voulait pas la toucher, soulever le couvercle, regarder à l'intérieur. *Vous voulez devenir grand-père, n'est-ce pas ?* La question posée par le jeune homme lui revint en mémoire, elle se souvint de la manière dont il avait tordu le poignet de son père et dont celui-ci était tombé à genoux. Elle était paralysée.

Un homme se matérialisa à l'entrée de l'allée. Elle reconnut celui que la vieille Russe appelait Charlie, son imper beige avec des épaulettes, sa paupière tombante.

— C'est à ça que vous pensez ? dit-il avec un signe de tête en direction de la poubelle. Vous croyez qu'il est là-dedans, hein ?

Il s'approcha d'elle. Sara détourna la tête. La nuit l'oppressait, l'emprisonnait.

— Vous croyez qu'il est mort, Sara. Qu'on l'a tué et jeté aux ordures. Comme dans les articles de journaux.

Elle regarda de nouveau le visage de l'homme. Des odeurs charriées par le vent émanaient de l'obscurité – saumure, matière végétale en décomposition, carton humide.

— Vous n'auriez pas fait ça ? dit-elle.

— Fait quoi, Sara ?

— Vous ne lui auriez pas fait de mal...

— Je vous l'ai déjà dit, nous évitons la violence autant que possible. Mais les choses peuvent changer, Sara, elles changent si on n'obtient pas les résultats

150

espérés. Il faut que vous revoyiez votre façon de considérer la situation. Vous comprenez ?

— Je ne sais rien ! fit-elle d'une voix stridente. Je ne peux rien pour vous, je ne cesse de vous le répéter ! Pourquoi ne me croyez-vous pas, bon sang ?

— Regardez dans la poubelle, Sara. Ouvrez le couvercle. Allez !

— Non.

— Allez, Sara !

Elle serra les poings. Tous ses muscles étaient noués.

— Ayez-en le cœur net, insista Charlie. Pourquoi ne le faites-vous pas ?

Elle ne bougeait pas, incapable de se résoudre à faire ce qu'il demandait.

— Il existe différentes sortes de concessions funéraires, Sara. Toutes ne sont pas couvertes d'herbe, situées dans un coin pittoresque, sous un bel arbre...

— Qu'est-ce que vous lui avez fait ?

— Ouvrez le couvercle, Sara.

— Non.

Il vint jusqu'à elle et approcha son visage bouffi du sien.

— Je vous dis d'ouvrir, Sara. Levez la main et ouvrez.

Elle toucha le bord du couvercle.

— Allez !

Elle résistait. Elle sentit sa main puissante se poser sur la sienne.

— Vous voulez que je vous aide ?

Il poussa sa main vers le haut. Le couvercle se souleva et claqua sur ses charnières. Elle ferma les yeux. Les odeurs rances des ordures assaillirent ses narines.

— Maintenant, regardez, Sara. Ouvrez les yeux et regardez.

Elle gardait les yeux fermés, essayait de ne pas respirer. L'odeur agressive était bloquée dans son arrière-gorge, comme quelque chose de mauvais qu'elle se refuserait à avaler.

— C'est un vrai trésor, Sara. Voyons ce que nous avons là. Quelques belles parts de pizza de la semaine dernière. Des bouts de fromage pas frais et... Tiens ! Qu'est-ce que c'est que ça ?... Ouais, toute une équipe d'asticots qui font des heures supplémentaires. Des vieux journaux, deux ou trois boîtes en carton, des bouteilles de lait tourné. Un tas de choses intéressantes, hein, Sara. Regardez. *Regardez.*

Elle sentit un flot liquide visqueux envahir sa bouche, franchir ses lèvres, dégouliner sur son menton. Elle avait l'impression de suffoquer. Elle ouvrit les yeux et essaya de fixer un point au-delà du contenu de la poubelle.

— Ne vous dérobez pas, regardez donc !

Elle tourna rapidement les yeux vers le bas. Des tiges d'épinards brunâtres et gluantes, des cartons de lait, du fromage pourri, un écheveau d'asticots qui se tortillaient lentement, éclairés par la pâle lumière de la fenêtre. Mais pas...

Pas ce qu'elle s'attendait à trouver.

— Vous voyez ce qui se passe quand on craint le pire, Sara, quand on laisse vagabonder son imagination.

Haletante, elle rabattit le couvercle et s'appuya contre le mur. Elle se sentait vidée. Crevée. Elle avait l'impression de s'être approchée d'un précipice et d'avoir failli perdre l'équilibre. Là où l'abîme était le

152

plus profond et le plus noir. Elle passa la paume de sa main sur sa bouche.

— Où est-il ? demanda-t-elle.

— Il est en sécurité.

— Vous ne répondez pas à ma question.

— Il est en sécurité, c'est tout ce que vous avez à savoir.

— Comment savez-vous qu'il est en sécurité ?

— Je vous le dis.

— Je veux le voir.

Charlie posa une main sur son épaule pour la réconforter.

— Vous en aurez l'occasion, j'en suis sûr.

— Quand ?

— Quand le moment sera venu.

— Quand la vieille croûte vous le dira ?

Charlie sourit.

— C'est son affaire. Elle la mène comme elle l'entend.

— Et vous n'êtes qu'un second couteau.

— Exact. Sauf que je n'ai pas de couteau.

— Qui est-elle ? Elle a bien un nom ?

— Laissez tomber, Sara.

— Elle sait des tas de choses sur moi. J'ignore tout d'elle.

— Nous préférons ça.

— Elle veut récupérer son fric. C'est tout ce que je sais.

— Vous en êtes sûre ?

— Certaine.

Le vent balayait l'allée. Sara frissonna.

— Vous allez attraper froid. Rentrez chez vous, Sara.

— Et après ?

— Prenez un bon bain.

— Pour essayer de me détendre ? Me relaxer un peu ? C'est ça que vous suggérez ?

— Je vous suggère de réfléchir. Réfléchissez bien.

Il se détourna et se dirigea vers l'entrée de l'allée. Un autre personnage y apparut. Le jeune homme, le vendeur de concessions funéraires. Il avait son sourire glacial.

— Vous avez entendu ce qu'il a dit, Sara ! lança-t-il. Faites ce qu'il vous conseille. Réfléchissez. Pigé ?

Il lui fit lentement un clin d'œil, comme s'ils étaient de connivence et se préparaient à faire une bonne blague.

Elle les regarda disparaître. Elle eut envie de les rappeler pour les interroger à propos de son père, mais ils ne lui auraient pas répondu. A quoi bon ? Il avait été enlevé. On l'avait fait disparaître, comme par enchantement. Elle ne savait pas où il était ni comment le retrouver.

Elle regagna sa voiture et resta assise un moment devant son volant. L'odeur des ordures s'attardait sur ses vêtements, sa peau. Je touche le fond, pensa-t-elle. Elle tourna le rétroviseur, se regarda ; elle vit un spectre, une ombre d'elle-même, comme si la vraie Sara avait été remplacée par une copie en cire. Son visage, que Mark Klein avait comparé à celui d'un lutin, s'était ratatiné.

16

Le 3242 Midsummer était plongé dans l'obscurité quand elle y arriva. Des lambeaux de brouillard dérivaient sur le détroit. Ils tourbillonnaient autour de la partie basse de la construction, et seul le premier étage était visible, donnant ainsi l'illusion que la maison reposait sur des béquilles, improbable édifice.

Elle tourna la clé dans la serrure et entra. Elle monta directement dans la chambre, allumant les lumières au passage. Elle ne voulait pas d'obscurité, de poches d'ombre. Elle voulait que tout soit éclairé *a giorno*, la lumière crue de l'électricité, que tout s'offre à sa vue.

Elle ouvrit d'un coup sec le placard où étaient suspendus les costumes de Mark. Il en avait huit, des costumes sombres de teintes différentes. Gris foncé, bleu marine, noir à rayures tennis. Tous bien coupés. Hugo Boss. Calvin Klein. Elle entreprit de fouiller les poches, sans trop savoir ce qu'elle cherchait.

Elle pensait à son père, se demandant comment son enlèvement s'était déroulé : attiré hors du bar, bras tordu dans le dos, obligé de monter dans un autre véhicule et emmené au loin ? Cela s'était-il passé ainsi ? Elle avait les larmes aux yeux, la gorge sèche. Pleurer ne servait à rien. Il fallait qu'elle s'occupe. Elle continua à farfouiller dans les vêtements. Il fallait qu'elle trouve quelque chose. On ne voyageait pas à travers la planète sans laisser de trace dans son sillage. Une enveloppe dans un hôtel de Los Angeles ne suffisait pas. Un message griffonné sur un bout de papier n'avançait à rien.

Elle explora les poches les unes après les autres, passant au crible les peluches, le moindre fil, trouvant un paquet de Camel Lights à moitié vide dans un costume Hugo Boss, un ticket de carte Visa pour un achat à la librairie Doubleday de Manhattan. Elle se souvint qu'il avait rapporté à la maison un livre sur les prénoms, qu'ils l'avaient lu ensemble, en savourant certains alors que d'autres les avaient fait rire. Esmeralda était amusant, Euphemia avait plongé Mark dans l'hilarité. Il avait apprécié Emma, sa simplicité. Roger l'amusait. Roland avait été éliminé, parce que trop anglais et « évoquant une marque de porte-cigarettes ». Robert était ordinaire. Il ne s'était pas comporté ce jour-là comme un escroc sur le point de prendre la fuite. Pas la moindre trace de nervosité, pas de repli sur soi-même dans le silence, seulement un futur papa passant en revue les prénoms possibles pour son enfant. Il doit avoir une double personnalité, pensat-elle. Ou bien c'est un sacrément bon acteur, ce qui revient au même.

Elle continua de fouiller partout, avec frénésie. Elle avait l'impression qu'elle se serait écroulée si elle s'était arrêtée. Cette débauche d'activité l'empêchait de penser. Elle ne voulait pas penser. Elle trouva des boîtes d'allumettes rapportées de restaurants du centre-ville où il avait probablement eu des déjeuners d'affaires avec ses infortunés clients. Elle découvrit deux tickets d'un bureau de pari, émis deux mois plus tôt. De petites sommes risquées de temps à autre sur un cheval, ça aussi elle l'ignorait. Elle trouva un Kleenex chiffonné, un inhalateur nasal Vicks, un briquet Zippo. Les menus objets de la vie quotidienne de son mari.

Elle referma la porte du placard, ouvrit le tiroir où il rangeait ses sous-vêtements. Caleçons en soie, slips dans un cylindre en plastique non encore ouvert. Qu'est-ce que les sous-vêtements d'un homme permettaient d'apprendre sur lui ? Elle ouvrit le tube de plastique et en tira les slips – rouge, jaune, bleu ciel. Qu'espères-tu trouver grâce à cette archéologie maritale ? Elle tira le tiroir et en renversa le contenu sur le lit. Assise au milieu de la chambre, entourée des sous-vêtements de son mari, il y avait de quoi rire. Elle les passa au peigne fin et ne trouva rien d'inhabituel.

Maintenant, le tiroir des chaussettes. Grises, noires, bleu marine – l'absence de couleur dans le choix de ces chaussettes la frappa. Discrètes : étaient-elles censées rassurer les clients, leur donner une impression de prudence ? *« Je serai très vigilant avec votre argent, monsieur. Je veillerai à ce qu'il soit judicieusement placé, croyez-moi. »*

Brusquement, elle enfouit son visage dans ses mains. Elle avait l'impression d'être une veuve passant en revue les vêtements de son mari récemment décédé. Klein, Klein. Quel gâchis ! Elle se renversa sur le lit, les mains mollement posées sur les côtés, et regarda fixement le plafond. Comme il serait facile de rester là, catatonique, soustraite aux exigences

157

impérieuses d'un monde hors de contrôle. Mais elle ne le pouvait pas, il fallait qu'elle se lève. Elle se remit debout, se dirigea vers la commode où il rangeait ses montres et ses boutons de manchette, dans un petit tiroir. Elle le tira à elle et en renversa le contenu par terre.

Une Rolex cassée qu'il disait toujours devoir donner à réparer. Une montre fantaisie avec l'effigie de Donald Duck qu'il avait achetée sur un coup de tête à un marchand ambulant dans une rue du Village. C'était le bon temps, la fantaisie régnait. Lorsqu'ils traversaient Washington Square, elle le tenant par la taille, et qu'ils s'arrêtaient pour regarder de vieux messieurs jouer aux échecs. Lorsqu'il imitait des animaux pour la faire rire et que les joueurs d'échecs se plaignaient de ce qu'il les empêchait de se concentrer. Lorsqu'il faisait bon vivre et que son père était chez lui en sécurité à Port Jefferson.

Papa, pensa-t-elle. Elle se souvint de son insistance à l'accompagner à l'intérieur du bar.

Et à présent, il avait disparu.

Elle fouilla sous la montre Donald Duck, découvrit un assortiment de boutons de manchette et d'épingles de cravate. Il n'y avait là rien d'extraordinaire. Rien qu'elle ne reconnût pas. Pas de significations cachées. Qu'espérait-elle trouver, de toute façon ? Un document signé attestant de son forfait ?

Elle entra dans la salle de bains, ouvrit le meuble de rangement. Lames de rasoir, dentifrice, fil dentaire, une bouteille d'aftershave, de l'aspirine, des pansements. Elle déplaça tout en espérant trouver quelque chose derrière, mais il n'y avait rien. Sans leur propriétaire, tous ces objets étaient comme des livres en langue étrangère. Elle referma la porte du meuble, retourna dans la chambre, s'assit au bord du lit, les mains jointes dans une attitude de prière. *Rien ne peut vous nuire gravement ou vous faire peur...*

La sonnette de la porte la fit sursauter. Elle ne bougea pas. Nouveau coup de sonnette. Elle se dirigea vers la porte de la chambre et regarda en bas des marches. La sonnette continuait de tinter. A travers la vitre, elle apercevait la silhouette d'un homme.

— Qui est là ? demanda-t-elle.

— Tony. Il faut que je vous parle, Sara.

Elle ouvrit la porte. Que voulait-il ? Qu'est-ce qui l'avait conduit jusque-là ?

— Puis-je entrer ? demanda Vandervelt.

— Pourquoi pas.

Il la suivit dans le séjour et se débarrassa de son écharpe en cachemire gris. Elle s'assit face à lui.

— Je suis surprise de vous voir ici.

— J'imagine. (Il sourit et toucha sa paupière, qui était rouge et légèrement gonflée.) Vous devriez vous couper les ongles, Sara. Ce sont des armes mortelles.

Elle éprouvait une certaine hostilité à son égard.

— Avez-vous le feu vert de la société pour venir ici ?

— Oh, Sara...

— Après tout, cette visite pourrait être considérée comme de la collaboration avec l'ennemi.

— Je suis venu m'excuser.

— De quoi ?

— De m'être comporté comme un salaud.

Il se pencha à travers l'espace qui les séparait, prit sa main et la serra dans les siennes. Ses paumes étaient froides.

— Je ne me suis pas montré compréhensif et je m'en veux. J'ai pensé à vous, toute seule dans cette maison...

— Et vous avez éprouvé des regrets ? dit-elle en retirant sa main.

— Des regrets et de la tristesse. La disparition de Mark, votre état...

— Vous faites votre BA.

— Bon sang, Sara. Je voulais seulement vous dire que j'étais désolé. J'aurais dû vous appeler plus tôt. Mais j'ai laissé le temps passer, par négligence.

— Vous appréhendiez ce que vous alliez trouver, dit-elle. Le 3242 Midsummer est pour vous zone interdite. La maison du malheur.

— On nous a fait savoir que mieux valait ne pas être en contact avec vous compte tenu des circonstances.

— Suivre la ligne du parti.

— Si on veut. (Il déboutonna son manteau et se renversa dans son fauteuil.) Tout le monde est sur les nerfs au bureau à cause de cette histoire. Je ne suis pas fier de mon comportement, je vous l'ai dit.

Sur les nerfs, pensa-t-elle. L'expression était bien choisie. Elle recouvrait tout : le mari disparu, le père kidnappé.

— Vous avez donc fait tout ce chemin pour me témoigner votre fidélité.

— Nous sommes de vieux amis, Sara.

De vieux amis. Elle laissa l'expression tourner dans sa tête.

— Dites-moi quelque chose, Tony. Depuis quand pense-t-on que Mark a détourné des fonds ?

— Je n'en sais rien. Les comptes ont été vérifiés il y a quatre mois. Des trous sont apparus. Enormes. Assez gros pour que le FBI s'en mêle. Un deuxième audit a donc été ordonné.

— Quand a-t-il eu lieu ?

— Il a commencé... voyons, il y a trois semaines. Il

n'est pas encore tout à fait fini. C'est une vérification en profondeur.

— Il y a trois semaines ? Le FBI a mis notre téléphone sur écoute depuis au moins trois mois. Ce qui veut dire qu'ils devaient avoir des raisons de soupçonner Mark bien avant le deuxième audit. Pourquoi Sol ne l'a-t-il pas au moins suspendu après le premier ?

— Je crois que Sol se refusait à croire que Mark était capable d'une entourloupe. Vous le connaissez.

Oui, elle le connaissait. Sol avait parfois tendance à se dérober face aux vérités inacceptables ; s'agissant de ses collaborateurs, il avait une forte propension à la sentimentalité et à la loyauté. Il avait lui-même engagé Mark et se plaisait à penser qu'il savait parfaitement juger les hommes. Par conséquent, Mark ne pouvait l'avoir trahi. Ça se tenait.

— Vous croyez que Mark soupçonnait qu'il était dans le collimateur après le premier audit ? demanda-t-elle.

— J'en doute sérieusement. S'il l'avait fait, il n'aurait pas attendu la semaine dernière pour prendre la tangente. C'est au deuxième audit qu'il a paniqué.

— Pourquoi a-t-il fallu tant de temps avant que commence le deuxième audit ?

— A cause de Sol, là encore. Il ne croyait pas aux chiffres. D'abord, il a pensé que c'était une erreur du système informatique. Puis il a attribué la faute aux programmeurs, ensuite aux premiers vérificateurs des comptes. Il a accusé tout et tout le monde. Sauf Mark.

— Croyez-vous que Mark a détourné cet argent ?

— Je n'ai pas envie d'y croire, Sara, mais les preuves sont accablantes. C'est dans les comptes de ses clients qu'il y a un trou. Il était le seul à avoir les codes d'accès à ces comptes. Et s'il avait été innocent, il serait resté là assez longtemps pour se défendre. Quand on n'a rien à cacher, on ne fiche pas le camp.

— Sauf si on a peur d'autre chose.

— De quoi, par exemple ?

— Peut-être est-il tenu responsable de quelque chose qu'il n'a pas fait, et il sait qu'il ne peut pas réapparaître tant que le vrai coupable n'a pas été pris.

— J'aimerais pouvoir le croire.

Elle resta silencieuse un moment. Son père lui revenait sans cesse à l'esprit. Le pire était de ne pas savoir où il se trouvait. Elle se rendait compte que Vandervelt la regardait avec sympathie.

— Mark a essayé de se mettre en contact avec vous, Sara ?

— Non.

— Je n'arrive pas à imaginer qu'il disparaisse sans essayer de vous donner signe de vie, qu'il se volatilise sans un mot... Vous étiez si proches.

— Oui, très proches. Unis. C'est du moins ce que j'ai toujours cru.

— Vous n'avez pas envisagé de faire une coupure ? De prendre le large pendant un certain temps ?

— Vous voulez dire de m'enfuir ?

— Vous accorder un peu de vacances.

— Et d'aller me terrer quelque part ? Je ne vois pas en quoi ça m'avancerait.

Elle se souvint que Sol lui avait fait la même suggestion.

— C'est seulement une idée. (Il se tut un moment, tripota son écharpe.) Sara, y a-t-il quelque chose que je puisse faire pour vous ?

Pour commencer, vous pourriez me ramener mon père, pensa-t-elle. Puis retrouver Mark.

— Je ne crois pas, Tony.

— Vous n'avez qu'à me le demander, vous le savez. J'aurais pu me montrer plus amical avec vous, Sara, et j'en suis vraiment désolé.

Elle vit sur son visage anguleux qu'il était sincère. Elle se rappela les quelques fois où ils étaient allés dîner ensemble, plusieurs années plus tôt. Elle se souvint qu'un soir il avait cherché maladroitement à l'embrasser dans sa voiture. Elle avait dû lui expliquer qu'elle n'éprouvait pas d'attirance pour lui. Gêné, il s'était excusé.

— Avez-vous eu affaire aux agents fédéraux ? demanda-t-elle.

— Un certain McClennan a téléphoné.

— Il vous a interrogé à mon sujet ?

— Effectivement. Il avait l'impression que vous étiez peut-être impliquée dans... l'escroquerie de Mark.

— Et que lui avez-vous dit ?

— Que c'était complètement absurde.

— Il vous a cru ?

— On ne peut jamais dire ce que pensent ce genre de types. Ils jouent au poker.

— Ce qui est une bonne raison pour moi de rester là où je suis. Si je m'en vais, à quoi ça va ressembler ?

Elle se leva et arpenta la pièce, puis s'arrêta près de la porte du bureau de Mark et s'y appuya, les bras croisés. L'image de la poubelle en plastique noir lui vint à l'esprit. Elle l'écarta, sans y parvenir totalement.

— Que savez-vous des clients de Mark ? demanda-t-elle.

— Que voulez-vous dire, Sara ?

— En avez-vous rencontré certains ?

— Bien sûr. Quand ils venaient au bureau, Mark

me présentait parfois à eux. Mais, de manière géné-
rale, il protégeait ses plates-bandes. On peut très bien
travailler dans la même société et garder jalousement
sa propre clientèle. Vous savez ce que c'est. Il y a des
commissions à la clé.

— Avez-vous déjà rencontré une Russe ?

— Une Russe ?

— Une vieille femme aux cheveux décolorés.
Affreuse.

Vandervelt fronça les sourcils, parut réfléchir
quelques instants.

— Je ne crois pas. Pourquoi ?

— Pour rien.

— Vous ne pouvez poser une question comme
celle-là et l'éluder ensuite. Vous, vous avez rencontré
cette femme ?

— Oui.

— C'est une de ses clientes ?

Sara se demanda jusqu'où elle pouvait aller. Elle
était tentée de tout raconter à Vandervelt, depuis
l'arrivée des hommes du FBI jusqu'à la disparition de
son père, mais elle se retint. Elle ressentait le besoin de
se confier à quelqu'un tout en comprenant qu'il lui fallait être prudente. Sait-on jamais, Tony était peut-être
là pour pêcher des informations et les retransmettre
ensuite au FBI. Elle ne faisait plus confiance à personne.

— C'est sans importance, dit-elle, parlons d'autre
chose.

— Comme vous voulez, fit Vandervelt avec un
haussement d'épaules.

Elle le vit quitter son fauteuil et se diriger lentement
vers elle. Il ouvrit ses bras et dit :

— Vous savez de quoi vous avez besoin, Sara ? Qu'on vous prenne dans les bras.

— *Dans les bras ?*

Alors, ridiculement, il l'étreignit. Elle sentit ses bras autour de ses épaules, son corps pressé contre le sien, son haleine parfumée à la menthe.

— J'ai toujours eu beaucoup d'affection pour vous. Souvenez-vous-en.

— Je m'en souviendrai.

Il la lâcha.

— Si vous avez besoin de quoi que ce soit, vous connaissez mon numéro personnel.

— Je l'ai quelque part.

Ce contact physique l'avait perturbée, bien qu'elle ne sût trop pourquoi. Etait-il imaginable que Tony lui fasse du plat sans en avoir l'air ? Elle était enceinte, bon sang. Enorme et peu séduisante. Et de toute façon, même si elle avait été disponible, ce qui n'était pas le cas, elle n'éprouvait rien pour Vandervelt. Non, pensa-t-elle, je me suis méprise sur ses intentions, c'est tout. Il se tourna et ramassa son écharpe, qu'il avait déposée sur l'accoudoir du fauteuil.

Sur une impulsion inattendue, elle demanda :

— Est-ce que vous me mentiriez, Tony ?

— Vous mentir ? Non. Vous *croyez* que je vous ai menti à propos de quelque chose, Sara ?

— Je ne sais pas.

Et c'était vrai, la question lui était venue comme ça.

— Sara, soyez franche.

— D'accord. La femme russe.

— Et alors ?

— Vous ne l'avez jamais rencontrée ?

— Jamais.

— Vous êtes sûr ?

165

— Je vous l'ai dit, Sara. Jamais. Pourquoi vous mentirais-je ?

Sa vie était en morceaux : personne ne disait la vérité, et même si quelqu'un le faisait, c'était parce qu'il avait des arrière-pensées. Le monde était un imbroglio mouvant d'inventions et de disparitions. Et pourtant elle avait besoin d'un ami. Elle n'aimait pas la solitude, et la façon dont elle en arrivait à douter de tout et de tous était contraire à sa nature. Tony était là parce qu'il avait honte de la manière dont il s'était conduit au bureau. Il ne fallait pas chercher plus loin.

Il l'embrassa rapidement sur la joue et elle se prit à regarder sa paupière rouge et tuméfiée.

— Je suis désolée de vous avoir fait mal, Tony.

— Je cicatrise vite, fit-il avec un sourire. Si vous avez besoin de moi, appelez-moi.

— Mais pas au bureau, dit-elle.

— C'est délicat.

Elle l'accompagna jusqu'à la porte. Il sortit sur le perron en enroulant son foulard autour de son cou. Elle lui dit bonsoir, referma à clé et remonta au premier, où elle embrassa du regard les objets personnels de Mark étalés partout, parties de puzzle qu'elle n'arrivait pas à assembler entre elles.

Elle s'allongea sur le lit et ferma les yeux. Inutile de songer à dormir. L'image de son père était imprimée derrière ses paupières et elle sentait encore le baiser de Vandervelt sur sa joue, un souvenir humide.

17

La sonnerie du téléphone la tira de son sommeil, un sommeil peu profond et sans rêve. Le ciel commençait à virer du noir au gris ardoise. Elle sortit du lit à moitié endormie et descendit pieds nus au rez-de-chaussée pour répondre.

C'était George Borbokis.

— J'espère que je ne vous ai pas réveillée, Sara.

— J'allais me lever.

— Je vous appelle pour savoir si vous avez encore eu des nouvelles de notre ami McClennan.

— Aucune. Et vous ?

— Pas la moindre. Il aime bien nous faire attendre. Je suppose qu'il va nous tomber dessus à l'improviste un jour prochain.

— Vous avez l'air de dire que c'est de mauvais augure.

— Et du côté de Mark ? Toujours rien ?

— Vous en seriez le premier informé, George.

— J'ai fait une petite découverte, Sara. J'ai demandé à un de mes collaborateurs de vérifier auprès des compagnies aériennes et, comme je m'y attendais, Mark avait un billet aller-retour New York-Hong Kong. Mais il ne s'est pas présenté au départ. Donc, de deux choses l'une : soit il a voulu brouiller les pistes en achetant ce billet, soit il s'est passé quelque chose à son arrivée à l'aéroport, quelque chose qui l'a amené à changer d'avis.

— Par exemple ?

— Je n'en ai pas la moindre idée. Ce qui est sûr, c'est qu'il n'a pas embarqué. Mon collaborateur a effectué une recherche auprès des compagnies de taxis et a trouvé le chauffeur qui l'a conduit à Kennedy. Il l'y a laissé et est reparti. Pour autant que le chauffeur le sache, Mark est entré dans l'aéroport. Impossible de dire s'il a pris un autre vol ou s'il a fait demi-tour et est ressorti du terminal.

— S'il a embarqué pour une autre destination hors du territoire américain, il doit bien y en avoir une trace quelque part ?

— Bien sûr. A moins que – je répugne à le dire – il n'ait disposé d'un faux passeport. Mais s'il n'en avait pas, il ne s'est pas envolé pour l'étranger, de Kennedy ni, d'ailleurs, d'un autre aéroport. Le FBI a vraisemblablement mené la même enquête et abouti à la même conclusion.

— Mark pourrait être encore dans le pays.

— En effet. Mon collaborateur continue de farfouiller, Sara. Si j'ai du nouveau, je vous appelle.

— Merci, George.

Elle raccrocha. Mark entre dans le terminal et on ne le revoit plus. Elle se retrouvait face au même mystère – volatilisé ! Il avait un billet mais ne l'a pas utilisé. Pour brouiller les pistes, ou alors, comme l'a supposé Borbokis, il s'est passé quelque chose qui l'a empêché de l'utiliser. Mais quoi ? Elle était incapable de réfléchir. Etait-il parti pour Los Angeles et l'hôtel Cresta Vista ? Il n'avait pas besoin de passeport pour s'embarquer de Kennedy à LA. Il avait très bien pu sauter dans un autre avion, donner un faux nom, payer en espèces, et personne ne lui aurait posé de questions. Elle songea à filer à l'aéroport et à prendre le premier vol pour Los Angeles, mais la difficulté de la tâche lui apparut tout de suite. Qu'aurait-elle fait en arrivant là-bas ? Traîner au Cresta Vista, à regarder les gens aller et venir, passer des heures assise à attendre, à observer et à espérer dans le hall de l'hôtel ?

Elle pensa à son père. Elle se demanda si elle n'avait pas rêvé – la poubelle, la disparition. Non, c'était bien la réalité. Elle ne pouvait aller nulle part, abandonner le lien fragile qu'elle avait avec son père.

Elle entra dans la cuisine, s'assit à la table, la tête entre les mains. Elle regarda l'aube zébrer l'obscurité, bandes de lumière morne. La pluie tombait doucement, glissait sur les carreaux. Elle songea à monter se remettre au lit, mais elle était à présent bien réveillée. Elle fit du café, l'écouta tomber goutte à goutte à travers le filtre, et le bruit se mêla au tip-tap de la pluie au point qu'elle ne pouvait faire la différence entre les deux.

Elle se versa une tasse et la porta sur la table. Elle but à petites gorgées et s'obligea à réfléchir. C'était le début du troisième jour après que McClennan était entré dans la maison et avait mis son univers sens dessus dessous. La troisième journée. Elle ne pouvait la passer à se laisser dériver comme un morceau de bois mort ballotté par les flots.

Elle reposa violemment la tasse sur la soucoupe, se

169

tordit les mains et remarqua que les veines de ses poignets s'assombrissaient. Elle regarda ses articulations blanchir. Elle finit son café, s'habilla puis sortit de la maison en toute hâte.

18

Elle prit l'un des premiers trains pour Manhattan. Bondée de banlieusards, mal aérée, la voiture sentait les vêtements humides et les parapluies mouillés. La pluie ruisselait sur les vitres, le paysage était lugubre. A Penn Station, elle trouva un taxi pour l'amener dans l'Upper East Side. Central Park était enseveli sous un voile de pluie. Elle descendit du taxi dans la 76e Rue Est.

L'entrée de l'immeuble était protégée par un dais lie-de-vin sous lequel s'abritait un portier à la mine rébarbative. Elle l'ignora, entra dans le hall en marbre où un garde chargé de la sécurité, en blazer bleu, était assis derrière un bureau. Il se leva en la voyant tenter de passer.

— Où allez-vous ? demanda-t-il.

Elle le lui dit.

— Vous êtes attendue ?

Elle répondit que oui.

— Attendez un instant, s'il vous plaît, j'appelle à l'étage, fit le garde.

— Faites.

— Votre nom ?

— Sara Klein.

Il prit un téléphone, se détourna et dit quelque chose en marmonnant pour qu'elle ne puisse pas l'entendre. Elle attendit. Le rythme de son cœur était bizarre, comme s'il avait été mal synchronisé. De l'eau dégoulinait de son imper.

— Vous pouvez y aller.

Elle se dirigea vers l'ascenseur, monta au sixième et parcourut le couloir moquetté. Depuis quand n'était-elle pas venue là ? Juste après son mariage, un cocktail pour les gens du bureau. Jennifer Gryce était demoiselle d'honneur, vêtue d'une robe couleur pêche. Jennifer Gryce, qui ne voulait plus jouer aucun rôle dans la vie de Sara. Le souvenir de son mariage lui faisait mal et l'attitude de rejet de Jennifer aussi, bien qu'elle se refusât à l'admettre.

Sol Rosenthal était à la porte de son appartement, en robe de chambre bordeaux. Il fumait un cigare.

— Le premier de la journée, dit-il en regardant le cigare, comme s'il détestait cette dépendance. Entrez, entrez.

Il l'introduisit dans l'appartement, qui était vaste et meublé d'antiquités, mobilier massif et lourdes tentures de brocart aux hautes fenêtres. Les murs étaient peints en brun profond, bleu marine, rouge qui avait viré au bordeaux avec le temps. Alice, la femme de Sol, qui passait une partie de l'année en Floride parce qu'elle n'aimait pas le climat de New York – hivers trop rigoureux, étés trop humides –, avait choisi le mobilier. Sa fonction auprès de Sol consistait à introduire un certain raffinement dans son univers. Elle lui achetait ses chemises et ses chaussures, choisissait ses costumes et ses cravates. Le bruit courait qu'elle avait un jour tenté, en vain, de le convaincre de prendre des leçons d'élocution. Mais il était aussi difficile de réformer Sol Rosenthal sur ce chapitre que de transmuter le plomb en or.

— Café ? demanda-t-il.

— Non, merci.

Les hauts plafonds et les corniches moulurées lui donnaient l'impression d'être toute petite.

Sol prit une cafetière en argent sur une table et versa du café dans une tasse en porcelaine à motifs floraux.

— Il faut que j'aie mon café, ça remet le cœur en route. A mon âge, on a besoin d'un petit coup de fouet le matin.

Il but à petites gorgées, reposa la tasse, tira sur son cigare si fort que ses joues se creusèrent, puis, avec prévenance, souffla la fumée dans la direction opposée de Sara.

— Un oiseau matinal, dit-il.

— Je n'ai pas très bien dormi, Sol.

— Et dans votre état, vous ne pouvez pas prendre des somnifères.

Il se leva, tira l'un des rideaux et une lumière incertaine filtra à l'intérieur du salon. Il revint à son fauteuil, s'assit face à elle, écrasa son cigare puis essuya de petits morceaux de tabac sur ses doigts.

— Alors, mon petit. Qu'est-ce qui vous amène de si bon matin ?

— Je n'ai personne d'autre vers qui me tourner, Sol.

— Débarrassez-vous de cet imper mouillé et confiez-vous à moi.

Elle ôta son imper et commença :

— Mon père...

— Oui ?

— Ils détiennent mon père, Sol.

— Holà ! Doucement. Qui détient votre père ?

— Des gens qui ont fait des affaires avec Mark et croient que je sais où il est. C'est pourquoi ils ont enlevé mon père.

— Enlevé ? Kidnappé ?

— C'est ça.

Kidnappé. Le mot rebondissait sous la dent.

— Bon sang de bon sang, lâcha Sol.

— Et je ne peux pas prévenir les autorités. Si je le fais... C'est évident, je ne reverrai plus jamais mon père.

— Ces gens, vous ne savez rien d'eux ? demanda Sol, le visage rouge de colère.

— Il y a une vieille femme, une Russe.

— Une Russe ? Mais vous ignorez son nom.

Sara secoua la tête.

— Elle ne s'est pas vraiment présentée, Sol. C'était l'une des clientes de Mark, je suppose, et elle est impatiente de savoir où est passé son argent.

— Pourquoi ne s'adresse-t-elle pas au FBI ? Ou pourquoi ne vient-elle pas me voir si elle s'inquiète pour ses placements ?

— Je me le suis demandé.

Sol resta pensif un moment puis frappa son index contre son pouce, l'air bouleversé.

— Je n'y vois qu'une seule raison possible et je préfère ne pas y songer : c'est de l'argent sale et elle le blanchissait par l'intermédiaire de Mark. Il circule ces temps-ci une masse considérable d'argent russe de provenance plus que douteuse. Argent de la drogue, du jeu, de la prostitution, tout ce que vous pouvez imaginer. Ils essaient de le filtrer à travers des correspondants à New York... et croyez-moi, ce ne sont pas des types en chapeau blanc qui travaillent pour des établissements financiers respectables. Je parle de l'envers du décor. Des hommes de main. Des types dont la spécialité consiste à dissimuler les gains illicites...

— La *mafia* ?

— C'est un nom possible. Ces types, on ne s'amuse pas à les voler et mieux vaut ne pas se laisser prendre avec la main dans *leur* sac.

Sara resta silencieuse un moment. Dans quel monde dément avait-elle été plongée ? Mafia russe. Blanchiment de l'argent. Tout cela était si éloigné de la réalité qu'elle avait connue jusque-là que Sol aurait pu tout aussi bien parler dans une langue étrangère. Soit, si telle était la situation et qu'elle impliquait des gangsters et des membres de quelque mafia russe, elle trouverait un moyen ou un autre de l'affronter, pour intégrer cette réalité à sa vie. Il le fallait. Elle en avait assez d'être exclue, était lasse de ces mystères qu'elle était incapable d'éclaircir.

— Ils ont proféré d'autres menaces, Sol. Le bébé...

— Le bébé ? Ils ont menacé le bébé ? C'est une plaisanterie !

— Ce n'est pas le genre de plaisanterie que j'ai envie de faire, Sol.

— Bon Dieu, quelles ordures ! C'est vraiment la lie... Il n'y a pas de mots, dit-il avec un petit geste désespéré. Dans ma vie, Sara, j'ai vu des clients de toutes sortes, des gens bien et des moins recommandables. Mais, généralement, même les pires d'entre eux se donnent des limites à ne pas dépasser. Ceux-là n'en connaissent pas, semble-t-il.

— Qu'est-ce que je fais, Sol ?

175

— Vous pourriez en parler au FBI, sauf que cela reviendrait à condamner votre père.

— Je suis coincée, et bien. En plus, au FBI, ils ne croient pas un mot de ce que je leur dis. Ils m'ont collé l'étiquette « menteuse ».

Il finit son café, tapota la table basse avec ses longs doigts blancs.

— Je ne sais plus, vraiment. Toute cette histoire me chavire. Je sais depuis un certain temps que de grosses sommes arrivent de Russie et qu'une partie transite par de respectables établissements financiers, mais vous n'imaginez jamais qu'elles vont passer par chez vous. Lorsque vous avez affaire à de nouveaux clients, vous essayez de prendre quelques précautions, mais, finalement, vous devez leur faire confiance. La provenance de leur argent, en fin de compte, c'est leurs oignons. (Il prit un cigare dans une boîte posée sur la table.) Ainsi, notre brillant collaborateur aurait pioché dans la caisse russe. Fâcheuses nouvelles. De l'argent sale qui passe par ma société. Ça, je ne veux pas le savoir. C'est déjà assez empoisonnant d'avoir le FBI sur le dos.

Elle se pencha en avant, coudes sur les genoux.

— Avez-vous le moyen de trouver le nom de cette Russe ?

— Vous voulez dire en épluchant la liste des clients de Mark ?

— Oui...

— Pour vous donner le nom de cette femme ?

— Oui...

— Et qu'en feriez-vous, Sara ?

Elle réfléchit quelques instants.

— Ce serait déjà quelque chose, Sol. Une bribe d'information. Un début de piste.

— Un genre d'information dont vous n'avez pas besoin. Vous me demandez de vous mettre en danger ?

— Je vous demande seulement de m'obtenir un nom.

— Je n'aime pas votre regard, Sara...

— Peu importe mon regard. Obtenez-moi un nom.

Sol eut un petit sourire triste.

— Ce n'est pas si facile que ça. Primo, il y a une chance infime que son nom apparaisse sur la liste des clients de votre mari. L'argent a dû transiter par une société, et cette femme... vous pensez qu'elle a pu être mentionnée comme gérante ou directrice ? Les fonds ont dû être investis par la société. La femme n'apparaît probablement pas en nom propre.

— Vous n'en êtes pas certain.

— Secundo, mon petit, même si je trouvais son nom, vous croyez que je vous le communiquerais, que je vous ferais ce cadeau empoisonné ? Je ne tiens pas à creuser votre tombe.

— Aidez-moi, Sol. C'est tout ce que je demande.

— Jamais de la vie de cette façon-là.

— Sol...

— Vous savez ce que vous devez faire ? Retrouvez votre mari et jetez-le aux fauves. Dites-leur : « Voici ce salopard, débarrassez-m'en et rendez-moi mon père. » Voilà ce que vous devez faire.

Jeter Mark aux fauves, pensa-t-elle. Elle n'avait pas parlé du message laissé à Los Angeles. C'était encore pour elle une piste incertaine, une énigme. Pour l'instant, son but était d'obtenir de Sol des informations. Elle ne voulait pas s'en écarter.

— Je ne vous demande pas grand-chose, essaya-t-elle à nouveau.

— Oh que si !

177

Elle écouta la pluie battre contre les carreaux. Une petite pendule dorée sur la cheminée carillonna la demie. Il était sept heures trente.

— Vous ne voulez pas m'aider.

— Je ne *peux* le faire. Vous êtes têtue, bon sang !

— Vous avez dit un jour que vous admiriez en moi cette qualité.

— Oui, lorsque vous expédiiez les gens que je ne voulais pas voir. Vous faisiez merveille. Mais à présent, c'est une autre sorte d'entêtement, Sara. Celui qui conduit droit au cimetière.

— Je suppose qu'il est inutile d'insister ? dit-elle en se levant.

— C'est exact.

Elle prit son imper et l'enfila.

— Où allez-vous maintenant ? fit Rosenthal.

Elle haussa les épaules.

— Merci de m'avoir consacré votre temps, Sol.

— Hé ! dit-il en la prenant par le bras. Je suis vraiment désolé pour votre père, vous le savez bien. Bon sang, faut-il que je vous le dise ? Mais que diable attendez-vous de moi ? Tant qu'ils ont votre père entre leurs mains, le mieux que nous puissions faire est d'espérer que les choses tournent bien. Je veux dire...

— Je ne compte pas trop sur les espérances.

— Sara, écoutez, ne partez pas si vite. Peut-être devriez-vous en parler à McClennan, courir ce risque. Il peut peut-être faire quelque chose. Il a des moyens importants. Il pourrait retrouver votre père...

— Je ne veux pas prendre ce genre de risque, Sol.

— Tout ça me fait mal au cœur, mon petit.

— On apprend à vivre avec, et vite.

— Je n'ai pas besoin de ça. (Elle se dirigea vers la

178

porte.) Rentrez chez vous, Sara, et attendez. Ça va s'arranger, vous verrez.

Rentrer chez moi, pensa-t-elle. Attendre. Elle en avait assez de ces conseils bidons, inutiles. Chez elle était le dernier endroit où elle avait envie d'être, attendre, la dernière chose qu'elle avait envie de faire. Elle était prise soudain d'une sorte de fièvre. Elle ouvrit la porte. Sol se précipita à sa suite, sa robe de chambre battant sur ses jambes. Il la suivit jusque sur le palier.

— Sara, écoutez-moi... (Elle appela l'ascenseur.) Ne faites rien de stupide, vous m'entendez ?

— Double négation, Sol.

— Double quoi ?

Les portes s'ouvrirent ; elle entra dans l'ascenseur, descendit au rez-de-chaussée et sortit dans la rue, où elle attendit quelques minutes qu'un taxi arrive en fumant et sifflant sous la pluie.

19

Elle arriva à Wall Street quelques minutes avant huit heures. Une foule de courtiers, d'opérateurs, de grouillots, de conseillers financiers plus ou moins recommandables, d'escrocs, de secrétaires – tous ceux qui servaient et utilisaient le système –, avait déjà envahi les trottoirs mouillés par la pluie. Elle paya le chauffeur et entra dans l'immeuble.

Elle prit l'ascenseur jusqu'au troisième, où se trouvait le siège de la société Rosenthal. Elle savait que, normalement, les premiers arrivés au bureau n'étaient pas là avant huit heures et demie. De temps à autre, un nouvel employé zélé était là dès huit heures, et Tony Vandervelt arrivait parfois à huit heures un quart, mais c'était un risque à prendre.

Elle arriva dans le hall de réception désert. Deux hommes en uniforme rouge passaient l'aspirateur sur la moquette du couloir. Ils la regardèrent. Une femme enceinte, donc inoffensive. Elle les dépassa d'un pas décidé et entra dans le bureau principal.

Il n'y avait personne. Elle fut frappée par le silence

qui régnait là. Imprimantes et ordinateurs éteints. Le seul appareil qui fonctionnait était la grande console brillante qui débitait en tremblotant les informations financières, les cours de Tokyo, Bonn, Londres. Il marchait en permanence, même si personne n'était là pour le regarder. Quand il avait des insomnies, Sol venait parfois au bureau à trois heures du matin et il appréciait particulièrement le bourdonnement du grand écran dans ces moments-là. Sol le vigilant, qui étudiait les chiffres, calculait, se demandant quels étaient les meilleurs placements pour ses clients.

Sara était tendue. Elle ne savait pas si elle disposait d'assez de temps pour trouver ce qu'elle cherchait. Elle ne savait même pas si elle était encore capable de s'y retrouver – les choses avaient pu changer, les systèmes être modifiés à la suite des audits. Elle n'était sûre de rien. Elle savait seulement qu'il lui fallait faire vite. Elle se dirigea vers le bureau de Mark, situé derrière une demi-cloison dans un coin de la vaste pièce.

Elle prit ses lunettes pour lire dans la poche de son imper. Les verres étaient sales. Elle regarda l'ordinateur, le mit en marche, entendit la machine s'animer et vit apparaître des caractères sur l'écran. ROSENTHAL BROTHERS N° 6-8. Le nombre attribué au terminal de Mark. Ça au moins n'avait pas changé.

Elle se demanda si les fichiers n'avaient pas été effacés du disque dur par les vérificateurs des comptes ou les agents fédéraux, emportés pour être utilisés comme preuves contre Mark. Elle s'était attendue à voir son bureau entouré par un réseau de bandes en plastique jaune, comme la scène d'un crime, et même cadenassé, mais tout semblait normal. La photo d'elle qu'il gardait sur le bureau était même toujours là. Elle y jeta un coup d'œil rapide ; la photo avait été prise un

181

an plus tôt, quand elle avait les cheveux longs, quand elle souriait encore au monde et de bon cœur.

ENTREZ LE MOT DE PASSE.

Elle avait les doigts suspendus au-dessus du clavier. Elle entendait le bruit des aspirateurs dans le couloir, le léger bourdonnement de l'ordinateur.

ENTREZ LE MOT DE PASSE.

Elle se demanda si celui-ci avait changé. Les lettres clignotèrent. Une limite de temps était programmée dans la machine, et si on n'introduisait pas le mot de passe dans les vingt secondes, l'ordinateur s'éteignait et vous refusait l'accès.

Elle entendit un des agents de service crier par-dessus le bruit des aspirateurs : « Andy, t'as déjà fait les chiottes ? »

ENTREZ LE MOT DE PASSE. Les mots clignotaient avec insistance.

Elle n'avait rien à perdre. Elle posa ses doigts sur le clavier et tapa : SARA JOAN 25 2 62. Comme beaucoup d'utilisateurs, Klein avait choisi comme mot de passe un nom et un nombre qui lui étaient familiers et qu'il ne risquait pas d'oublier – les deux prénoms de sa femme et sa date de naissance. Il lui avait dit un jour : « Ça ne te fait rien si je t'ai emprunté tes prénoms ? » Bien sûr que ça ne lui faisait rien. L'idée lui plaisait, même. C'était un petit secret entre eux.

Ça marchait. ENTREZ LE MOT DE PASSE s'effaça. L'écran resta vide un moment, puis un menu surgit devant ses yeux. Elle passa en revue la liste des dossiers.

PROJECTIONS

PLANNING

AFFAIRES EN COURS

PROBABLES

CONTACTS

SUITES

STATU QUO

REFERENCES

CORRESPONDANCE

MODEM

MORT

L'univers personnel des affaires de Mark distillé en une série de titres laconiques. MORT ?

Elle se rendait compte que le temps passait vite, lui filait entre les doigts. Il était impossible d'ouvrir tous ces dossiers et de les examiner. Elle regarda la grosse pendule à affichage numérique sur le mur. 8 h 10.

AFFAIRES EN COURS.

Elle se demanda si c'était le répertoire dont elle avait besoin. Mais elle ne pouvait pas s'asseoir là comme si de rien n'était et consulter tous les documents rangés dans le dossier. Trop long. Elle regarda fixement les mots AFFAIRES EN COURS, puis décida de donner à l'ordinateur l'instruction d'imprimer. Elle appuya sur les touches appropriées, s'attendant à entendre l'imprimante se mettre en place.

Rien. L'imprimante laser était posée sur le coin du bureau. Etait-elle en panne ? Elle appuya de nouveau sur les touches, toujours rien. Elle vit alors que le câble qui reliait l'imprimante à l'ordinateur était débranché. Elle le remit en place, redonna l'instruction et cette fois-ci le mécanisme de l'imprimante ronronna et des lumières vertes clignotèrent sur le couvercle. Elle entendit la première feuille émerger.

8 h 15.

Combien de feuilles y avait-il à imprimer ? Quelle était l'importance du dossier AFFAIRES EN COURS ? Impossible de le savoir. Elle regarda les feuilles sortir

183

de l'imprimante en pianotant nerveusement sur le bureau. La machine imprimait une feuille toutes les dix secondes.

S'il y avait, disons, cent pages, elle en avait pour... ? Elle était trop stressée pour effectuer un calcul aussi simple.

Elle gardait les yeux fixés sur la porte, de l'autre côté de la grande pièce. D'un instant à l'autre quelqu'un pouvait entrer. Peut-être Vandervelt. Une des assistantes. Une secrétaire. Elle laissa retomber sa main et regarda de nouveau l'imprimante. *Cette sacrée machine n'avance pas. Dépêche-toi, bon sang.* Les feuilles sortaient à l'envers. De temps en temps, l'ordinateur cliquetait en alimentant l'imprimante en données. Elle aurait voulu qu'elle marche plus vite, mais les systèmes électroniques sont sans passion, incapables de fonctionner plus rapidement que ce qu'autorise leur programme. Elle ne pouvait qu'attendre. Elle regardait les mots AFFAIRES EN COURS sur l'écran. IMPRESSION EN COURS clignotait aussi en bas à droite de l'écran.

Oui, je sais que tu imprimes, pensa-t-elle. Je t'en prie, dépêche-toi. 8 h 19. 8 h 20. La pendule était l'ennemie. Le temps jouait contre elle. Elle n'avait aucun moyen de savoir si ce qu'elle était en train d'imprimer présentait le moindre intérêt.

8 h 22.

L'imprimante s'arrêta, et Sara crut un instant que l'impression était terminée, mais non, le flux des données avait été ralenti par une mémoire tampon. L'imprimante se remit en marche et les feuilles recommencèrent à sortir.

Sara se retourna et regarda une nouvelle fois vers la porte. Les hommes de service étaient partis avec leurs aspirateurs. Le seul bruit qu'on entendait à présent était le bourdonnement sourd de l'imprimante.

Celle-ci s'arrêta de nouveau.

Un signal rouge s'était allumé. OUT OF PAPER. Elle ne pouvait se permettre de partir à la recherche de papier. Même si elle en trouvait tout de suite, il lui faudrait recharger la machine et elle perdrait un temps précieux.

8 h 24.

Elle allait prendre les feuilles déjà imprimées et s'en aller.

— Je ne sais par quel bout le prendre, dit quelqu'un.

Sara saisit vivement la liasse de papiers sur le plateau de l'imprimante à l'instant où McClennan entrait dans la pièce, suivi par l'agent Ross.

— Vous tombez sur un nœud, et avant que vous ayez eu le temps de dire ouf! vous tombez sur un autre, épilogua Ross.

— C'est un sac de nœuds. Et des saloperies de nœuds, tous.

Les deux hommes se dirigeaient vers le bureau de Sol. Sara baissa la tête pour se cacher derrière la demi-cloison. Si les agents du FBI se rendaient effectivement au bureau de Sol, ils allaient passer à quelques pas de l'endroit où elle était. Elle se mit à genoux et essaya de se faire toute petite, en restant parfaitement immobile. Invisible.

— Je n'arrive pas à la cerner, dit McClennan.

— Ouais.

— Rosenthal jure qu'elle joue franc jeu.

— Encore faudrait-il savoir si Rosenthal est bon juge en la matière, Tom.

— Peut-être qu'elle est maligne, qu'elle joue les

gourdes en étant très roublarde. Qu'elle a jeté de la poudre aux yeux de Rosenthal pendant des années.

— C'est possible.

Sara retenait son souffle. Elle entendait son pouls, comme de petits missiles qui explosaient au loin. Les battements de son cœur étaient certainement audibles.

McClennan s'était arrêté tout près de la cloison et disait :

— J'aimerais bien la casser, Jack, et voir ce qu'elle a dans le buffet.

— Parfois je pense qu'on aurait besoin d'une matraque dans ce boulot, remarqua Ross.

— Ma foi...

Blottie derrière la cloison, Sara fut prise d'une crampe soudaine à l'estomac, si forte qu'elle faillit laisser échapper un cri. Une matraque. *J'aimerais la casser, Jack.* Elle ferma les yeux. Elle aurait voulu que les deux hommes disparaissent brusquement, se dématérialisent. Quelle heure était-il ? Les premiers employés n'allaient pas tarder à arriver. Dans quelques minutes, les ordinateurs se mettraient à ronronner, les téléphones à sonner, les fax à fonctionner. Va-t'en, McClennan, pensa-t-elle. Va au diable !

— Je crois que nous devrions renforcer la surveillance, dit McClennan. Elle sait que sa ligne est sur écoute et elle ne donne plus aucun coup de fil important. La seule personne avec laquelle elle semble passer du temps est son père. Quelque chose m'échappe et je n'aime pas ça.

— Je vais m'en occuper, dit Ross.

— Je compte sur vous. A quelle heure, votre rendez-vous avec le vieux ?

— Huit heures et demie.

186

— Huit heures et demie. Vous ne croyez pas que nous devrions l'attendre dans son bureau ?

Oui, pensa Sara, allez-y.

— Je ne sais pas s'il appréciera...

— J'en suis arrivé à un stade où je me fous bien de ce qu'il apprécie...

Sara entendit McClennan entrer dans le bureau de Sol Rosenthal, suivi avec quelques réticences par Ross. Elle leva la tête, vit que la porte du bureau de Sol était ouverte. Les deux agents lui tournaient le dos.

Maintenant ou jamais.

Elle se redressa à moitié, rafla les papiers et fila vers la sortie aussi vite qu'elle put. Elle arriva dans le hall de réception, fourra les papiers dans son imper et se dirigea vers les ascenseurs. Le signal du troisième était allumé, elle entendait la cage arriver. Il lui fallait passer par l'escalier, elle n'avait pas le choix. Elle dépassa le bureau de la réception au moment où l'ascenseur carillonnait et où ses portes s'ouvraient. Elle entendit la voix de Jennifer Gryce :

— Il est sympa, un peu vieux jeu.

— Je donnerais tout ça pour quelque chose de moins sophistiqué. Les fleurs et les dîners aux chandelles, c'est pas mon truc, lui répondit Linda Brand.

— Chacun son goût.

— Chacun son coup.

— T'es un sacré numéro, toi !

Sara tourna en direction de la cage d'escalier et poussa la barre métallique de la sortie de secours. Elle n'était pas encore arrivée au premier qu'elle se rendit compte qu'elle était hors d'haleine et dut s'appuyer contre le mur. Des points dansaient devant ses yeux, elle était oppressée. Le bébé se retournait dans son sac dans tous les sens, comme un petit acrobate. Elle fut prise d'angoisses prénatales : et s'il naissait avant terme ou atteint de difformités, les pieds palmés ? Une sorte de mutant. A cause du stress, de la panique. En pareil cas, on s'imagine qu'un monstre est en train de croître en nous.

Elle recommença à descendre. Au rez-de-chaussée, elle sortit par un passage à l'arrière de l'immeuble. La liasse de papiers était à l'abri dans son imper.

Elle se dirigea vers le bout de l'allée, impatiente de prendre connaissance de son butin.

« Quelque chose m'échappe », avait dit McClennan.

Tout juste. Si elle était satisfaite d'avoir filé au nez et à la barbe des deux hommes, la perspective de voir le FBI resserrer sa surveillance jetait une ombre sur cette petite victoire. Elle se demanda quelle était la fréquence de leurs filatures. Manifestement pas suffisante, puisque McClennan s'en plaignait.

Elle traversa la rue à un feu rouge et vit ensuite Sol Rosenthal, à moitié caché par un parapluie jaune et noir, arriver dans sa direction. Elle se glissa dans l'entrée d'un immeuble et il passa devant elle sans la voir. Elle le regarda s'éloigner en se demandant s'il allait parler à McClennan de l'enlèvement de son père. Non, il ne prendrait pas ce risque. Sol savait à quel moment il fallait parler et à quel autre il fallait se taire, il était la discrétion en personne. Il ne ferait rien qui risquerait de mettre John Stone en danger.

Sara se dirigea vers le coin de rue où, la veille, elle avait rencontré le mendiant. Elle ne s'attendait pas à le revoir, mais il était là, à l'abri sous l'auvent d'une cafétéria, la main tendue vers les passants qui l'ignoraient. « Un dollar. Un dollar, s'il vous plaît », répétait-il, morne litanie.

Il tourna la tête, son regard croisa celui de Sara,

mais il ne sembla pas la reconnaître. Quand elle fut tout près de lui, il tendit la main et dit :

— Vous avez un dollar, madame ?

Elle prit de la monnaie dans sa poche et laissa tomber les pièces dans sa main sale.

— Vous ne vous souvenez pas de moi ? demanda-t-elle.

— Vous, bonne dame. Soyez bénie.

— Pas de papier à me donner, aujourd'hui ? Pas de petits messages pour moi ?

Il tanguait sur ses orteils, traînait les pieds, essuya du mucus sur sa lèvre supérieure.

— Des messages ?

Il avait l'air complètement abruti. Elle se demanda s'il n'avait pas perdu l'esprit, s'il n'était pas drogué.

— Hier, vous m'avez donné un message. Vous ne vous rappelez pas ?

Il secoua la tête. Les pièces s'entrechoquaient dans son poing fermé.

— Vous, bonne dame. Avoir beau bébé. Bébé grand et fort.

— Oui, oui, beau bébé.

— Sain et fort, qui rendra mari fier.

— Parlez-moi du papier. Dites-moi qui vous l'a donné.

— Le papier, madame ?

— Le papier, avec un message religieux. Et un numéro de téléphone. Je veux seulement savoir qui vous a demandé de me le remettre.

Il se remit à traîner les pieds comme quelqu'un qui entend une petite musique audible de lui seul.

— Non, la dame se trompe, Sammy n'a pas donné de papier.

Elle agita un billet de cinq dollars sous son nez.

— Vous le voulez ?

— Ouais. Sensass. Ouais.

— Alors donnez-moi le renseignement que je désire et vous l'aurez.

Il n'arrivait pas à détacher les yeux du billet.

— Rappelez-moi, rappelez à Sammy. Je vous ai donné papier, hier ?

— *Oui.*

— Papier. Ouais.

Elle fit mine de remettre le billet dans sa poche. Il tendit la main pour le prendre et elle écarta la sienne.

— Sammy, il faut que vous le méritiez. On n'a rien sans rien.

Il jetait des regards furtifs à droite et à gauche, tapait ses mains l'une contre l'autre, les frottait.

— Quelqu'un vous a dit de me remettre ce papier, n'est-ce pas ? Dites-moi qui.

Son visage était déformé par l'effort de concentration.

— Je me souviens pas, madame. Sincèrement.

Elle remit le billet dans sa poche et s'éloigna de quelques pas. Il la suivit en traînant les pieds. La semelle de sa chaussure droite était à moitié détachée et claquait sur le trottoir.

— Madame, ne partez pas.

Elle se retourna.

— Alors ?

— Ecoutez. Je me rappelle pas, c'est la vérité.

— C'est dommage, dit-elle en se dirigeant vers le coin de la rue.

Il continuait à la suivre. Elle descendit du trottoir et traversa. Il la rattrapa au milieu de la chaussée et lui saisit le poignet. Sans prêter attention à la circulation et aux coups de klaxon, il dit :

— Un mec m'a donné photo de vous. Il m'a dit de guetter une dame avec bébé, expliqua-t-il en montrant son ventre.

— Un homme vous a donné une photo de moi ? Décrivez-le-moi.

— J'le connais pas, j'sais pas comment il s'appelle. Il m'a donné la photo et un billet de vingt dollars, il m'a dit de chercher la dame de la photo et de lui donner ce morceau de papier...

— Ne restons pas au milieu de la rue, dit-elle. Nous ne pouvons pas discuter ici.

Elle se faufila entre les voitures et se dirigea vers le trottoir. Le mendiant la suivit en se glissant à travers la circulation. Il criait :

— Regardez, je vous montre photo. Je l'ai encore. Ici, madame. Regardez. Je vous montre la photo...

Elle se retourna et le vit, la main tendue, une photo froissée dans la paume, pitoyable petite offrande. Elle était sur le point de se saisir du cliché lorsqu'une voiture tourna au coin en trombe et heurta le mendiant. Il fut projeté sur le capot, glissa sur le côté du véhicule et retomba sur le dos au milieu de la rue. Sara entendit le pare-brise craquer et le bruit terrible du crâne contre le béton, vit qu'une jambe était tordue sous le corps, regarda la photo s'échapper de ses doigts et glisser dans le caniveau, emportée par le flot d'eau de pluie.

Pendant quelques instants, encore sous le choc, elle fut incapable de bouger. Le conducteur, un gros homme en manteau sombre à col d'astrakan, sortit de la voiture et se précipita vers le mendiant.

— Bon Dieu de bon Dieu, il s'est jeté sous mes roues, se lamenta-t-il.

Une foule de badauds s'agglutina immédiatement

autour du lieu de l'accident, puis un policier sortit de nulle part et essaya de se frayer un chemin jusqu'à la victime.

— J'ai freiné dès que je l'ai vu, ne cessait de répéter le conducteur.

Sara avait l'impression qu'un écran transparent s'était dressé pour la protéger de la dure réalité de la scène. Du sang, dilué par l'eau de pluie, dégoulinait de la bouche ouverte de l'homme. Il avait les yeux clos, les bras posés mollement sur les côtés, paumes tournées vers le haut. Elle entendait la pluie battre sur le toit des voitures et le flic répéter à tout-va : « Quelqu'un a vu ce qui s'est passé ? » Il y eut quelques bafouillages parmi les badauds. Le chauffeur décrivit une fois de plus ce qui était arrivé :

— J'ai freiné dès que je l'ai vu.

Un homme qui tenait un lévrier afghan en laisse dit :

— Je le connais. Ça fait plusieurs fois que je le vois dans le quartier, c'est un clodo.

Un clodo, pensa Sara. Seulement un clodo. C'est ce qu'on gravera sur sa tombe.

— Qu'on appelle une ambulance ! ordonna le policier.

— C'est plus la peine, remarqua quelqu'un dans la foule.

— Regardez ses veines, suggéra un autre. C'est un camé, sûrement.

— Est-ce que l'un d'entre vous veut bien se rendre utile et appeler une ambulance, bon sang ? répéta le flic.

Sara sentit comme un nuage noir traverser sa tête. Elle songea : Tout ça c'est du cinéma, la victime, le conducteur, l'agent en uniforme, les figurants tout autour. Même la pluie est un effet spécial. Rien n'est réel. Même la photo qui flotte dans le caniveau.

Elle se dirigea lentement vers elle ; la photo était à l'envers. Personne ne la vit se baisser pour la ramasser. Elle la fourra dans sa poche au moment où se faisait entendre au loin, à travers la pluie, le hurlement de l'ambulance, comme celui de quelque animal non encore répertorié par les zoologues.

20

Elle marcha longtemps. En arrivant au croisement de la 42ᵉ Rue et de la Cinquième Avenue, elle était épuisée. Elle entra dans une cafétéria, étala les feuilles d'imprimante sur la table, puis posa la photo dessus, à l'envers. Elle était envahie par une sorte de léthargie ; les documents issus du fichier de Mark, la photo du mendiant, elle était trop lasse pour les examiner. C'était comme si l'accident lui avait retiré toute curiosité, comme si la dépense d'énergie nerveuse, là-bas dans les bureaux de la société Rosenthal, l'avait vidée de ses dernières ressources.

Elle commanda un café noir, regarda la fumée monter de la tasse et essaya de se reprendre. Elle revoyait sans cesse le mendiant projeté en l'air, le visage de son père la dernière fois qu'elle l'avait vu à Port Jefferson. Elle but son café à petites gorgées, regarda dans la rue le flot des voitures s'écouler sous la pluie morne.

La photo, la liasse de papiers. L'humidité s'était infiltrée à travers son imper et les papiers avaient commencé à se gondoler sur les bords. L'eau avait laissé des traînées au dos de la photo. Elle n'avait pas envie de la regarder tout de suite. Elle n'avait pas envie de se regarder parce que...

Parce qu'elle avait peur. Peur de la retourner pour voir où elle avait été prise, peur de ce qu'elle pourrait lui apprendre.

Elle la ramassa, la tint un moment dans sa main, puis la posa de côté et retourna la première feuille de papier. Il y en avait une soixantaine. Soixante feuilles à lire attentivement, sans être sûre de trouver quelque chose. Elle essuya les verres de ses lunettes sur sa manche puis les remit sur son nez.

Elle regarda la première feuille et lut : BETELMAN, HERBERT, 3570 HACIENDA AVENUE, LITTLE ROCK, ARK. Suivait la liste des investissements de Herbert Betelman. Cent mille dollars avaient été placés dans une société, Dagenham Properties, à Lexington dans le Kentucky, une somme de huit cent cinquante mille dollars déposée sur des comptes à terme dans une banque nommée Jackson Alliance Trust, dans le Mississippi.

Elle retourna la deuxième feuille. BRIERLEY, JANE, NEW HOPE HOUSE, WILLIAMSBURG, VA. L'argent de Jane Brierley, un million trois cent mille dollars, avait été investi dans une société allemande, Weinstock Holdings GmbH, dont le siège se trouvait 37 Geblerstrasse, à Munich. La troisième feuille donnait le détail des investissements d'une société, BROSE INC., de Pensacola en Floride : deux millions quatre cent quarante mille dollars, pour moitié investis chez Weinstock à Munich et dans une compagnie minière, Futuraki, au Cap, en Afrique du Sud.

Elle finit son café et en commanda un autre. Elle se

demanda combien de temps il lui faudrait pour éplucher tous les documents. Etait-ce là une partie des fonds que Klein avait détournés ? Avait-il épongé les comptes de Betelman, Jane Brierley, Brose et de dizaines d'autres pour les virer sur les sociétés bidons mentionnées par Sol ? Il avait dû vivre dans la hantise d'une vérification des comptes, tenaillé par la crainte d'être découvert. Comment n'avait-elle pas décelé en lui des signes d'anxiété ?

Il rentrait à la maison, lui parlait de la journée écoulée comme si elle avait été des plus ordinaires, comme s'il n'avait pas eu la responsabilité de placer de grosses sommes pour le compte d'autrui. Ils ouvraient parfois une bouteille de bon vin puis faisaient l'amour, ce qu'il faisait toujours avec passion, avec cette sorte d'attention qui, aux yeux de Sara, était la marque du bon amant. Des souvenirs intimes l'assaillirent : ses mains, ses lèvres, le contact de sa langue sur ses seins. Avait-elle été tout simplement *aveugle* à l'autre face de sa personnalité ? Avait-elle été à ce point inconsciente ?

Elle but une gorgée de son deuxième café puis jeta un coup d'œil vers la photo. Elle avait retardé le moment de la retourner et de la regarder. Elle en toucha le bord. Une pliure courait à travers le mot *Kodak*. Elle écarta ses doigts et décida d'attendre encore. Tu n'es pas prête à voir ton visage te renvoyer ton regard, pensa-t-elle, à voir dans quel contexte la photo a été prise et ce qu'elle peut révéler. Elle la laissa retournée et porta de nouveau son attention vers les papiers.

CHARLES, DONALD, 66 PRESSMAN, ITHACA, NEW YORK. Six cent mille dollars avaient été placés dans un fonds de retraite géré par Fidelissima Futures, 57ᵉ Rue, à

New York, cinq cent mille autres dollars dans une société, Starlight Holdings Inc., à Gary, dans l'Indiana, cinq cent mille autres encore sur un compte en fidéicommis administré par Guzman & Brothers, au Costa Rica.

CRAWFORD, DEE DEE, 5700 FOUNTAIN HILLS DRIVE, FOUNTAIN HILLS, ARIZ. Les investissements de Dee Dee, deux millions sept cent mille dollars au total, avaient été répartis sur différentes places : Rio, Le Cap, le Liechtenstein, Dublin, Guernesey, Munich.

Klein avait convaincu tous ces gens riches de se séparer de leur argent en leur faisant valoir les avantages fiscaux et les rendements de leur investissement. Grâce à son charme, la confiance qu'il inspirait, son entrain. Ils avaient marché, tout comme elle. Elle avait été roulée, tout comme l'avaient été les clients de Mark Klein. La seule différence était que, contrairement à eux, ce n'était pas son portefeuille mais son cœur qui avait été vidé. Tant d'argent, et il suffisait de le prendre. Elle se demanda si la cupidité n'avait pas crû jour après jour en Klein, floraison malfaisante, plante séduisante qu'il n'avait pu finalement s'empêcher de cueillir. Elle regarda la rue par la fenêtre. La pluie dégoulinait sur les vitres, assombrissant les immeubles. La ville semblait moribonde. Elle pouvait voir le sang du mendiant couler dans les caniveaux de cette ville morte.

A présent, elle feuilletait les papiers rapidement. Elle décida de faire l'impasse sur les investisseurs dont le capital était inférieur à trois millions de dollars – une limite arbitraire, elle le savait, mais elle ne pouvait imaginer que la femme de Saint-Pétersbourg ait pris la peine d'enlever son père parce que des sommes relativement modestes avaient été détournées. Non, ce devait être un montant important, une opération d'envergure. Ça n'avait aucun sens de blanchir quelques milliers de dollars par-ci, quelques autres par-là. La Russe avait dû vouloir que ce soit fait rapidement et sans bavures. L'argent engendrait ses propres exigences. Il fallait l'enterrer vite et le ressortir avant qu'il commence à sentir mauvais, parce que toute espèce d'odeur inhabituelle risquait d'attirer l'attention.

Elle passa en revue les papiers et en retint trois. Une société, Tri-City Designs Inc., domiciliée à Scranton, avait investi neuf millions huit cent mille dollars dans divers fonds de placement à l'étranger. Ses responsables n'étaient pas nommés. Alba Services Inc., dont le siège social était à Bridgeport dans le Connecticut, avait investi au total huit millions de dollars, notamment dans les îles Caïmans, à Belize et au Luxembourg. Les directeurs d'Alba Services n'étaient pas non plus cités. Elle se demanda un instant quel genre de services Alba fournissait.

La troisième candidate avait son siège à New York, la société White Sky Industries, domiciliée dans l'Upper East Side. White Sky avait investi quinze millions neuf cent mille dollars sur différentes places, principalement en Extrême-Orient – Hong Kong, Shanghai, Pékin. L'un des directeurs de la société était un certain Theodore Pacific. Elle trouva que le nom sonnait faux.

Elle posa ses mains sur les feuilles. White Sky, un joli nom, pensa-t-elle. Que faisait White Sky pour gagner de l'argent ?

Il était temps. Elle ne pouvait se dérober plus longtemps.

Elle prit la photo, la retourna, la regarda et vit son visage.

Et Mark Klein à son côté, un bras passé autour de sa taille. L'ombre du photographe tombait sur eux comme une fleur sombre. Elle tint la photo, long-temps. Elle se souvenait que le photographe avait dit : « Je ne vous ai pas tous les deux dans l'objectif, rap-prochez-vous un peu. » La photo lui échappa des mains et tomba par terre. Elle se souvenait de ce jour, de l'air frais de cette matinée d'avril et du petit nuage de vapeur qu'ils laissaient échapper en respirant. Elle se souvint du photographe disant : « Et d'une pour l'album de la famille Klein, mes tourtereaux ! »

La photo était tombée à l'endroit et, en se pen-chant péniblement pour la ramasser, toute cette matinée lui revint comme une bouffée glaciale, le givre sur l'herbe, les cajoleries du photographe. « Pour la postérité, monsieur et madame Klein, un petit sou-rire ! »

21

Elle prit un taxi pour l'Upper East Side. La pluie tombait moins dru et un soleil laiteux apparaissait de temps en temps entre les nuages. La rue où elle descendit du taxi était bordée de vieux immeubles en cours de rénovation. Des échafaudages étaient dressés contre les façades, de grosses machines rugissaient derrière des palissades couvertes de toutes sortes d'affiches – concerts rock, partis politiques, slogans punk dénués de sens.

Les feuilles imprimées sous le bras, elle remonta la rue. Elle restait sur le trottoir lorsque c'était possible, mais quand il disparaissait derrière des palissades, elle devait marcher sur la chaussée. Au-dessus d'elle, une dalle de béton précontraint était suspendue à une énorme grue orange.

Fordham University se trouvait à quelques rues de là. Mark, elle s'en souvenait, y avait suivi des cours pendant un semestre. C'était du moins ce qu'il avait affirmé. Elle se demanda dans quelle mesure il n'avait pas fabriqué son passé : ses parents, qu'il prétendait avoir perdus dans un accident d'avion, sa sœur cadette, qu'il n'avait jamais vue, soi-disant danseuse à Las Vegas, son diplôme d'études commerciales qu'il avait décroché à l'Université d'Etat de New York. Qu'y avait-il de vrai dans tout cela ?

Elle tripotait la photo dans sa poche tout en marchant et sentait la pliure contre la pointe de ses doigts. Tout à fait de circonstance, cette pliure, pensa-t-elle, la façon dont elle divisait la photo en deux, créant une ligne de démarcation entre son visage et le sien. Elle se souvenait du moment où Tony Vandervelt leur avait donné un tirage de cette photo prise dans Central Park.

Elle l'avait collée dans l'un de ses albums. Comment aurait-elle pu prévoir alors que Klein la prendrait et la donnerait à un mendiant dont il se servirait comme messager ? Elle essaya d'imaginer la scène : Mark s'adressant au pauvre diable, fourrant de l'argent dans sa main sale puis une photo. « Guettez cette femme et, quand vous la verrez, remettez-lui ce message. »

Un message transmis de manière si compliquée pour dire si peu : *Attends*.

C'est là tout ce que tu avais à me dire, Klein ? Le seul mot qui t'est venu à l'esprit ? Aucune promesse, rien du genre : « Je te donnerai sous peu des explications sur toute cette histoire, tiens bon... » Rien à quoi se raccrocher. Seulement ce mot à la gomme que tu t'es donné tant de mal pour me communiquer...

Elle franchit un passage pour piétons, couvert de planches qui supportaient un échafaudage. Tout près, une machine creusait un trou dans le sol.

Elle s'arrêta. De l'autre côté de la rue se dressait un immeuble en briques rouges, récemment restauré, où, d'après les indications du fichier de Mark, se trouvait le siège de White Sky. Debout dans le passage, elle écoutait l'eau de pluie dégoutter à travers les planches. White Sky. Theodore Pacific. Qu'était-elle censée faire – entrer comme ça dans les bureaux, demander à voir le nommé Pacific et exiger la restitution de son père ?

Elle regarda les fenêtres de l'immeuble. Soit.

Elle allait traverser la rue et entrer dans le bâtiment. Quelles étaient les possibilités ? Elle trouverait bien un prétexte pour voir ce Theodore Pacific. Etre enceinte aide parfois. Cela vous vaut de menues faveurs : une place assise dans le bus, le train, on vous tient la porte. Vous pouvez aussi vous offrir le luxe de quelques petites excentricités, car personne ne vous tient responsable d'un comportement bizarre dû au bouleversement hormonal qui se produit à l'intérieur de votre corps. Il est permis à la femme enceinte de se conduire de façon légèrement inhabituelle. Elle sortit du passage et traversa la rue.

Elle entra dans l'immeuble et étudia la liste des occupants affichée sur le mur près des ascenseurs. White Sky était au quatrième, un étage au-dessus de Ludex Enterprises et au-dessous d'une boîte appelée Weinstock (Germany) Limited. Weinstock ! C'était l'une des sociétés dans lesquelles Klein investissait les fonds de certains de ses clients. Weinstock GmbH, de Munich. La coïncidence est trop grande, pensa-t-elle. White Sky, Weinstock – Klein était-il venu ici un jour pour démarcher les sociétés domiciliées dans l'immeuble, en quête à la fois d'investisseurs et d'occasions d'investissement ? Elle ne croyait guère à ce genre de convergences.

Elle entra dans l'ascenseur. Elle luttait contre la tension qui commençait à l'envahir. Elle avait des picotements au bout des doigts. Qu'allait-elle faire lorsque l'ascenseur s'arrêterait au quatrième ? Quel prétexte, quelle histoire allait-elle inventer ? Son esprit cafouillait. Elle songea à s'arrêter au troisième et à monter le dernier étage à pied pour se donner le temps de réfléchir.

Elle vit le 4 clignoter sur le panneau lumineux, la porte s'ouvrit et elle sortit de l'ascenseur. Elle se retrouva dans une zone de réception dont l'aménagement n'était pas achevé – câbles électriques non encastrés, prises non encore fixées, pots de peinture, pinceaux, bâches de protection sur les meubles. Une odeur de white-spirit flottait dans le hall. Le bureau de réception, enveloppé dans du plastique, était inoccupé.

Un couloir s'ouvrait sur la droite ; elle le suivit, marchant sur une moquette neuve qui venait d'être clouée. Elle remarqua que des fils électriques pendaient entre les plaques du faux plafond. De chaque côté, les portes étaient ouvertes sur des bureaux vides, pas encore meublés. Pots de peinture, escabeaux, parquet nu, câbles électriques...

— Vous cherchez quelqu'un ?

L'homme était apparu dans l'encadrement d'une porte au bout du couloir. Il portait un bleu de travail maculé de peinture. Il avait dans les trente-cinq ans et pas mal de kilos en trop. Son visage était congestionné, son cou rouge. Sara était trop surprise pour trouver quelque chose à dire.

Il la regardait avec impatience, un pinceau à la main, et de grosses gouttes de peinture dégoulinaient sur ses poignets.

— Je suis bien chez White Sky ? demanda-t-elle.

— C'est ici. Mais si vous venez voir quelqu'un en particulier, vous n'avez pas choisi le bon jour.

— Je cherche M. Pacific.

— Lui, on ne le voit jamais.

— Il ne vient pas au bureau ?

— Tous les trente-six du mois, peut-être. Vient pour jeter un coup d'œil, dire qu'il veut qu'on repeigne les murs d'une autre couleur, puis il fiche le camp. Comme ça, ajouta l'homme avec un claquement de doigts.

— Et les autres employés ?

— Quels autres employés ? Personne ne vient ici en dehors de moi et de l'électricien, et l'électricien ne vient qu'une fois par semaine. En plus, il en fiche pas une rame. Il tripote une prise et il appelle ça travailler !…

Sara se sentait un peu étourdie. L'odeur du white-spirit, de la peinture fraîche agressait ses sens.

— Ce que je veux dire c'est que je bosse là tout seul la plupart du temps. Je peins les murs. Pacific se ramène et dit qu'il a changé d'avis. D'abord ça a été bleu pâle, puis coquille d'œuf. Puis il a fallu tout repeindre en blanc. J'm'en fous, du moment que je suis payé…

— Quelle est l'activité de White Sky ?

— Les plastiques, je crois. Les sacs-poubelle. Et ces bidules dans lesquels on emballe les sandwiches. Ils ont une usine dans le Bronx, il me semble.

— Le Bronx, répéta-t-elle.

Sacs et bidules en plastique. Elle se demanda s'ils fabriquaient aussi des poubelles.

— C'est Pacific qui vous paie ?

L'air circonspect, l'homme la regarda, la tête légèrement penchée.

— Vous faites partie du fisc ?

— En ai-je l'air ?

— De nos jours, on ne sait jamais.

— Je travaille pour la société qui est au-dessus, Ludex. Je venais seulement dire bonjour.

— En voisine.

— Tout à fait, en voisine.

— Eh bien, vous allez avoir du mal à trouver ces voisins-là, fit-il en essuyant sa main tachée de peinture sur son bleu de travail. De vous à moi, je ne sais pas ce qui se passe ici. La moitié des prises ne marchent pas. Il y a une malheureuse ampoule accrochée au plafond. Je sais bien que les travaux ne sont pas terminés, mais quand même... On pourrait penser qu'ils ont hâte de finir...

— C'est bizarre.

— Je n'ai jamais eu un chantier pareil, ça je peux vous le dire.

Elle haussa les épaules et jeta un coup d'œil dans les bureaux déserts à travers les portes ouvertes.

— Ils ne sont peut-être pas pressés ou leur budget est un peu serré.

— Leur budget ? J'ai vu arriver Pacific dans une Porsche flambant neuve. Il a sur le dos des costards à huit cents sacs. Au moins. Je n'ai pas l'impression qu'il soit inquiet question budget...

— A quoi il ressemble ?

— A quoi y ressemble ?

— Oui. Au cas où je le croiserais dans l'ascenseur.

— Un type jeune. Toujours bien sapé. (Le peintre se pinça les narines entre le pouce et l'index pour réprimer un éternuement.) Y a de quoi rire : un peintre allergique à la peinture...

— C'est pas fait pour vous, compatit-elle. Alors,

Pacific est jeune et bien habillé. Quoi d'autre ? Des signes particuliers ? Verrues ? Grains de beauté ?

Elle avait opté pour la légèreté, la désinvolture – ne pas avoir l'air de se mêler de ce qui ne vous regarde pas.

— Des verrues, des grains de beauté, *lui* ? Jamais de la vie. Toujours parfaitement peigné. On a l'impression que ses costumes sortent du pressing. S'il voyait l'ombre d'une pellicule sur son col, il aurait une crise cardiaque. (Le peintre se pinça le nez derechef, les yeux larmoyants.) Il va falloir que je change de métier rapidos...

— Si donc je rencontre un jeune homme bien habillé dans l'ascenseur, c'est certainement M. Pacific.

— Y a des chances.

Sara ne dit rien pendant un moment. Un jeune homme bien habillé, pensa-t-elle.

— S'ils n'ont aucun souci d'argent, j'imagine qu'ils ne sont pas pressés d'ouvrir ces bureaux.

Le peintre se frotta les yeux.

— Ma femme, qui regarde trop la télé, dit que cet endroit sent l'arnaque. Style machin à déductions fiscales, vous voyez ce que je veux dire ?

Sara hocha la tête.

— Vous voulez dire une façade.

— Oui, c'est ça. Vous savez, vous n'ouvrez pas vraiment le bureau, vous passez votre temps à redécorer l'endroit et vous continuez jusqu'à ce que les types du fisc flairent la combine.

Une façade, pensa-t-elle.

— Bon, je crois que je repasserai un autre jour.

— Vous voulez que je dise à M. Pacific que vous êtes venue ?

— Non, c'est sans importance.

— Je vous raccompagne.

Il la suivit jusqu'à l'ascenseur et appuya pour elle sur le bouton d'appel.

— Si vous avez besoin de sacs-poubelle, vous saurez quelle marque acheter, dit-il au moment où arrivait l'ascenseur.

— Heureuse de vous avoir rencontré.

— C'était pour moi le grand moment de la journée, croyez-moi.

Elle entra dans l'ascenseur et regarda le visage du peintre tandis que la porte se refermait. L'ascenseur commença à descendre. Une façade. Elle se demanda si l'usine du Bronx existait ou si c'était ce que Pacific, le jeune homme élégant, avait raconté au peintre.

Quelque chose la dérangea dans l'espace confiné de l'ascenseur. C'était imperceptible, mais il lui fallut un instant seulement pour se rendre compte de ce que c'était, l'odeur affaiblie de quelque chose qu'elle avait déjà senti. L'essence de clous de girofle.

22

Elle sortit dans la rue et regarda trois ouvriers avec casques de protection perchés en haut d'un échafaudage. Ils devaient avoir le cœur bien accroché.

L'odeur de clous de girofle. La femme russe avait dû venir là juste avant elle. A moins qu'elle ne soit entrée dans l'immeuble immédiatement après son arrivée.

Sara traversa la rue et leva les yeux vers la façade en briques rouges. Si la femme n'était pas entrée dans les bureaux de White Sky, elle était donc allée à un autre étage : peut-être chez Weinstock. Sara remonta la rue sans se presser. Elle songea à revenir dans l'immeuble et à se rendre dans les locaux de Weinstock, mais elle ne voyait pas ce qu'elle avait à y gagner. Si elle retournait là-bas et si la Russe y était encore, que sortirait-il de leur rencontre ? Elle n'avait pas envie de voir ce visage de vieille, ses cheveux jaunes, la fente cruelle de sa bouche. Elle ne voulait pas regarder dans les yeux la personne responsable de l'enlèvement de son père. Elle sentit des pulsions violentes monter en elle

– mais à quoi aurait-il servi de labourer avec ses ongles le visage peinturluré de la vieille bique ? Il lui semblait que sa peau se serait détachée de l'os comme de la chair corrompue, momifiée.

De plus, Sara avait autre chose en tête, une idée qui pouvait se révéler plus constructive qu'une rencontre inopinée avec la Russe, confrontation à tout le moins désagréable.

Elle pressa le pas en direction d'Amsterdam Avenue. Elle entra dans le premier restaurant venu, un restaurant végétarien avec des tables en bois bien propres, des tas de plantes vertes et des serveuses qui souriaient comme si elles avaient fumé de la racine de valériane. Elle commanda un verre de jus de papaye et demanda à voir l'annuaire. Elle l'emporta à sa table, le feuilleta, dénicha ce qu'elle cherchait et griffonna une adresse et un numéro de téléphone au dos d'une des feuilles de l'imprimante. Elle sortit du restaurant, marcha le temps de trouver un taxi et se fit déposer à l'angle de Madison et de la 43ᵉ Rue.

La journée lui faisait penser à un élastique tendu à la limite de la rupture. Elle avait envie de s'allonger et de dormir mais elle n'avait pas le choix, il fallait qu'elle continue à avancer. Tu dois aller de l'avant sans t'arrêter. Pas la peine de penser, de te représenter ton père, tu dois y aller, y aller sans réfléchir à tes possibilités limitées, tu ne dois pas flancher à cause de quelque chose d'aussi malvenu que la lassitude.

Elle remonta la 43ᵉ Rue en direction de l'est. Quand elle arriva au numéro qu'elle cherchait, un hôtel particulier élégamment restauré, elle s'arrêta, vit les rideaux soigneusement tirés aux fenêtres, le système d'alarme et les caméras vidéo au-dessus de la porte laquée noire. Maintenant, ou bien elle grimpait les marches et sonnait, ou bien elle faisait demi-tour et s'en allait. Elle continuait de fixer les fenêtres en se demandant si c'était là que son père était séquestré. Sa conviction, fondée sur rien de plus substantiel que son intuition féminine, était que John Stone ne se trouvait pas à l'intérieur de la maison.

Elle hésita. Il eût été imprudent d'aller sonner à brûle-pourpoint et de s'annoncer. Pour le moment, elle allait se contenter d'avoir repéré la maison et de garder les lieux en mémoire. Ce n'était pas grand-chose, mais elle possédait quand même une information nouvelle : l'adresse de quelqu'un pouvant avoir un lien avec la Russe.

Elle était sur le point de poursuivre son chemin lorsqu'une voiture apparut un peu plus loin, une MG bleu foncé. Le conducteur se gara à quelques numéros de l'hôtel particulier. Elle le vit sortir de la voiture et avancer sur le trottoir en direction de la maison. Il ne regardait pas dans sa direction, son attention était ailleurs. Il monta les marches rapidement, sortit une clé de sa poche, entra et claqua la porte derrière lui. Elle s'attarda quelques instants, le vit passer devant une fenêtre, le regarda prendre un téléphone, puis il sortit de son champ de vision.

M. Theodore Pacific, pensa-t-elle. Jeune, bien habillé, exactement tel que l'avait décrit le peintre.

La dernière fois qu'elle l'avait vu, c'était dans l'allée derrière le bar de Port Jefferson, où il lui avait fait un clin d'œil.

Elle marcha jusqu'au bout du pâté de maisons. Le bébé se retourna brusquement dans son ventre et lui coupa la respiration. Au milieu de ses angoisses et de ses peurs, elle éprouvait un réel amour, un sentiment

210

primitif d'une telle intensité qu'il transcendait toutes les limites du langage. Et l'amour, elle le comprit, était un réservoir dans lequel on pouvait puiser courage et détermination.

23

L'après-midi tirait à sa fin quand elle arriva au 3242 Midsummer. Elle entra dans la maison déserte, vérifia le répondeur – pas de messages. Elle plia les feuilles de l'imprimante, les fourra dans le tiroir de la table du téléphone puis s'étendit sur le canapé du séjour et ferma les yeux ; les événements de la journée tourbillonnaient dans sa tête : la rencontre avec Sol, le pillage des données dans l'ordinateur de Klein, la voiture qui avait renversé l'infortuné mendiant, le sang mêlé à l'eau de pluie, la photo, les bureaux vides de White Sky et l'odeur des clous de girofle, l'hôtel particulier où habitait Theodore Pacific. Ces images s'agglutinaient en un tout informe. Elle gardait les yeux fermés, mais son cerveau surmené était toujours en proie à l'agitation.

Elle entendit sonner à la porte. Elle se leva, vit Thomas McClennan sur le perron. Elle lui ouvrit.

— Je peux entrer ?

— Si vous voulez.

Il la suivit dans le séjour. Elle ne pouvait dire à son

expression quelle allait être son attitude : l'agent fédéral paternel ou l'autre McClennan, celui qui regrettait de ne pas avoir de matraque ? *« J'aimerais la casser. »*

Il était debout près de la cheminée.

— Vous venez aux renseignements ?

— Si vous voulez. Comment va le petiot ? demanda-t-il en indiquant son ventre d'un signe de tête.

— Il pousse.

Il fit le tour de la pièce nonchalamment, touchant les meubles avec désinvolture, et jeta un coup d'œil au répondeur.

— Pas de nouvelles, je suppose ?

— De mon mari ? Pourquoi cette question ? Vous êtes tenu informé des coups de fil que je reçois, non ?

— Des coups de fil que vous recevez *ici*. Vous pouvez très bien en recevoir ailleurs.

— Je pourrais.

— Et aussi en donner hors de chez vous.

— Je croyais que vous me teniez à l'œil, McClennan.

— Ouais. C'est ce que nous faisons.

— Mais vous craignez que quelque chose ne vous échappe.

— Nous nous flattons de ne pas laisser échapper grand-chose, Sara. Je dois dire cependant que vous nous avez habilement faussé compagnie, l'autre soir. Le restaurant de fruits de mer, chez Sam. Très astucieux.

— Je tiens à ma vie privée.

Il sourit et se passa une main dans les cheveux.

— Nous tenons tous à notre vie privée, Sara.

L'ennui est que certains s'en servent parfois comme d'un écran pour cacher des activités de nature illégale.

— J'ai décidé d'aller dîner dans un autre restaurant. Est-ce là une activité de nature illégale ?

— Vous n'avez en effet enfreint aucune loi.

— Nous avons donc encore la liberté, aux Etats-Unis, de choisir l'endroit où nous allons prendre nos repas. Alléluia !

McClennan s'assit sur l'accoudoir du canapé.

— Vous avez l'air de dire que je suis du genre à désapprouver la liberté individuelle. Ce n'est pas ainsi que je vois les choses. Je fais respecter la loi. Ce qui signifie que je fais partie de ceux qui garantissent le respect des libertés fondamentales. En l'absence de droit, nous sombrons dans l'anarchie, Sara. Et l'anarchie, ça ne marche pas : les types comme moi, nous protégeons réellement les gens.

— Vous pourriez être amusant une minute, si ce n'est que, pour ça, vous me donnez un peu trop la frousse. Votre entêtement à croire que je vous cache quelque chose. C'est loin d'être drôle. Et ce que vous m'avez fait subir dans le cabinet de Borbokis n'avait rien de marrant.

— Je retourne des cailloux et parfois je trouve ce que je cherche.

Elle avait les yeux fixés sur lui. Elle avait l'impression qu'il adoptait une stratégie attentiste, qu'il tournait autour d'une cible qu'il frapperait à son heure.

— Vous savez maintenant pourquoi nous recherchons Mark, n'est-ce pas ? (Elle ne dit rien.) On m'a dit que vous avez semé la panique hier chez Rosenthal. Vous avez débarqué dans le bureau de Sol. Je suppose qu'il s'est senti obligé de vous informer de la situation.

— C'est ce que Sol vous a dit ?

— Sol est un vieux monsieur discret. Il faut des forceps pour lui tirer les vers du nez. Quoi qu'il en soit, s'il ne vous a pas mise au parfum, votre vieux pote Vandervelt s'en est probablement chargé. Quand est-il venu vous voir ? C'était la nuit dernière, non ?

— La nuit dernière seulement ? Le temps passe à une vitesse... dit-elle.

Elle se détourna de McClennan et se demanda si ses équipes avaient épié sa rencontre avec la Russe, l'avaient vue monter dans la Buick la veille. Ils ne pouvaient la filer continuellement. La surveillance se relâche parfois. On perd de vue les gens dans la foule, on ne peut pas suivre leur piste sans arrêt. Pourquoi n'étaient-ils pas dans les parages quand John Stone avait disparu ? Pourquoi avaient-ils relâché leur surveillance à ce moment-là ?

— Trente-deux millions, dit McClennan.

— Retrouvez Mark, peut-être mettrez-vous la main sur le fric.

— Et vous n'avez aucune nouvelle de lui ?

— Combien de fois allez-vous me poser la même question, McClennan ?

Est-il au courant du message remis par le mendiant ? se demanda-t-elle. Elle se rendait compte qu'il la conditionnait pour qu'elle ait l'impression de lui cacher quelque chose. C'était sa méthode.

— Vous pensez, je le sais, que je suis la complice de Mark...

— Peut-être. Peut-être pas. Tout ce que je fais, c'est explorer toutes les voies possibles...

— Vous croyez que je suis sur le point de boucler ma valise et de m'enfuir pour rejoindre Mark au soleil.

Il sourit, leva la main pour l'interrompre.

— Vous ne pouvez aller nulle part, Sara. Vous ne

pouvez même pas obtenir une carte d'embarquement sur un avion à destination de l'étranger.

— Pourquoi pas ?

— Parce qu'il vous faut un passeport.

— J'en ai un... attendez, vous voulez dire que vous l'avez fait annuler, c'est cela ?

— Exact, il n'est plus valide.

— Vous avez obtenu ça du ministère de la Justice ?

— Ouais, on a tiré des ficelles.

— « On a tiré des ficelles. » N'avez-vous pas dit il y a une minute que vous étiez un ardent défenseur des libertés individuelles ? Ou est-ce un effet de mon imagination ?

— La liberté est un privilège, Sara. Une récompense qu'on décroche en se montrant bon citoyen.

Elle se leva du canapé. Inutile de lui dire qu'elle était une bonne citoyenne, il n'était pas prêt à l'écouter et n'entendait que ce qu'il voulait entendre. Donc : pas de passeport, pas de liberté de mouvement. Elle était quasiment assignée à résidence. Bonne citoyenne mais quand même prisonnière du système. Il aurait tout aussi bien pu y avoir des barreaux aux fenêtres de la maison.

— Pourquoi êtes-vous allée au siège de la société Rosenthal ce matin ? demanda-t-il.

Elle retint sa respiration. Elle savait qu'elle s'était glissée dehors sans avoir été observée. Il ne l'avait pas vue partir. C'était du bluff, un piège.

— Je n'y suis pas allée.

— Et si je vous dis qu'on vous y a vue ? Même les hommes du service de nettoyage remarquent des choses, Sara.

Les hommes du service de nettoyage, pensa-t-elle.

Le vacarme des aspirateurs, les types en uniforme. Ils l'avaient à peine regardée.

— Eh bien ? insista-t-il.

— Il y a erreur.

— Erreur ? On a vu une femme enceinte entrer dans les bureaux juste après huit heures. Une femme en imper bleu marine. Vous en avez un, n'est-ce pas, Sara ?

— Je ne suis pas la seule.

— Cheveux courts.

— Et alors ?

— Ça me dit quelque chose.

— Je ne suis pas allée là-bas, McClennan.

— Ce n'est pas tout.

Elle attendit. La pluie fouetta soudain la maison. Le vent soufflait à travers les buissons, tourmentait les arbres et tourbillonnait sur le toit de tuiles.

— L'ordinateur de Klein.

— Eh bien ?

— Quelqu'un l'a ouvert ce matin.

— L'a ouvert ? Qu'est-ce que ça veut dire ?

— Quelqu'un en a imprimé des données sur papier.

— Et alors ?

— A vous de me le dire.

— De vous dire quoi ? Je n'étais pas là. Je n'ai touché à aucun ordinateur, bon sang !

— L'ordinateur est sous surveillance, Sara. Si on y touche sans autorisation, c'est enregistré sur l'unité centrale. Quelqu'un l'a utilisé ce matin et a imprimé une partie d'un dossier intitulé AFFAIRES EN COURS.

— Ce n'est pas moi, dit-elle, se demandant si l'expression de son visage, les intonations de sa voix la trahissaient.

— Bon, alors c'était une autre femme enceinte à

217

cheveux courts en imper bleu. Et cette femme, qui se trouve avoir une étrange ressemblance avec vous, ouvre l'ordinateur de Klein et imprime des informations – pourquoi aurait-elle fait ça, Sara ? Et comment cette femme fantôme connaît-elle le mot de passe ?

Sara ne répondit pas. Elle se souvint qu'elle avait pianoté sur le clavier. Elle en conclut tout de suite qu'elle avait dû y laisser ses empreintes.

— Voyez comme tout ça est fumeux, Sara. Une femme enceinte entre dans les bureaux, saisit le mot de passe et file avec des données. A la façon dont les choses se présentent, vous êtes la seule femme enceinte qui colle avec le scénario.

— Je ne connais pas le mot de passe, dit-elle.

— Pour les besoins du raisonnement, supposons que vous mentez. Supposons que vous connaissiez le mot de passe...

— Mais je ne le connais pas...

— Imaginons seulement pour l'instant que vous le connaissiez, d'accord ? Cela nous ouvre de grandes possibilités, Sara. Non seulement Klein avait accès à ces comptes, mais *vous* aussi l'aviez. Vous me suivez ?

— Vous continuez de rabâcher l'idée que je suis impliquée dans le présumé détournement de fonds commis par Klein, et ça commence à me fatiguer, McClennan.

— Bon, soit, je m'excuse de vous embêter. Pardonnez-moi. Le problème, Sara, est que, tôt ou tard, nous allons devoir faire face à la réalité brutale, aussi embarrassante qu'elle puisse être pour vous. Si vous connaissiez le mot de passe, vous saviez comment accéder aux comptes. Et si vous saviez faire ça, vous saviez aussi manipuler les chiffres.

— Exact. Klein et moi avons fait équipe, nous

avons tout organisé ensemble, je l'avoue. Alors, sortez vos menottes et embarquez-moi au commissariat ou là où on emmène les malfaiteurs.

Sa tentative de prendre les choses à la légère n'eut pas l'effet escompté. Elle n'aurait même pas dû essayer. McClennan n'était pas d'humeur à apprécier.

— Ne me cherchez pas, Sara, rétorqua-t-il, rouge de colère. Je suis déjà à deux doigts de vous épingler pour avoir tenté de trafiquer des preuves.

Elle sentit sa résolution fléchir. Elle avait une envie terrible de se jeter à la merci de McClennan, de tout lui raconter du début à la fin et de l'implorer de retrouver son père. Elle résista à la tentation. McClennan ne donnerait pas dans cette histoire – la Russe, la mafia, l'enlèvement de John Stone. Il l'accuserait de monter ça de toutes pièces pour dissimuler sa complicité. Peut-être même irait-il jusqu'à croire que son père avait lui aussi participé à l'arnaque de Mark Klein. Comment savoir ? Elle ne voulait pas prendre le risque de le découvrir. John Stone était là quelque part, un point minuscule sur une carte immense. Et ce n'était pas McClennan qui le retrouverait. Par ailleurs, elle avait lu que le FBI sabotait des cas de kidnapping : quand ils retrouvaient les victimes, il était trop tard, elles avaient été abattues. Désastres en série.

— Pourquoi vouliez-vous ces informations, Sara ?

— Je ne veux plus parler avec vous en l'absence de Borbokis.

— Est-ce que Klein vous a demandé de lui trouver quelque chose ? Quelque chose qu'il aurait négligé ? C'est ça, Sara ?

— Je ne dirai plus rien.

— Quelque chose qu'il a oublié ?

— Adressez-vous à mon avocat.

Elle alla aussi vite qu'elle put vers la porte, l'ouvrit et désigna le perron. McClennan se dirigea lentement vers l'entrée ; il voulait l'irriter, la troubler.

— Allez-vous-en, dit-elle, allez.

— Ce n'est pas encore fini, Sara.

— Cela a-t-il une fin ?

— Bien sûr. Toute chose a une fin. Parfois le voyage est un peu difficile, c'est tout.

Il sortit sur le perron où le vent de pluie, qui tourbillonnait sous le toit, l'assaillit. Elle vit sa voiture garée au bout de l'allée.

— Dans tous les voyages, il y a une destination, dit-il. Ne l'oubliez pas. Et j'ai le sentiment que celle-ci est très proche. Autre chose à ne pas oublier : vous ne pouvez vous retrancher éternellement derrière un avocat.

Elle ferma la porte derrière lui. Elle avait manqué de calme, elle le savait bien. Elle s'était comportée en coupable. Il aurait fallu qu'il soit aveugle pour ne pas remarquer son trouble. Elle monta à l'étage en traînant les pieds, s'étendit sur le lit. Deux hommes de service, bon sang ! Et elle s'était crue maligne ! Stupide, oui, stupide et maladroite. Elle s'embourbait. Son chapardage d'un dossier dans l'ordinateur, sa visite aux bureaux de White Sky, son obstination à trouver l'adresse de Theodore Pacific ! Bravo, quelle fille intelligente ! Tu ne sais même pas ce que tu fais. Tu n'agis pas avec bon sens mais sous le coup d'une panique aveugle, qui a sa dynamique propre, une dynamique absurde. Elle eut la vision d'enquêteurs relevant les empreintes sur le clavier de l'ordinateur. Combien de temps leur faudrait-il pour découvrir les siennes ?

Elle se tourna sur le côté. C'est alors seulement

qu'elle remarqua l'épaisse enveloppe de papier kraft appuyée contre le pied de la lampe de chevet. Elle la prit et l'ouvrit. Elle contenait une cassette vidéo sans étiquette. Quelqu'un était venu là en son absence. Quelqu'un avait pénétré dans la maison, était monté dans la chambre pour y laisser l'enveloppe. La cassette dans une main, elle ouvrit le tiroir de la table de nuit de l'autre.

Le Walther était là où elle l'avait laissé.

Le visiteur n'était venu que pour déposer l'enveloppe, pas pour voler.

24

Une plage. Une mouette au soleil. Son père, à qua-rante ans à peu près, en train de faire un château de sable. Il creuse un chenal avec application. La marée se retire en écumant. Sara apparaît au bord de l'image, fillette maigre, d'à peine dix ans. Son maillot une pièce est mouillé et maculé de sable. Son père rit, la tire par le bras et la ren-verse. Elle est par terre, fait semblant de se plaindre, mais rit en même temps que son père. Il n'y a aucune voix, aucun son, même pas le bruissement de la marée. Les cou-leurs sont un peu passées. Toute la scène semble être un rêve. Son père la fait s'allonger dans le chenal qu'il creuse, et commence à pelleter du sable sur elle. Et toujours le même rire silencieux. Elle est entièrement recouverte de sable, on ne voit plus que son visage...

L'image disparaît brusquement. Saut dans le temps. La même plage, des années plus tard.

Sa mère est enveloppée dans une serviette de bain. Elle a les traits tirés et paraît souffrante. La peau de son visage n'est plus que du parchemin tendu sur les os, ses yeux sont anormalement grands. John Stone est assis à côté d'elle, la

main posée sur sa hanche. Les cheveux de sa mère cha-
toient.

La prise de vue est hachée. Sara se souvient : c'était elle qui avait tourné cette séquence, qui tenait la caméra. Combien de temps y avait-il de cela ?

John Stone passe un bras autour des épaules de sa femme parce qu'elle frissonne. Il l'attire doucement contre lui en un geste protecteur, comme si elle était fragile, comme si toute pression excessive risquait de lui faire mal. Elle pose sa tête contre son épaule, et ils restent comme ça sans bouger, mari et femme, serrés l'un contre l'autre dans une intimité qu'ils savent tous deux condamnée. Parce qu'elle est malade. Parce que les jours comme celui-là sont comptés. Parce que l'amour est un bien à durée limitée, une grâce fugitive.

Se succédèrent quelques brèves images, aucune de plus d'une ou deux secondes. *Sara dans sa tombe de sable, riant. La mère de Sara regardant sans expression l'objectif de la caméra. John Stone suçant un cône de glace, qui lui laisse une grande moustache. Le tout en silence. La vie, les rires, sa mère condamnée et son père en train de manger sa glace sans le moindre bruit.*

Le film se termine. Une série de nombres tremblo-tent sur l'écran de la télévision. C'est la fin, pense Sara, qui se souvient que son père avait recopié tous ses vieux films sur cassettes vidéo – mais ce n'est pas tout à fait fini.

Le visage de John Stone en gros plan envahit l'écran. Ce n'est plus un homme dans la quarantaine. Il est exactement comme elle l'a vu pour la dernière fois dans le bar de Port Jefferson.

Et maintenant, il y a le son, des paroles sortent de ses lèvres.

D'une voix monotone, il dit : « Je veux que tu saches

que je vais bien, que je suis en bonne santé. Tu n'as pas à t'inquiéter pour moi, Sara. »

La cassette se termine par une succession de sifflements, un peu comme si l'image avait été transmise depuis quelque source extraterrestre et détruite par les interférences avant d'atteindre le sol.

Elle revient en arrière. La mer et la plage. La tombe de sable. Elle rembobine en avant jusqu'aux sifflements, jusqu'au visage de son père. Le gros plan.

« Tu n'as pas à t'inquiéter pour moi. » Il avale ses mots, ses lèvres bougent à peine. Il semble réciter un texte préparé à l'avance, qu'on l'a obligé à retenir. Le ton emprunté, l'énonciation parfaite de chaque mot, ce n'est pas la façon de parler de John Stone.

Elle examine de nouveau son visage. Elle appuie sur PAUSE, et l'image, bien que tremblotante, comme si elle était dans les premiers stades de détérioration, reste sur l'écran. Elle se lève et s'approche pour étudier les bords de l'image, essayer de distinguer des détails de l'arrière-plan pouvant indiquer où cet épilogue du film d'origine a été tourné. Mais le visage de John Stone est entouré d'ombres impénétrables. En regardant longtemps, vous finissez par vous imaginer que vous voyez des formes, des silhouettes qui s'attardent, des marques sur un mur – mais tout cela n'est qu'illusion.

Elle rembobine la cassette jusqu'à la scène où son père a passé son bras autour des épaules de sa mère. Elle la regarde une nouvelle fois, le cœur fendu. Elle la regarde se désintégrer dans la succession d'images rapides, les yeux de sa mère, le visage de son père barbouillé de glace. Elle sent l'océan, le sable, la lotion solaire et la vanille, autre illusion. Elle pense :

Quelques jours après que le film a été tourné, ma mère est morte.

Elle arrête encore l'image sur le visage de John Stone. Elle touche l'écran, comme si elle pouvait y entrer et sentir le visage de son père. Elle entend l'électricité statique crépiter sur sa peau, retire sa main.

Elle est là, effondrée sur le plancher. Le portrait figé la regarde, l'air égaré : son père lui en veut-il de ce qui lui arrive ? Est-ce une accusation qu'elle lit dans ses yeux ? Impossible à dire. Elle se détourne de l'écran, laisse tomber la télécommande. Elle a l'impression de sentir encore le sable sur ses jambes nues, dans sa chevelure.

Elle ferme les yeux. Ce film vidéo ramène les souvenirs de façon perverse, se dit-elle. Il lui rappelle non seulement la situation de son père, mais aussi la fragilité de la vie familiale. De la vie humaine.

Surtout celle de John Stone.

Elle se lève, éteint la télévision et monte au premier. Les muscles de ses mollets sont flageolants. Elle s'assoit sur le lit, envahie par la tristesse. Le sentiment du temps passé et révolu.

L'incertitude du lendemain.

La chambre vide la consterne. Elle ne peut rester assise à ne rien faire.

Elle se lève, ouvre le placard, en tire une pile d'albums de photos de famille et les feuillette. Elle ne sait trop si elle s'attend à trouver un réconfort en parcourant ces images. Elle comprend qu'elle a seulement besoin de se replonger dans son passé. Les visages virevoltent, les fantômes sortent de leur tombe derrière les feuilles de plastique transparent.

Son père et sa mère, le jour de leur mariage.

Elle, à un barbecue dans un jardin ensoleillé, le jour de la fête nationale, aux alentours de 1973.

Elle et Klein, photographiés à Coney Island, lui mangeant un hot dog avec délectation, elle coiffée d'une casquette de base-ball avec le nom DODGERS. Elle et Klein, à Central Park, par une froide matinée...

Elle a la gorge serrée. Il lui faut un petit moment pour se rendre compte que quelque chose ne colle pas, ne va pas – pas du tout.

25

Elle conduisait sous une pluie battante. Les glaces de la voiture étaient embuées, les essuie-glaces grinçaient comme des clous contre un tableau noir. Feux de signalisation, panneaux, voitures, tout cela semblait appartenir à une autre dimension. Elle était restée longtemps dans la chambre avant de se précipiter hors de la maison où elle ne se sentait plus en sécurité, ne trouvait plus aucun réconfort. Ce n'était plus le 3242 Midsummer, la maison sur le seuil de laquelle Mark Klein l'avait portée quelques années plus tôt.

Elle traversa Port Jefferson, lugubre dans l'obscurité humide, puis s'arrêta à une station-service et coupa le moteur. Elle ne savait plus où elle en était et appuya sa tête contre le volant, désemparée.

Elle resta dans cette position un bon moment. Elle pensait au gros plan du visage de son père sur la cassette vidéo, à la photo d'elle et de Mark que Vandervelt avait prise dans Central Park. Finalement, elle alla à la cabine téléphonique, écouta la pluie battre furieusement contre le verre et composa le numéro de

Vandervelt. Pas de réponse. Où était-il ? Il fallait qu'elle lui parle.

Mais ce n'était pas avec Tony en particulier qu'elle avait besoin de parler. Elle avait envie de contact humain, d'un soutien amical. Elle essaya le numéro de Sol, mais entendit sa grosse voix sur le répondeur et ne laissa pas de message. Où étaient tous ses amis ? Jennifer Gryce n'en faisait plus partie. Ses anciennes camarades d'université s'étaient dispersées à travers les Etats-Unis, disparues dans le centre du pays ou sur la côte Ouest en quête d'une nouvelle vie. Elles envoyaient des cartes de Noël de Santa Barbara ou d'Albuquerque et promettaient des visites qu'elles ne faisaient jamais.

Elle entra dans la cafétéria de la station-service, acheta une boîte de soda Dr Pepper. Une caméra de sécurité balayait le local. Elle se vit sur l'écran en noir et blanc derrière le comptoir, se vit payer le soda. Son reflet était partout : sur l'écran vidéo, la porte vitrée du distributeur de sodas, le petit affichage numérique de la caisse, la fenêtre. Une multitude de Sara enceintes. Elle arracha le couvercle de la boîte et but avidement. Elle mourait de soif.

— Rafraîchissant, dit la voix.

Sara ne se retourna pas. Ce n'était pas la peine, elle l'avait reconnue. Elle regardait l'écran droit devant elle. Elle voyait la vieille juste derrière elle. Charlie était là lui aussi, une de ses grosses mains fourrée dans un paquet de chips. Sara ne se retournait toujours pas. Elle écrasa dans sa main la boîte de soda vide et sentit le souffle de la vieille Russe sur sa nuque.

— Un peu de télé, ça distrait, vous ne trouvez pas, Sara ?

Sara se coupa avec l'ouverture de la boîte métallique mais ne sentit pas la douleur.

— Trop souvent, c'est malheureusement sans intérêt, d'une navrante médiocrité. Vous êtes de mon avis, n'est-ce pas ?

L'image sur l'écran changea ; la caméra s'écartait du comptoir en faisant un panoramique. On voyait maintenant des rayonnages, des montagnes de bonbons, des paquets de couches pour bébé. Sara se retourna. Voir la femme en couleur la surprit désagréablement ; elle préférait le noir et blanc.

Elle essaya de la contourner, mais Charlie, preste pour un homme de cette corpulence, lui bloqua le passage.

— Sara, ma chère, vous n'avez rien à me dire ? demanda la vieille en ajustant la position de son déambulateur avec un geste exprimant son irritation de devoir dépendre de cet appareil.

Le vendeur remplissait le réservoir du distributeur de café derrière le comptoir. Sara entendait le bruit de l'eau, sentait le café moulu. De son doigt entaillé, du sang coulait sur la boîte métallique écrasée puis dégoulinait dans sa paume.

— Quelle est l'expression ? Vous avez oublié votre langue ? demanda la femme.

— Vous avez *perdu* votre langue, corrigea Charlie.

— Pourquoi me reprends-tu, Charlie ? Tu n'apprécies pas mon anglais ?

Sara regarda à travers la boutique. L'eau avait commencé à tomber goutte à goutte à travers le café moulu. Papa, pensa-t-elle. Mon père est en train de m'échapper de la même manière. Elle regarda la Russe, qui souriait, la tête penchée sur le côté. Elle faisait penser à un vieil oiseau arthritique et à moitié déplumé.

— Il est exact que la télévision peut avoir une fonction éducative. Elle n'est pas toujours dépourvue d'intérêt, reprit-elle.

— Espèce de salope ! lança Sara.

— Ah, vous voyez, Charlie. Elle a retrouvé sa langue. Pour dire des insultes, malheureusement. Mais au moins elle parle.

— Vous avez écrit ce que mon père devait dire ? Vous avez tenu un carton devant ses yeux pour qu'il le lise ? demanda Sara en laissant tomber la boîte de soda dans une poubelle.

Elle ne quittait pas la femme des yeux. Elle sentait la colère l'envahir. Elle ne voyait rien en dehors de la vieille. Elle était aveugle à tout le reste et scrutait son visage dans ses moindres détails : stries roses dans le blanc des yeux, verrue mal dissimulée par la couche de fond de teint, la multitude de petites rides autour des lèvres qui ressemblaient à des entailles laissées par un rasoir.

— Quel regard ! Tu as vu comment elle me regarde, Charlie ? On dirait du mépris, non ?

— Ouais.

— Même pire que du mépris, surenchérit la vieille. (Elle était vêtue de la robe imprimée à motifs voyants qu'elle avait déjà portée.) Est-ce qu'il y a un mot pour cela, Charlie ?

— Les mots, c'est pas mon rayon.

La Russe tendit la main pour toucher le bras de Sara. Celle-ci se recula et regarda ailleurs. Mais sa haine ne se refroidissait pas pour autant ; elle était si violente, si irrésistible, qu'il n'y avait en elle de place pour rien d'autre. A quoi servait cependant une telle énergie émotionnelle si on n'était pas capable de la canaliser, d'en tirer parti ? Si on ne la dirigeait pas, c'était elle qui vous dominait. Il fallait qu'elle tienne sa rage en bride, qu'elle la domestique.

— Etes-vous prête à discuter de certaines choses avec moi, Sara ?

— Je veux retrouver mon père.

— Bien sûr que vous voulez retrouver votre père. C'est parfaitement compréhensible. Une fille a besoin de son père, après tout. Et le vôtre est un exemple particulièrement sympathique de cette espèce. Mais moi, qu'est-ce que j'obtiens en retour ?

— Tout ce qu'il est en mon devoir de vous donner.

— Tout ? Y compris Klein ? Etes-vous à même de me donner Mark ?

Klein, pensa-t-elle.

— J'ai besoin de temps, répondit-elle.

Une phrase stupide, un mensonge désespéré, produits de l'anxiété. Klein pouvait aussi bien s'être évaporé dans l'espace.

— Et combien de temps demandez-vous, Sara ? dit la femme.

— Je ne sais pas.

— Vous ne savez pas. C'est toujours la même chanson, Sara. Vous ne savez pas. Vous ne savez rien. Faites attention, je n'ai pas la patience d'une sainte.

Ces paroles furent proférées en une succession de petits sifflements pareils à ceux d'un serpent furieux et ponctués de postillons. La Russe scrutait le visage de Sara et son expression se modifia, devint soudain mielleuse.

— Mais j'oubliais que vous êtes enceinte et j'imagine que la grossesse entraîne une certaine confusion d'esprit. Je vous le demande une fois encore, calmement : combien de temps vous faut-il ?

— Je ne peux pas vous donner de réponse.

La femme jeta un coup d'œil à Charlie.

— Combien de temps pouvons-nous lui donner ?

Charlie haussa les épaules.

— C'est à vous de décider.

— Pouvez-vous nous livrer Klein demain matin, Sara ?

— J'ai besoin de davantage de temps, répondit Sara.

Combien de temps ? se demanda-t-elle. Un mois ? Un an ? Le reste de ma vie ?

— Votre père s'est plaint de douleurs abdominales, n'est-ce pas, Charlie ?

— C'est exact.

— Des douleurs abdominales ? s'exclama Sara. Comment ça ? Que lui avez-vous fait ?

— Rien. Rien du tout. Ces douleurs sont probablement dues au stress. Il se laisse aller.

— Je ne veux pas qu'il lui soit fait le moindre mal, dit Sara. Vous avez compris ?

— Personne ne le veut, Sara, je vous l'assure.

— Si vous lui en faites...

— Que ferez-vous, Sara ?

— Je vous chercherai et je vous retrouverai.

— Et puis après ? Dites-le-moi. Vous me tuerez ?

— *Oui.*

Sara perçut la férocité surprenante qu'elle avait mise dans cette réponse laconique. Elle réalisa que, de toute sa vie, elle n'avait jamais songé à tuer quelqu'un. L'idée même, naguère si étrangère à sa nature qu'elle en était impensable, la frappa comme étant la chose la plus raisonnable du monde.

La vieille sourit.

— Finalement, vous avez l'âme bien trempée, Sara Klein. Excellent. J'apprécie les femmes qui refusent de baisser leur froc. Vous et moi avons quelque chose en commun, semble-t-il.

— J'en doute. Je me demande même si nous respirons le même air.

— Sara, écoutez-moi. Toute ma vie, j'ai résisté aux tentatives des autres, généralement des hommes, qui voulaient m'empêcher de suivre ma voie. Vous n'êtes pas assez forte pour maîtriser des affaires complexes, disaient-ils. Vos ennemis vont vous démolir. Etc., etc. Mais ils se trompaient lourdement. Et ceux qui m'ont sous-estimée l'ont payé cher.

« *Vous et moi avons quelque chose en commun, semble-t-il.* » Sara lut dans les yeux de la femme cette détermination que n'arrête aucune considération morale quand il s'agit d'éliminer ses ennemis. Quel effet cela fait-il de tuer quelqu'un, de prendre la vie d'autrui ? Elle ne s'attarda pas à cette pensée. Il n'y avait entre elles aucune affinité, aucune similitude. C'était impossible.

— Je vais vous dire quelque chose, Sara, dit la Russe. Quand on est obligé de fouiller assez profondément dans son cœur, on franchit parfois des zones obscures qu'on risque de ne pas trouver à son goût. Mais on n'y peut rien. Rien du tout.

— Je ne le crois pas, objecta Sara.

— Que vous le croyiez ou non, c'est un simple fait de la vie que j'énonce là. Bon sang, comment vous voyez-vous, Sara Klein ? Une petite femme au foyer, banlieusarde et enceinte ? Douce comme un agneau ? Qui y réfléchit à deux fois avant d'écraser une araignée ? C'est ainsi que vous vous percevez ? Ce sont là vos pitoyables limites ?

— Non, je ne suis pas comme ça.

— Bien sûr que vous n'êtes pas comme ça. C'est ce que je vous ai dit. Vous avez le caractère bien trempé. Comme moi.

La vieille Russe tapota le dos de la main de Sara dans un geste qui pouvait être d'encouragement. Rebutée par ce contact, Sara recula.

— Nous ne nous ressemblons pas, même de loin, dit-elle. Nous ne vivons pas sur la même planète. Nous n'avons strictement rien en commun.

— C'est ce que vous pensez maintenant, c'est normal. Mais les choses changent.

Modifiant la position de son déambulateur, la vieille se dirigea à pas lourds vers la porte. Elle jeta un coup d'œil à Sara par-dessus son épaule.

— J'oubliais. Il ne servirait à rien de montrer la cassette vidéo à quelqu'un, Sara. Que verraient-ils, de toute façon ? Un petit souvenir de famille, gentillet mais mal filmé. Un père laissant un message à sa fille pour la rassurer sur sa santé. C'est tout. Vous aurez de nos nouvelles, disons, à midi.

Sara regarda sortir la vieille femme, suivie par Charlie. Les montants du déambulateur faisaient un bruit métallique. Charlie ouvrit un parapluie pour la protéger, ils passèrent près des pompes où le néon les éclaira brièvement avant qu'ils ne disparaissent dans l'ombre en direction de leur voiture.

Sara s'attarda un moment à l'intérieur de la boutique. Retrouver Klein. Avant midi. Elle savait qu'elle ne le pouvait pas, à moins d'un miracle. Et l'époque des miracles était révolue. Les prières n'étaient plus entendues. Vous priez et ne faites que vous parler à vous-même. Dieu ne vous accorde plus de son temps.

Elle sortit pour rejoindre sa voiture. La pluie, qui tombait de ce même ciel vers lequel les prières montaient en vain, s'abattait à travers la lueur bleue du néon et claquait contre son visage. Elle entra dans sa voiture, posa ses mains mouillées sur le volant et sentit l'eau froide dégouliner de ses cheveux sur sa nuque. Un caractère bien trempé, pensa-t-elle.

Peut-être, après tout.

26

Elle repartit en direction de Manhattan. Des nuages noirs camouflaient la lune. Elle se gara dans une rue du Village puis vérouilla la portière et marcha quelques dizaines de mètres. Elle était trempée jusqu'aux os mais ne sentait plus la pluie. Quand elle arriva à la vieille bâtisse divisée en appartements, elle appuya sur une des sonnettes et entendit la voix de Tony Vandervelt dans l'interphone. Elle s'annonça. Tony eut l'air surpris.

— Sara ?

— Puis-je monter ?

— Bien sûr.

La porte s'ouvrit avec un bourdonnement et elle entra dans le hall. Elle monta au second, où Vandervelt, vêtu d'une robe de chambre vert sombre, l'attendait à la porte de chez lui. Elle entra.

— Il faut vous sécher les cheveux. Je vais vous chercher une serviette, dit-il.

Elle ôta son imper, regarda Tony disparaître dans la salle de bains, jeta un coup d'œil circulaire autour

d'elle. Les murs étaient couverts de tableaux. Vandervelt collectionnait les œuvres d'artistes inconnus dans
l'espoir que, tôt ou tard, l'un d'eux au moins devienne
célèbre. Un choix éclectique. Une peinture d'inspiration gothique la troubla un peu. Elle représentait une
créature pareille à une chauve-souris, qui dévorait une
forme sombre qui lui ressemblait, un tableau obscur,
plein de sang et de petits crocs aiguisés.

Tony revint.

— Tenez, séchez-vous avant d'attraper froid, dit-il
en lui donnant la serviette.

Elle se frictionna les cheveux vigoureusement.

— Je suis surpris de vous voir.

— Je ne vous dérange pas ?

— Pas du tout.

Il la débarrassa de la serviette, qu'il étendit soigneusement sur un radiateur.

— Je vais vous faire du thé.

— Merci. Vraiment, je ne veux rien.

Il s'assit sur le canapé face à elle. Il a l'air légèrement mal à l'aise, pensa-t-elle. Peut-être sa visite inopinée était-elle inopportune. Elle regarda de nouveau
autour d'elle. Une porte conduisait à la salle de bains,
une autre, entrebâillée, à la cuisine, où des casseroles
en cuivre étaient suspendues à des crochets. Elle vit de
la lumière sous la troisième, vraisemblablement celle
de la chambre de Tony.

— Qu'est-ce qui vous amène ? demanda-t-il.

— Une question. Une simple petite question.

— Vous avez fait tout ce chemin pour me poser une
petite question ? dit-il en la regardant avec incrédulité.

Il croisa les jambes, sa robe de chambre s'écarta.
Il avait les jambes blanches. Elle ramassa son imper

237

mouillé qu'elle avait laissé tomber sur le plancher, en sortit la photo pliée et la lui tendit.

Il l'examina quelques instants.

— Je m'en souviens. C'était à Central Park, en mars ou avril dernier.

— En avril. Un jour où il faisait froid.

— Un froid glacial. Nous sommes tous allés déjeuner dans un restaurant indien de la 43e Rue, n'est-ce pas ? Mark voulait absolument une nourriture épicée.

— J'avais oublié, dit-elle. Nous avons pris de l'agneau tandoori.

— Elle a fait la guerre, remarqua-t-il en tripotant la photo.

— Vous nous aviez donné un tirage. Vous en avez gardé un pour vous ?

— Vous n'êtes quand même pas venue jusqu'ici pour me parler d'une vieille photo ?

— Puis-je voir la vôtre ?

— Pourquoi diable ? Elle doit ressembler à celle-ci, si ce n'est qu'elle est en meilleur état.

— J'aimerais seulement y jeter un coup d'œil.

Elle ne savait trop dans quelle mesure elle voulait lui donner des explications. La confiance. On en revenait toujours là.

Il haussa les épaules.

— Je ne sais plus où je l'ai fourrée.

— Essayez de la retrouver, Tony.

Il tourna la tête et regarda dans la direction de la chambre. Il resta silencieux un moment.

— Généralement, je mets les photos dans une boîte à chaussures. Je n'ai pas d'albums. Il faudrait que je fouille dans je ne sais combien de boîtes pour la retrouver.

— Essayez. Faites-moi cette petite faveur.

Il ne bougea pas.

— Je me concentre, dit-il en fermant les yeux. On dit que si on visualise un objet, on arrive en général à savoir où il est. Je vais tenter l'expérience.

Tony prit une expression d'intense concentration. Sara le regarda avec impatience. Puis son attention se porta une nouvelle fois sur la pièce, le mobilier – style minimaliste, chrome et verre –, et s'arrêta sur le trait de lumière sous la porte de la chambre.

— Bon, je vais voir si je peux mettre la main dessus. Accordez-moi un moment.

Il entra dans la chambre et referma la porte derrière lui. Elle fixa du regard la chauve-souris assassine puis détourna la tête. Elle entendait Tony farfouiller dans la chambre, explorer le contenu d'un placard.

Elle crut entendre une voix qui n'était pas la sienne, quelqu'un lui chuchoter quelque chose, peut-être une femme. Avait-elle interrompu ses ébats ? Pourquoi alors ne le lui avait-il pas dit ? Pourquoi ne lui avait-il pas dit qu'elle arrivait à une heure indue et demandé de revenir plus tard ? Peut-être avait-elle mal entendu. Des cintres glissèrent sur leur tringle, quelque chose tomba, peut-être des boîtes.

Elle se leva et fit quelques pas. Elle pensa à son père. Des douleurs abdominales. Elle revit son visage sur la cassette vidéo. Le mot « midi » lui revint à l'esprit mais sa signification précise lui échappait. Puis elle fut reprise par cette sensation persistante de panique, dont elle avait été assez imprudente de se croire débarrassée. Mais ce n'était pas si facile que ça. Elle la combattit, prit de profondes inspirations. Elle s'imagina dans un bain chaud et apaisant.

Elle entendit murmurer derrière la porte. « Pour

239

l'amour du ciel, Tony. » Cette fois-ci, elle était certaine de ne pas se tromper. Tony avait une femme dans sa chambre et ne voulait pas que Sara le sache. Il l'entendit lui intimer le silence. Elle retourna s'asseoir, étendit ses jambes. Elle s'interrogea sur l'amie de Tony, son besoin apparent de secret. Timidité ?

Il revint avec une vieille boîte de chaussures. Il la posa sur la table basse et en retira le couvercle.

— Si elle est quelque part, c'est dans ce lot, dit-il en commençant à passer rapidement en revue le contenu de la boîte. J'aurais aimé que vous me disiez pourquoi c'est si important, Sara.

Elle le regarda feuilleter une série de photos glacées dans des enveloppes jaunes – visages, coins de paysages, scènes de rue. Elle pensa au mendiant, à la voiture qui l'avait heurté, à la photo tombée dans le caniveau.

— Nous y voilà, dit Tony en tirant une photo d'une des enveloppes et la faisant glisser sur la table vers Sara.

Elle la ramassa, la regarda. C'était la même que celle qui avait été en la possession du mendiant. Elle la tint, la compara à la sienne, les posa l'une à côté de l'autre et les examina comme si elle cherchait une petite différence. Mais elles étaient exactement semblables. Exactement.

— Quel est ce grand mystère ? demanda Tony.

— Je ne peux vous l'expliquer.

— Vous ne pouvez pas ou vous ne voulez pas ?

— Je ne peux pas.

— Comment se fait-il que votre tirage soit en si mauvais état ? Il est passé dans la machine à laver ou quoi ?

240

Sara secoua la tête.

— Vous aviez fait deux tirages, n'est-ce pas ?

— Oui. Un pour vous et Mark, l'autre pour moi. Où cela mène-t-il, Sara ?

— Il n'y en a pas eu de troisième ?

— Non. Pourquoi aurais-je fait un troisième tirage ?

— Avez-vous donné le négatif à quelqu'un ?

— Qui en aurait voulu ?

— Vous l'avez donc toujours ?

— Je pense.

— Est-ce qu'il est dans l'enveloppe ?

— Pourquoi cela a-t-il une telle importance ?

Elle ne répondit pas, prit la boîte, en tira l'enveloppe où Tony avait trouvé la photo et en sortit des bandes de négatifs. Elle les tint à la lumière et les examina lentement. Elle trouva le bon négatif : elle et Mark Klein, indéniablement celui de la photo prise à Central Park.

Un troisième tirage en avait été fait et donné au mendiant.

— Vous êtes certain de ne pas avoir commandé une troisième épreuve ?

— Absolument certain.

— Et vous n'avez confié le négatif à personne ?

— Je m'en souviendrais, Sara. Pourquoi quelqu'un me l'aurait-il demandé ? « Tony, puis-je t'emprunter ce négatif pour quelques heures ? » Ce n'est pas des choses qu'on oublie.

— C'est vrai, dit Sara.

Elle contemplait les deux épreuves posées sur la table. Mark Klein lui renvoyait son regard. Qu'y avait-il dans ce regard ? Une sorte de défi ? « Allez, chérie, trouve-moi. Tu n'as que jusqu'à midi. » Que se passera-t-il alors ? Elle pensa au soleil à son zénith. Morne et redoutable.

241

Elle se demanda si Tony lui mentait, s'il n'avait pas commandé un troisième tirage pour le donner au mendiant, mais elle n'arrivait pas à trouver pour quelles raisons il aurait fait cela. Il n'y avait qu'une seule possibilité, bien mince : Tony aurait détourné les fonds et aurait tout mis sur le dos de Mark. Mais même si c'était vrai, pourquoi toute cette comédie avec la photo ? Pourquoi ce message laissé à l'hôtel Cresta Vista de Los Angeles ? Pourquoi tout cela ? Peut-être était-ce beaucoup plus simple : quelqu'un s'était introduit dans l'appartement de Tony, avait emprunté le négatif, fait faire un tirage puis avait rapporté le négatif sans que Tony s'en aperçoive. Plus simple ? En quoi ce scénario simplifiait-il les choses ?

Elle se leva, prit la photo abîmée et la fourra dans sa poche.

— Je vous ai fait perdre votre temps, dit-elle.

— Non, non. C'est toujours un plaisir de vous voir. Même si votre visite a été plutôt mystérieuse...

— Je n'ai pas voulu qu'elle vous paraisse telle. C'est tout simplement mon univers qui l'est devenu ces jours-ci.

Elle tourna la tête vers la porte de la chambre. Une ombre obscurcissait le trait de lumière ; quelqu'un se tenait derrière la porte. Sara eut envie d'aller l'ouvrir, mais elle s'abstint.

— Vous êtes sûre que vous ne voulez pas un thé ?

— Non, merci.

Tony l'accompagna jusqu'à la porte et l'embrassa rapidement sur la joue.

— Conduisez prudemment, dit-il.

— Je suivrai votre conseil.

Elle redescendit et sortit dans la rue. La pluie avait cessé. Elle alla à sa voiture, s'assit au volant et attendit, se demandant combien de temps elle allait devoir patienter. Elle recula le siège au maximum, allongea ses jambes et croisa ses mains sur son ventre. Un troisième tirage, pensa-t-elle. Quelqu'un fait faire un troisième tirage, le donne au mendiant et...

Elle avait les paupières lourdes. Elle imagina Tony et la femme copulant fiévreusement. Elle avait du mal à se représenter la scène : Vandervelt était ce genre d'homme qu'on n'arrivait pas à imaginer faisant l'amour. Elle ne parvenait pas à voir ce grand échalas maladroit et anguleux dans les affres de la passion. Le dessin de sa bouche ne collait pas, sa façon de remuer les lèvres était plus amusante que séduisante. Elle ferma les yeux et sentit le sommeil l'envahir. Elle ramena son siège en avant et s'obligea à se tenir droite. Elle allait attendre encore une demi-heure avant de s'en aller. Qu'est-ce qui lui prenait donc d'espionner Tony ?

Vingt minutes et des poussières.

Elle vit la porte de l'immeuble s'ouvrir. La femme qui sortit fut éclairée un instant par la lampe au-dessus de la porte. Sara se pencha en avant, le visage près du pare-brise soudain embué par sa respiration accélérée.

27

La femme était au volant d'une BMW blanche, un modèle récent, voiture facile à suivre dans l'obscurité. Même quand elle doublait, Sara ne la perdait pas de vue. Les bus soulevaient des gerbes luisantes d'eau de pluie, et des taxis clandestins se faufilaient dans le flot de la circulation, mais la BMW blanche, à quatre ou cinq voitures devant Sara, était toujours dans son collimateur.

Cela faisait un drôle d'effet de suivre quelqu'un dans une ville la nuit, comme si on n'était plus prisonnier des événements extérieurs, comme si enfin on avait une bonne prise sur l'échelle glissante de sa destinée. Le caractère bien trempé, pensa Sara. Elle suivrait la voiture blanche à travers un fleuve de boue s'il le fallait.

La BMW se glissa devant un camion et Sara la perdit de vue pendant un moment, mais elle réapparut lorsque le camion bifurqua. Si j'avais à me rendre à quelque rendez-vous nocturne un peu louche, pensa Sara, la dernière chose que je ferais serait de choisir une voiture blanche. J'essaierais d'en trouver une discrète et passe-partout, une vieille bagnole qu'on ne puisse pas repérer au milieu des autres.

Des tourbillons de vapeur s'échappaient des bouches de ventilation du métro. Son père lui avait raconté un jour que des dragons vivaient sous les rues de Manhattan et que la vapeur que l'on voyait provenait de leur souffle brûlant. Une jolie historiette à laquelle elle avait cru pendant des années. Crédule Sara, nourrie de fables.

Feu rouge. Arrêt. Feu vert. La BMW avait maintenant un carrefour d'avance. Sara accéléra un peu. Les enseignes lumineuses des boutiques défilaient rapidement. La pluie dégoulinait des auvents des hôtels et des immeubles.

Autre signal rouge, cette fois-ci devant une entreprise de pompes funèbres. Des concessions funéraires, pensa-t-elle, en détournant la tête. Elle se concentra sur la BMW, se souvint du trait de lumière sous la porte de la chambre de Tony Vandervelt, de l'ombre de la femme à l'oreille indiscrète – le petit secret de Tony.

La BMW tourna à gauche. Sara la suivit. Plus aucun véhicule ne la séparait maintenant de l'autre voiture. La BMW ralentit, les feux de freinage lancèrent leur éclat rouge. Quelle était cette rue ? La 44e, la 43e ? Elle n'avait pas fait attention aux panneaux. Elle savait qu'elle n'était pas loin de Madison, mais sa carte mentale de la ville était confuse.

La conductrice de la BMW avait trouvé une place et faisait un créneau. Sara n'avait d'autre choix que de la dépasser ; elle pouvait difficilement rester au milieu de la chaussée. Elle jeta un coup d'œil dans le rétroviseur.

La femme sortait de la voiture blanche, le plafonnier resta allumé quelques instants.

Sara chercha une place pour se garer et en trouva une devant une bouche d'incendie. Interdit, et puis après ? Elle était d'humeur à se moquer des règlements et bien décidée à ne pas perdre la femme de vue. Elle sortit de sa voiture et revint en arrière sur le trottoir plongé dans la pénombre.

A une cinquantaine de mètres devant elle, la femme passait sous un arbre avec précaution, craignant sans doute de salir ses chaussures dans des feuilles mortes trempées, des crottes de chien, ou pis, de perdre l'équilibre et de tomber dedans.

La femme redressa le buste et se remit en marche d'un pas plus assuré. Quelle élégance dans le mouvement et l'habillement, pensa Sara, qui continuait d'avancer en évitant la lumière des lampadaires et en restant soigneusement dans l'ombre. La femme s'arrêta devant une maison, s'attarda quelques instants au bas des marches, puis monta vers la porte et appuya sur la sonnette. Au-dessus de sa tête, une caméra pivota presque imperceptiblement.

Je connais cet endroit, se dit Sara.

La porte s'ouvrit et Theodore Pacific apparut sur le seuil. Il sourit de son beau sourire et avec un geste de bienvenue emphatique, un salut presque théâtral, fit entrer Jennifer Gryce avant de refermer la porte derrière eux.

28

Elle s'assoupit dans sa voiture pendant quelques minutes et fut réveillée en sursaut par quelqu'un qui tapait à la vitre de la portière. Elle ouvrit les yeux et vit McClennan sur le trottoir obscur. Elle baissa la vitre et lui lança un regard ensommeillé.

— Je sais, je suis en stationnement interdit...

— Ce n'est pas mon rayon, Sara, répondit McClennan avant de la fixer un moment pour la jauger. Vous avez eu une soirée bien remplie. Vous partez de chez vous, vous rendez visite à votre vieil ami Vandervelt, vous passez un quart d'heure avec lui, vous restez assise dans votre voiture une vingtaine de minutes, puis vous traversez la ville et, Dieu sait pourquoi, vous venez vous garer ici – on ne voit plus que vous ce soir, Sara.

— Vous avez un grand don d'observation, McClennan.

— La question que je me pose est celle-ci : quelle mouche vous a piquée ? Pourquoi toute cette cavalcade ?

— Je me suis perdue. Je n'ai pas l'habitude de conduire en ville. Je me suis garée et me suis endormie. Je plaide coupable.

McClennan parcourait le trottoir du regard comme s'il essayait de deviner pour quelle raison Sara s'était garée dans cette rue-là.

— Comment se fait-il que j'aie toujours autant de mal à avaler ce que vous me dites ? Chaque fois que vous ouvrez la bouche, j'ai l'impression que vous allez me servir un nouveau mensonge.

— C'est effectivement votre principal défaut, répondit Sara. Vous ne faites confiance à personne.

— Qui est cette vieille femme, Sara ?

— Quelle vieille femme ?

— Celle qui marche avec un déambulateur.

— Un déambulateur ?

— Vous êtes entrée dans une station-service à Long Island et vous avez discuté avec cette femme.

— Oh, oui ! C'est exact, je me souviens maintenant. Elle m'a demandé de lui indiquer son chemin.

Sara sentait l'air de la nuit, froid à présent, lui caresser le visage. McClennan faisait des heures supplémentaires. Elle se demanda s'il avait remarqué Jennifer Gryce quand elle était sortie de l'immeuble de Tony. Mais pourquoi l'aurait-il fait ? S'il surveillait Sara, il n'avait probablement pas vu Gryce monter dans la BMW blanche. Il n'avait pas dû se rendre compte que Sara suivait Jennifer Gryce à travers la ville.

— Ça devait être un chemin bien compliqué. Il vous a fallu un sacré bout de temps pour le lui expliquer.

— Elle ne parlait pas bien anglais. Sûrement une Européenne, une touriste. J'admire votre discrétion, McClennan. Vous deviez être garé tout près de la station-service et je n'ai rien vu du tout.

McClennan soupira.

— Qu'est-ce que vous fabriquez ? Pourquoi êtes-vous allée voir Vandervelt ? demanda-t-il.

— Je suis une femme abandonnée, vous l'oubliez. J'avais besoin d'une épaule sur laquelle épancher mes larmes.

— Pourquoi pas celle de votre père ?

Elle eut envie de lui expliquer pourquoi, mue par ce même besoin de tout lui dire qu'elle avait déjà éprouvé en sa présence. Il était censé représenter la loi et l'ordre, mais dans la vie de Sara ces mots avaient perdu leur sens. Elle ne pouvait plus se fier à la loi et à l'ordre, ni aux hommes qui les défendaient. Elle avançait seule sur la corde raide, sans filet.

— Je ne tiens pas à accabler sans cesse mon père avec mon fardeau.

McClennan changea brusquement de sujet :

— Qu'avez-vous fait avec les données que vous avez imprimées, Sara ?

— Je vous l'ai déjà dit, McClennan. Si vous voulez revenir sur cette accusation, je suis prête à en discuter avec vous, mais seulement en présence de George Borbokis.

— Vous savez, ça m'ennuie beaucoup que vous éprouviez le besoin de consulter un avocat avant de dire quoi que ce soit. Cela implique que vous avez quelque chose à cacher. Pourquoi ne pas tout simplement bavarder entre nous ?

— Avoir un représentant légal fait partie de mes droits constitutionnels.

— Bénis soient les pères fondateurs, fit McClennan, puis avec un petit sourire : Nous avons saupoudré le clavier.

— Saupoudré ?

— Pour prendre les empreintes digitales.

Elle sentit son cerveau s'obscurcir.

— Et alors ?

— Nous procédons aux vérifications.

— Je suppose que vous avez trouvé des tas d'empreintes. Celles de Mark, des types qui ont procédé à la vérification des comptes. Celles de vos hommes. Il devait y en avoir des centaines.

— J'ai besoin de relever les vôtres, Sara.

— Adressez-vous à Borbokis.

McClennan s'écarta de la voiture.

— Très bien. Je vais appeler ce bon vieux George à la première heure. Je suis sûr qu'il ne verra aucune objection à ce que je relève les empreintes digitales de sa cliente.

A la première heure, pensa-t-elle. Elle tourna la clé de contact, puis jeta un coup d'œil derrière elle et vit la BMW de Gryce garée un peu plus loin. De quoi Gryce et Pacific pouvaient-ils parler ? Quel était leur lien ? Elle songea à des fils ténus et embrouillés. Elle essaya de se représenter où ils se touchaient, s'entremêlaient, mais le schéma lui échappait.

— Je rentre chez moi.

— Vous croyez que vous êtes d'attaque ? C'est un long trajet.

— J'y arriverai, acquiesça-t-elle.

— Ne vous endormez pas au volant.

Elle démarra, s'éloigna du trottoir et regarda McClennan dans le rétroviseur. Il veut relever mes empreintes. Mais ce n'était pas pour tout de suite et elle pourrait y penser plus tard. Elle se demanda si les agents du FBI allaient l'escorter jusqu'à Long Island – où elle n'avait nullement l'intention d'aller.

29

Elle traversa le centre-ville. La pendule du tableau de bord indiquait 00:05. Il était minuit passé et la cité bourdonnait – des gens erraient sans but sur les trottoirs, les restaurants étaient pleins de monde, des jeunes traînaient au coin des rues. Une ville insomniaque. Elle jetait un coup d'œil dans le rétroviseur de temps à autre, mais n'arrivait pas à savoir si McClennan la suivait ou non. Il y avait trop de circulation.

Elle arriva à Times Square, avec ses enseignes tapageuses, puis remonta une rue adjacente en direction du fleuve. Elle se gara, attendit un moment, scrutant le rétroviseur. A quoi pouvaient bien ressembler les voitures du FBI ? Celles avec lesquelles ils avaient débarqué chez elle à l'aube étaient parfaitement anonymes. Elle n'arrivait même pas à se rappeler tout à fait comment elles étaient. Des américaines mastoc, anodines, qui passaient complètement inaperçues.

Elle sortit de sa voiture, huma l'odeur de bois pourri dégagée par l'Hudson, traversa rapidement la chaussée et partit dans la direction opposée au fleuve. Elle entra dans une rue étroite, peuplée d'ombres allongées et de rares lampadaires. De vieux immeubles avaient été modernisés et transformés en appartements, mais l'endroit était toujours aussi peu attirant.

Elle trouva l'immeuble qu'elle cherchait. Le nom était écrit sur l'auvent : *Hudson View*. Elle déboutonna son imper et s'approcha de la porte en verre. A l'intérieur, assis à un bureau, un gardien en uniforme vert foncé lisait le *New York Post*. Elle essaya de pousser la porte. Fermée. L'homme ne l'avait pas vue. Elle prit une pièce dans sa poche, frappa de petits coups secs sur le verre et, seulement alors, il leva la tête.

Elle appuyait son gros ventre contre la porte. Une femme enceinte qui veut entrer, pensa-t-elle. Qui, hormis les plus sadiques, pourrait résister ? L'homme en uniforme se leva, ouvrit la porte et s'effaça pour la laisser entrer. Il avait un visage rond d'Irlandais, de grosses bajoues rubicondes. C'était un quinquagénaire et il portait une alliance. Ses traits respiraient la douceur et la bonne humeur. Joue la carte de la femme enceinte, se dit-elle, le grand jeu s'il le faut.

— Vous allez attraper du mal, là-dehors, fit-il avant de refermer la porte.

En se tenant le ventre, Sara se dirigea lentement vers le bureau. Elle s'y appuya en s'affaissant légèrement.

— Ça va ? demanda-t-il.

— Seulement une de ces agréables nausées, dit-elle.

— Oui, je sais ce que c'est.

Elle se força à sourire, un petit sourire pathétique. Elle se rendit compte qu'elle apprenait vite la ruse. L'essentiel était d'avoir l'air vulnérable et abattue tout en conservant un soupçon de gaieté stoïque. La condition humaine. La procréation est une sacrée épreuve, mais où serions-nous sans elle ? Le portier, un dénommé Sean comme l'annonçait le badge qu'il portait au revers de sa veste, tournait autour d'elle.

— Vous voulez un verre d'eau ou autre chose ?

Elle secoua la tête.

— Ça ira. En général, ça passe au bout d'une minute. Avec un peu de chance, répondit-elle en regardant les boutons en cuivre brillant de l'uniforme de Sean.

— Vous en êtes à quel mois ? demanda-t-il.

— Au sixième.

— Plus que trois, dit Sean. Parfois difficiles.

— Parfois.

— Pourquoi ne vous asseyez-vous pas un moment ? Là, mettez-vous derrière le bureau, prenez ma chaise. De toute façon, je suis trop souvent assis.

Il la guida vers la chaise et la regarda avec sollicitude. Il ne lui était pas venu à l'esprit de lui demander ce qu'elle faisait là. Il allait le faire tôt ou tard, évidemment. En attendant, il continuait cependant de parler de terme et de grossesse comme un homme qui a passé de longues heures dans les salles d'attente des maternités. Il avait, semblait-il, six enfants, dont aucun n'avait eu une naissance facile. Il était expert en matière d'accouchement et de médecins, qu'il tenait pour la plupart en piètre estime.

— Vous vous sentez mieux ?

— Oui, un peu.

— Vous êtes sûre que vous ne voulez pas un verre d'eau ?

— Peut-être qu'un petit verre me ferait du bien.

Il s'en alla et revint une minute plus tard avec un

gobelet en plastique. Elle avait plus soif qu'elle ne l'avait cru et vida le gobelet en deux gorgées.

— Merci, dit-elle en plissant les yeux et fixant son badge. *Sean*. Vous ne seriez pas irlandais, par hasard ?

— Mes parents. Ils venaient du comté de Kerry, vous connaissez ?

— Mes arrière-grands-parents étaient de Kildare.

Ça ne lui faisait pas plaisir de mentir à cet homme, mais parfois il faut savoir ce qu'on veut.

— Vous y êtes allée ?

— J'aurais aimé.

— J'y suis retourné une fois. Pour l'enterrement de ma grand-mère. Y a pas à dire, ils savent mourir, là-bas...

Sara fit une petite grimace. Elle n'échappa pas à Sean, attentif comme une infirmière de nuit.

— Vous êtes sûre que ça va ?

— Un élancement, dit-elle.

Elle renversa la tête en arrière. Maintenant qu'elle avait pénétré dans l'immeuble, il fallait qu'elle trouve un autre truc, mais lequel ? Sean lui avait spontanément témoigné de la sympathie. Jusqu'où irait-elle ? C'était un type sympa, mais il devait quand même faire son boulot et garder l'immeuble.

Elle ferma les yeux et fronça les sourcils.

— J'espère que je ne vous importune pas, dit-elle.

— Je suis content de vous être utile. Les nuits traînent en longueur. Lire le journal, faire des mots croisés, jeter un coup d'œil dans les couloirs et les ascenseurs. Encore le journal. C'est stimulant...

Elle mordit sa lèvre supérieure et émit un petit grognement, à peine audible. Mais en père expérimenté, Sean était sensible au plus petit signal de détresse. Il posa sa grosse main sur le front de Sara.

— Vous avez peut-être un peu de température. C'est ce fichu temps. Il pleut et, la minute d'après, il y a du soleil.

— Oui, le temps est capricieux.

— Restez assise là tant que vous voulez. Mettez-vous à l'aise.

— C'est vraiment gentil à vous.

— La gentillesse appelle la gentillesse.

Elle se souvint des paroles du mendiant : « Un bienfait en appelle un autre. » Elle aperçut derrière Sean une série de petits casiers qui contenaient des clés, manifestement des doubles pour les locataires distraits. Comment jouer le prochain coup ? Elle allait devoir exploiter la générosité naturelle de Sean ; s'il le fallait, elle le ferait. Elle devait se montrer rusée, capable de tirer parti de la gentillesse des autres. Elle n'avait pas le choix.

— Vous voulez me faire une faveur ? demanda-t-elle.

— Bien sûr.

— Ça vous ennuierait... dit-elle en tendant le gobelet en plastique.

— Vous avez encore soif, hein ? Pas de problème. Je suis de retour dans un instant.

Un instant. Serait-ce suffisant ? Elle le regarda suivre le couloir. Dès qu'il eut disparu, elle se leva précipitamment de sa chaise, prit la clé qu'elle voulait dans son casier et se tourna vers les escaliers. Elle ne courrait pas le risque de prendre l'ascenseur parce qu'à son retour il remarquerait le numéro de l'étage sur le tableau lumineux. Elle n'avait que deux étages à monter.

Sean, je suis désolée. Profondément désolée. Tu as été trahi.

Elle monta sans bruit, en retenant sa respiration. Jusque-là, elle avait joué la comédie, mais maintenant elle n'était vraiment pas dans son assiette. Faible, les jambes lourdes, l'estomac défaillant. Elle serra la clé dans la paume de sa main et continua de monter. Elle suivit un couloir, glissa la clé dans la serrure de la porte 202, puis entra dans l'appartement et referma la porte derrière elle. Elle trouva un interrupteur et alluma la lumière.

Cela faisait près de deux ans qu'elle n'était pas venue là, mais l'appartement n'avait pas changé. Un séjour spacieux dont les couleurs dominantes étaient le noir et le rouge : murs, bibliothèques, chandeliers, même le mobilier, des meubles d'occasion de qualité, soigneusement décapés et repeints. La peinture laquée luisait dans toute la pièce. Sara se rendit compte qu'elle avait toujours trouvé cet appartement peu accueillant, comme si les couleurs avaient été choisies pour exercer un effet de répulsion. Elle traversa la pièce, jeta un coup d'œil dans la cuisine en désordre – des assiettes empilées dans l'évier, la table jonchée de journaux et de magazines. Elle se dirigea vers la chambre, ouvrit la porte et marqua un temps d'arrêt : qu'espérait-elle trouver là ?

Le lit n'était pas fait. Les draps en satin noir traînaient jusqu'à terre. Les oreillers rouges avaient glissé du lit. Partout, ce noir et ce rouge, brillants. Un coin de la chambre avait été transformé en bureau, séparé du reste de la pièce par de gros montants en bois peints en rouge et noir. Une machine à écrire, un ordinateur, un téléphone, un répondeur, des feuilles de papier, des factures entassées d'un côté du bureau. Pas de photos, remarqua-t-elle. Aucun souvenir en image de sa vie.

Elle écarta la chaise du bureau, s'assit et prit dans sa poche ses lunettes pour lire. Elle examina rapidement les factures sans savoir ce qu'elle cherchait. American Express. Mastercard. Macy's. Bloomingdale's. Elle ne vit rien d'extraordinaire. Des achats de vêtements, pour l'essentiel. Quelques notes de restaurants. Elle remit en place les relevés de cartes de crédit et ouvrit le tiroir du milieu.

Des trombones, une agrafeuse, des crayons, un bloc-notes tout neuf. Il y avait aussi une facture détaillée de téléphone. Elle aurait voulu l'étudier dans l'espoir de tomber sur un numéro familier, mais cela prendrait trop de temps. Elle fourra la facture dans sa poche en se disant : Plus tard.

Elle ouvrit un des tiroirs latéraux du bureau. Des chemises en papier kraft soigneusement rangées et étiquetées, de couleurs différentes – bleu, jaune, vert. Elle en prit une bleue. Elle contenait des relevés de comptes bancaires et des chèques annulés, tous bien en ordre, classés et agrafés suivant le mois de paiement. Elle feuilleta les chèques. L'un, de quatre-vingt-dix-huit dollars, était à l'ordre d'un magasin de peintures, un autre, de six cents dollars tout rond, à l'ordre d'une société de cartes de crédit. Il aurait été trop long de tout examiner, et même si elle avait eu tout son temps, elle n'aurait vraisemblablement rien trouvé d'intéressant.

Elle prit un dossier à étiquette jaune. Des polices d'assurance, des assurances à capital différé, des contrats d'assurance-vieillesse, l'assurance de l'appartement, celle de la voiture. Le tout en caractères minuscules.

Elle remit le dossier en place, en prit un à étiquette verte et l'ouvrit. Il contenait des centaines de papiers à en-tête de la société Rosenthal avec son logo : un aigle à la face sévère et aux ailes repliées, dessiné par Sol il y avait bien longtemps pour donner à ses clients l'assurance que Rosenthal Brothers était une société cent pour cent américaine, où leur argent serait donc en sécurité. Le grand oiseau symbolisant la confiance.

Elle parcourut rapidement les documents. Les nom et adresse des clients ainsi que des données concernant leurs placements y étaient mentionnés.

Elle lut : BROSE INC., PENSACOLA, FLORIDA.

Un des clients de Mark. Elle se souvenait d'avoir vu ce nom sur les tirages papier qu'elle avait faits sur l'ordinateur de Klein. Elle rajusta ses lunettes. JANE BRIERLEY. DEE DEE CRAWFORD. Qu'est-ce que ces informations faisaient là ?

Le téléphone sonna sur le bureau et la fit sursauter. Elle entendit le répondeur se mettre en marche à la quatrième sonnerie, puis le message enregistré : « Soyez aimable de laisser votre nom et votre numéro de téléphone. »

« Il faut que je vous parle. Appelez-moi dès votre arrivée », dit une voix d'homme.

Le correspondant raccrocha. Sara appuya sur le bouton de lecture, écouta de nouveau le message attentivement. Elle connaissait cette voix. Elle fut tentée d'écouter le message une troisième fois, pour plus de sûreté. Avant qu'elle ait pu appuyer sur le bouton, elle se rendit compte que quelqu'un était entré dans la chambre.

Elle se retourna.

— C'est le genre de choses qui peuvent te faire arrêter, Sara.

30

Sara sentit le sang lui monter à la tête, réaction de toute personne qui s'est introduite chez autrui et se fait surprendre par le propriétaire. Le dossier lui échappa des mains et les papiers à en-tête s'éparpillèrent sur le parquet.

— J'appelle les flics tout de suite ou j'écoute d'abord tes explications ? demanda Jennifer Gryce.

— Je n'ai pas grand-chose à donner comme explication, Jen. Peut-être devrais-tu appeler les flics maintenant. Non, attends... téléphone plutôt à McClennan. Ce sera pour lui une bonne occasion de me coincer, et Dieu sait qu'il l'attend avec impatience. Violation de domicile, c'est une affaire sérieuse.

Jennifer Gryce ôta son manteau. Elle portait un chemisier sans manches et une jupe courte. Ses bras étaient blancs et maigres. On apercevait un petit lys tatoué sous son épaule gauche.

— Tu n'as pas d'explication à donner, Sara ? Rien à dire pour ta défense ? Tu as seulement eu l'idée de t'introduire chez moi ? Tu étais en train de prendre l'air dans le quartier et tu as pensé : Pourquoi pas entrer chez Jen ? Ce que c'est drôle !

Sara regarda son visage squelettique, son nez parfaitement droit. Jennifer Gryce était presque jolie, dans le genre émacié. Sara avait l'impression que si on l'avait mise à contre-jour, on aurait vu à travers.

— Je suis enceinte, dit-elle. Mes hormones me jouent des tours, je ne suis pas responsable de mes actes. J'ai tendance à avoir un comportement incompréhensible. Kleptomanie, violation de domicile et j'en passe.

— Hormones, mon cul, rétorqua Jen Gryce.

Elle s'avança d'un pas et examina les feuilles éparpillées par terre.

— Désolée d'avoir mis cette pagaille, s'excusa Sara. Mais ça va bien dans le paysage, tu ne trouves pas ?

— Nous ne pouvons pas toutes être des femmes d'intérieur dorlotées habitant de luxueuses maisons de Long Island. Certaines d'entre nous doivent gagner leur vie ; elles n'ont pas le temps de passer l'aspirateur ou de cirer les parquets. Mais peut-être as-tu une femme de ménage qui vient te décharger de ces basses besognes ?

— Elle s'appelle Lila. Elle vient le mardi et le jeudi. C'est Mark qui a insisté pour que nous la prenions, pas moi. Tu veux son numéro ? Peut-être te conviendra-t-elle.

— A la façon dont les choses tournent, Sara, je ne crois pas que tu pourras te permettre de garder Lila bien longtemps...

— Ça me ferait de la peine de la perdre.

— Faudra te faire à cette idée, rétorqua Jen Gryce de sa voix dure et tranchante avant de regarder les papiers qui traînaient par terre.

Ça se voit à son air calculateur, se dit Sara. On l'entend presque penser : *Qu'est-ce que Sara a bien pu trouver ?*

— Je vais remettre tous ces papiers en ordre. Il faut que je commence à m'entraîner.

— Ne touche à rien ! fit Jen Gryce sèchement.

— Je voulais seulement me rendre utile.

— Ne touche à rien, je te dis, répéta Gryce en croisant les bras sur sa poitrine en un geste défensif.

— Ce sont des documents intéressants. Des détails sur les clients de Rosenthal, leurs placements. Tu apportes ton travail à la maison, Jen ?

Gryce poussa les papiers du pied pour les remettre en pile.

— Nous sommes surchargés de travail, chez Rosenthal. Nous amenons tous du travail à la maison, tu devrais le savoir, Sara.

— Comment se fait-il que tu aies la liste des clients de Mark, Jen ? demanda Sara en s'appuyant sur le bureau. Pourquoi as-tu emporté *ses* papiers chez toi ?

— Je n'ai pas à répondre à tes questions, Sara. C'est toi qui t'es introduite chez moi. Si quelqu'un doit répondre à des questions, c'est toi.

— Alors pourquoi n'appelles-tu pas McClennan ?

Jennifer Gryce se baissa, ramassa les papiers et les fourra dans le dossier.

— Parce que j'essaie de t'épargner cette humiliation, voilà pourquoi.

— C'est très généreux de ta part, Jen. Très sympa. Mais j'ai enfreint la loi, non ? Et je mérite une punition. Tu sais ce que je vais faire ? Je vais appeler McClennan moi-même, me livrer à la police, je vais faire ce qu'il faut, dit Sara en décrochant le combiné.

— Je crois que ce serait imprudent, Sara.

— Comment ça ?

— Tu es enceinte. Ton mari a pris la fuite avec les fonds des clients. Inutile d'ajouter à tes emmerdements.

— Je pense être capable de faire face, Jen. Ne t'en fais pas pour moi.

Elle souleva le combiné et se demanda combien de temps Jennifer Gryce allait mettre à intervenir. Au bout de quelques instants, celle-ci lui prit le téléphone des mains, et elle ne chercha pas à l'en empêcher. Il y eut un silence. Sara sentait la tension de Gryce, comme de l'électricité statique dans l'air.

— Dis-moi, Jen, qu'est-ce que tu caches ?

— Je n'ai rien à cacher.

— Tu ne veux pas que j'appelle les autorités, et je trouve ça bizarre. Parce que je suis entrée chez toi, je ne cherche pas à me disculper et suis prête à me livrer à la police, mais tu ne veux pas que je le fasse. Ce qui m'amène à penser que tu as quelque chose à cacher.

Jennifer Gryce eut une petite exclamation de dérision.

— Si j'appelle le FBI, qu'est-ce qui va se passer ? Ils vont t'arrêter, et voilà un autre scandale sur les bras de Rosenthal. Sol n'a pas besoin de ça en ce moment. « *L'épouse désespérée du courtier en fuite de la société Rosenthal accusée de cambriolage.* » Magnifique ! Quelle publicité !

Astucieux, pensa Sara. Et même pas plausible, si l'on n'est pas vraiment concerné.

— Rentre chez toi, Sara. J'oublierai ce qui s'est passé.

— J'en ai par-dessus la tête des gens qui me disent de rentrer chez moi, Jen.

Jennifer Gryce alluma une cigarette et souffla la fumée en direction de Sara.

— J'espère que la fumée n'est pas nocive pour toi. Ou pour le bébé.

— Je crois que je m'en accommoderai.

— Bien. Alors rentre chez toi. Tu t'en accommoderas encore mieux là-bas.

— Mais tu n'as pas encore répondu à ma question. Pour quelle raison es-tu en possession de la liste des clients de Mark ?

— Bon. Tu veux une réponse, je vais t'en donner une. J'ai participé à la vérification des comptes. J'ai eu accès à tout, connaissance de tous les dossiers, toutes les transactions effectuées par Mark. C'est un travail long et compliqué, et je suis obligée de travailler chez moi tard le soir. Voilà, tu es satisfaite ?

Mensonge, pensa Sara. Aussi désinvolte qu'un revers du poignet. Aucun employé de la société ne peut être chargé de participer à un audit interne. Les vérificateurs viennent *toujours* de l'extérieur et sont indépendants de la société.

— Je le suis, dit-elle.

Elle l'avait vue entrer chez Pacific. Elle jongla avec les noms, imagina des liens possibles. Pacific et Charlie travaillaient pour la vieille Russe. Jennifer Gryce était associée d'une manière ou d'une autre avec Pacific. Pouvait-on en conclure que Gryce était elle aussi au service de la Russe ? C'était une possibilité. C'était aussi une carte qu'elle n'était pas décidée à jouer tout de suite. Ne pas dévoiler tout ce qu'on sait d'un seul coup. Garder des munitions, voilà la bonne stratégie à adopter. Pour son bien, pour le bien de son père. Elle pensa à la voix sur le répondeur. *« Il faut que*

263

je vous parle. Appelez-moi dès votre retour. » Autre connexion, mais de quelle sorte ?

— Depuis combien de temps couches-tu avec Tony ? demanda-t-elle.

— Depuis combien de temps je couche avec *Tony* ?

— Oui. Depuis quand ?

Jennifer Gryce écrasa sa cigarette, mais le mégot continua de fumer dans le cendrier.

— Ce n'est pas mon type d'hommes, Sara.

— C'est bien ce qui me semblait. Que faisais-tu alors dans sa chambre, ce soir ?

Jen Gryce eut un petit sourire sans joie.

— La parfaite petite détective, je vois.

— Pas si petite que ça ces temps-ci, dit Sara en se tapotant le ventre.

Gryce alluma une autre cigarette.

— Pas si petite est le mot. A dire vrai, tu es grosse. Tes chevilles sont enflées, tes doigts se sont épaissis. Regarde le bourrelet autour de ton alliance. Elle est trop serrée pour toi, non ? Et tu es en train de développer un double menton. Est-ce que tu fais attention à ne pas avoir de vergetures ?

— Oh, je sais que je suis devenue un vrai Bibendum, Jen. Je ne vais d'ailleurs pas tarder à proposer mes services chez Goodyear. Mais ce n'est pas de mon aspect extérieur qu'il s'agit, ma vieille. Je me demandais depuis quand tu baisais avec Tony, c'est tout.

— C'est juste comme ça, une fois de temps en temps, si tu veux le savoir.

— Je présume au ton de ta voix que ce n'est pas le grand pied.

— Le grand pied ! Ne me fais pas rire...

— La terre ne tremble donc pas sous toi.

— Ce pauvre Tony, ce n'est pas son fort.

— Tu te sers donc de lui.

Gryce haussa les épaules.

— Tu as entendu parler de ce qu'on appelle la solitude, Sara ?

— La solitude ? Je ne crois pas que ce soit seulement ça, Jen.

— Non ? Tu as une telle connaissance des rapports humains ?

— C'est à cause d'une photo.

— Une photo ?

— Oui, un négatif.

— Qu'est-ce que t'es en train de me chanter là ?

— Tu as volé un négatif à Tony. C'était une photo de Mark et de moi. Tu en as fait faire un tirage...

— Dans quel but ? L'encadrer et l'accrocher au mur dans ma chambre ? Voici mon ex-meilleure amie et son voleur de mari ! Tu es à côté de tes pompes, Sara.

A côté de mes pompes, pensa Sara. Peut-être. Mais elle ne le pensait pas. Jen Gryce avait eu accès à la chambre de Vandervelt, et Sara était sûre que très peu de gens avaient eu ou avaient seulement désiré avoir ce privilège. Alors, pourquoi pas ?

— Tu as fait faire un tirage à partir de ce négatif. Tu l'as fait remettre à un mendiant de Wall Street, qui a été payé pour me remettre un message. Un message sans intérêt. Enigmatique. Mais un message tout de même.

— Ding-dong, l'hôpital psychiatrique est en vue, railla Jen Gryce.

— Je ne le crois pas.

— Fais-moi plaisir, ma chérie. Va voir un psy.

— Pourquoi avoir envoyé ce message, Jen ?

— Oh, pour l'amour du ciel...

— J'étais censée croire que Mark était à Los Angeles, c'est ça ? J'étais censée cavaler là-bas pour me mettre à sa recherche... c'était ça l'objectif ? Car je représente une gêne, à traîner autour de la scène du forfait présumé de Mark ? Ou bien parce que quelqu'un souhaite me voir disparaître de la circulation comme l'a fait Mark, afin que j'aie l'air d'avoir participé à la magouille ? C'était quelque chose de ce genre ? Dis-moi seulement si je brûle.

Sara débitait en vrac ce qui lui passait par la tête. Elle perçut une note aiguë dans sa propre voix, un relâchement dans sa maîtrise de soi. Ça n'allait pas faire bien dans le tableau. Se mettre en colère contre Gryce n'était pas la bonne méthode. A trop la bousculer, ne signait-elle pas l'arrêt de mort de son père ? Dès qu'elle allait sortir de l'immeuble, comment savoir si Gryce n'allait pas téléphoner immédiatement à l'un de ses associés ? Au dangereux Pacific, par exemple ? Et à partir de lui, cela viendrait aux oreilles de la Russe... Bon, je suis en train de dérailler, se dit Sara. C'est de la démence. Alors pourquoi se sentait-elle si bien ? Elle s'envolait, brisait ses chaînes et se libérait.

— Je pense vraiment que tu perds les pédales, Sara, dit Gryce. Sincèrement. Des mendiants, des messages. Ecoute ce que tu dis, écoute-toi bafouiller. Je ne suis pas spécialiste en la matière, ma chère, mais il semble bien que tu sois à la limite de la paranoïa...

La paranoïa, pensa Sara. Elle songea de nouveau à l'hôtel particulier, à Gryce qu'elle y avait vue entrer. A la voix au téléphone. Si ça c'était de la paranoïa, ce n'était pas trop grave.

— Où est Mark ? demanda-t-elle.

266

Elle n'avait pas envisagé de poser cette question. Elle lui était venue subitement. Elle n'imaginait même pas comment Jen Gryce aurait pu connaître la réponse. Mais dans ce monde compliqué et plein de ruses, tout était possible.

— Mark ? Laisse-moi deviner. Bora Bora ? Panamá ? Un de ces coins où se réfugient les gens en cavale...

— Cherche encore, Jennifer.

— Tu veux que je te dise ce que je pense ? Tu as passé la frontière, ma belle. Tu es maintenant dans les limbes, et ce n'est pas une région bien hospitalière...

— Tu sais où il est, n'est-ce pas ?

— Non, je l'ignore...

— Tu le sais.

— Fous le camp, Sara...

Malgré sa résolution de rester calme, Sara s'avança brusquement et prit Jen Gryce par le poignet. Elle se souvint de la façon dont, à l'école, on se tordait la peau du poignet pour se faire mal, de la sensation de brûlure. Certaines actions sont irrésistibles. Pendant un instant, elle eut l'impression hallucinatoire que ce n'était pas le poignet de Jennifer Gryce qu'elle serrait, mais celui, ridé et parcheminé, de la Russe.

— Arrête, Sara, bon sang, tu me fais mal...

— *Où est Mark ?*

Gryce se débattait, se tordait, mais Sara la tenait fermement.

— Où est-il, Jen ?

— Arrête, c'est stupide...

— Dis-moi seulement où il est.

— Mais je n'en sais rien, nom de Dieu !

Sara sentit le bébé se déchaîner, donner des coups de pied comme un ânon enragé, sentit l'air s'échapper de ses poumons. Elle poussa un grognement et se pencha en avant, les mains contre son ventre. Les coups de pied étaient violents et continus. Elle s'écarta de Gryce et se pencha plus bas, pour trouver un soulagement. Voilà ce qui arrive quand on dépasse ses limites, pensa-t-elle. Le bébé se réveille de son paisible sommeil amniotique et, mécontent, vous roue de coups. Elle se mordit la lèvre, gémit, alla jusqu'au lit et s'assit sur le bord du matelas.

— Le bébé fait des siennes ? demanda Gryce. (Sara avait les larmes aux yeux.) Il faut le prendre avec le sourire, Sara. Les joies de la maternité. Tu es une sainte. Tu mérites une médaille.

Sara ferma les yeux. Qu'est-ce qui lui avait pris d'attaquer Gryce ? Pour trouver la réponse à cette question, il fallait probablement revenir en arrière, jusqu'au moment où Mark Klein était monté dans un taxi devant le 3242 Midsummer, en route pour l'aéroport. Ou au moment où, à l'aube, elle avait vu la plaque de McClennan collée contre la vitre de la porte d'entrée. Il fallait chercher cette réponse dans le parking sombre du restaurant de Port Jefferson, l'odeur de clous de girofle de la vieille Russe, la disparition de son père, la façon dont sa vie était bouleversée par une série d'ouragans qui l'avaient laissée brisée, solitaire.

Jen Gryce la regardait.

— Tu veux que j'appelle un médecin ?

Sara secoua la tête. En s'agrippant au bord du lit, elle se releva en hésitant, les jambes tremblantes. Quand elle avait besoin de dignité, elle ne la trouvait pas. La douleur semblait s'être coagulée dans sa gorge.

— Retourne dans ta jolie maison de Long Island, conseilla Gryce. Abandonne ta nouvelle carrière de cambrioleur. Tu n'es pas en état de faire ce métier.

Sara ne répondit pas. Elle avait le palais desséché, ses gencives lui faisaient mal. Les bébés pompent leur nourriture dans toutes les parties de votre corps. Ils vous dévorent, protéine par protéine. Ils tirent leur substance de la moelle de vos os. Elle fit quelques pas incertains pour s'éloigner du lit, les mains tendues devant elle comme une aveugle.

— J'ai besoin de retrouver mes forces avant de m'en aller, dit-elle.

— Ce n'est pas seulement tes forces que tu as besoin de retrouver, Sara, mais aussi ta tête. Tu devrais consulter un psychiatre.

— Peut-être.

— Sérieusement, Sara. Tu forces l'entrée de mon appartement, tu me débites un tas d'absurdités, puis tu m'agresses physiquement. Je n'appelle pas ça un comportement rationnel.

— Je ne suis pas rationnelle, ces temps-ci.

— C'est un euphémisme.

Sara suivait le mur à tâtons. Le bébé s'était calmé ; elle avait l'impression d'avoir le ventre contusionné, percé. Elle s'appuya contre les montants en bois qui entouraient le coin bureau de Jen Gryce. Elle jeta un coup d'œil au répondeur, vit le voyant rouge clignoter et se demanda si, en arrivant, Jen l'avait vue écouter l'appel.

— Nous étions amies, dit celle-ci.

Où voulait-elle en venir ? se demanda Sara. La méthode douce ? Allait-elle lui proposer de s'enlacer en signe de réconciliation ?

— Nous avons eu de bons moments, Sara.

— Tu l'as dit, *nous avons eu*.

— Il n'est pas nécessaire que nous soyons ennemies, tu sais. Rien ne nous y oblige.

— Peut-être, fit Sara en haussant les épaules.

— Quoi qu'ait fait Mark, ça ne doit pas nous séparer, tu ne crois pas ? Pas à long terme.

— C'est toi qui as fait le choix, Jen, pas moi. Je t'ai appelée. J'avais besoin de toi. Mais non, tu étais trop occupée, souviens-toi. Tu n'avais pas de temps à consacrer à ta vieille amie. Ta position dans la société passait avant l'amitié.

— Essaie de comprendre, je n'avais guère le choix. Quel effet cela ferait si je conservais des liens étroits avec toi ? Et puis cette histoire ne va pas durer cent sept ans...

— Tu es une fille ambitieuse, Jen. Et moi, je ne suis qu'une femme d'intérieur sur le point de pondre le fruit de mon mari fantôme. Que diable avons-nous en commun ?

Sara sortit de la chambre. Elle se retourna et jeta un coup d'œil en arrière. Jennifer Gryce la regardait sur le pas de la porte en se caressant les cheveux.

— Désolée d'avoir fait irruption chez toi, dit Sara en sortant sur le palier et en refermant la porte derrière elle.

Elle parcourut la moitié du couloir, fit demi-tour et revint sur ses pas. Elle n'était pas encore prête à partir, il lui restait quelque chose à faire. Elle attendit à la porte de Jennifer Gryce. Quand elle eut l'assurance de lui avoir laissé assez de temps, elle glissa la clé dans la serrure et la tourna, très doucement. Il y eut un petit bruit métallique. Elle poussa la porte, rentra dans l'appartement, retint sa respiration, entendit son cœur s'arrêter et écouta Jen Gryce parler au téléphone dans la chambre :

— Oui, j'ai eu votre message... Non, je ne vois pas en quoi je ne suis pas raisonnable... Je sais, je sais...

Vous savez ce que vous risquez de perdre... Oui, je sais que nous avons un accord, mais il arrive que les accords soient modifiés... Non, je ne me dégonflerai pas, vous le savez bien... Non... Entêtée est pour moi un compliment... exactement... (Il y eut un long silence. C'est à peine si Sara respirait. Pour écouter aux portes, il fallait être parfaitement immobile, ne plus exister.) Vous pensez comme moi, très bien, reprit Gryce... A demain.

Elle reposa le combiné. Sara se dirigea rapidement vers la porte. Elle la referma doucement derrière elle et se hâta vers l'escalier.

Dans le hall, Sean lisait son journal. Il leva la tête quand il la vit et dit :

— Eh, attendez un instant...

Mais elle l'avait déjà dépassé et se dirigeait vers la porte de l'immeuble.

31

Le concierge dit :

— Il n'est pas chez lui, il est sorti.

Sara cligna des yeux. Le lustre du hall d'entrée jetait une lumière dure.

— Quand cela ? demanda-t-elle.

— Il y a un petit quart d'heure.

— A-t-il dit où il allait ?

— Il n'est pas tenu de me faire part de ses allées et venues, madame.

Le concierge, un homme au visage fermé et sévère, était manifestement imbu de l'autorité que lui conférait son uniforme – un uniforme qu'aurait très bien pu porter un fonctionnaire d'une république stalinienne en décomposition.

— Tout ce que je sais, c'est qu'à cette heure-ci il va parfois faire une petite promenade dans le quartier.

Sara sortit de l'immeuble et resta un moment sur le trottoir, indécise. Par où était-il allé ? Pile ou face ? Elle avait le choix entre partir à sa rencontre en choisissant une direction, au risque de se tromper, et attendre son retour dans le hall. Mais le concierge, qui portait sa misogynie comme une médaille sur sa poitrine, n'aurait certainement pas vu d'un très bon œil qu'elle traîne là.

Elle se dirigea vers la droite, alla jusqu'au bout du pâté de maisons, puis s'arrêta, regardant d'un côté et de l'autre dans une rue peu prometteuse aux boutiques obscures. Elle revint ensuite sur ses pas et continua jusqu'au prochain croisement.

Réfléchissons, se dit-elle. Où a-t-il pu aller, à une heure et demie du matin ? S'il est parti à pied, probablement pas loin. Prendre l'air. Ruminer ses pensées. Elle tourna à gauche et se dirigea vers des lumières, une rue plus loin.

La nuit l'avait enveloppée de son manteau sombre. La fatigue ne la gênait plus. Elle continuait de fonctionner en puisant dans des réserves d'adrénaline qui semblaient illimitées.

Elle atteignit l'endroit éclairé – une épicerie fine ouverte la nuit. C'était exactement le genre d'endroit où il avait pu venir, elle en était sûre. Elle entra et fut assaillie par des odeurs de fromage, de pastrami et d'herbes aromatiques.

Elle jeta un coup d'œil circulaire dans le magasin. Deux vieux schnocks se chamaillaient, assis à une table dans un coin. Il n'y avait qu'eux en dehors de l'homme derrière son comptoir. Elle était déçue. Les deux types interrompirent leur caquetage, la regardèrent avec indifférence avant de reprendre leur discussion. Le vendeur faisait à peine attention à elle.

Elle alla à une table près de la vitrine, s'assit, demanda un café. Il était noir et trop serré. Elle y versa une bonne dose de sucre. Tout ce qu'il fallait pour se donner un coup de fouet.

Elle surveillait la rue. S'il n'avait fait qu'une petite promenade, il y avait des chances qu'il passe par là en rentrant chez lui. Elle avala la moitié du café et écouta les deux vieux qui s'étaient mis à parler yiddish. Elle voyait son reflet dans la vitre. Ses cheveux étaient mal peignés et elle avait les yeux fous de quelqu'un qui lutte contre le sommeil depuis longtemps.

Elle continuait d'observer la rue, ne voyait rien. Elle glissa la main dans sa poche, en sortit la facture de téléphone de Jennifer Gryce et posa les feuilles sur la table. Elle ne les examina pas tout de suite. Son esprit était occupé par le souvenir de sa lutte avec Gryce, ces instants de violence qui lui avaient procuré une ivresse inattendue, son besoin soudain d'infliger de la douleur. Elle revit tout cela en une série d'images floues, sans suite. Ce n'était pas vraiment elle-même sur ces instantanés, mais une actrice de deuxième ordre qui auditionnait pour un rôle qu'elle n'avait aucune chance d'obtenir, parce qu'elle était incapable de se montrer violente avec assez de conviction. C'était cette même comédienne médiocre qui avait griffé la paupière de Vandervelt.

Elle appuya son visage contre la vitre. Le verre lui glaça le front. Elle songea à ce que sa vie actuelle avait d'irréel. Cette virée nocturne à travers la ville obscure. Cette impression de vivre dans un monde de relations et d'accointances, de connexions folles, de mensonges et de soupçons. Jen Gryce avait carrément menti sur un point au moins, et cela concernait la raison pour laquelle elle se trouvait en possession de la liste des clients de Klein. Elle prétendait avoir participé à l'audit : impossible. Et puis il y avait ce coup de fil : le ton sur lequel elle avait dit « Oui, je sais que nous avons un accord, mais il arrive que les accords soient modifiés... » laissait supposer un marchandage. Quel accord ? se demanda Sara.

« Je ne vois pas en quoi je ne suis pas raisonnable », avait dit aussi Gryce. A quel propos ? Le timbre de sa voix pouvait trahir l'irritation, l'avidité, voire les deux à la fois.

Bon, Jennifer Gryce mentait et menait une double vie. Rosenthal le jour, Pacific la nuit. Wall Street d'une part, des menées troubles de l'autre. Quoi d'autre ? Que cachait-elle encore ? Sara regarda la facture de téléphone. A l'exception des communications locales, toutes étaient détaillées : numéro, lieu, date, heure, durée de l'appel. Elle parcourut la liste du doigt.

Au cours du mois précédent, des appels avaient été donnés à destination de Las Vegas, d'Atlantic City – des villes consacrées au jeu, où l'argent défile. Pariait-elle à distance ? Sara n'avait jamais vu Gryce jouer. Peut-être avait-elle des relations dans ces villes. Mais quelle sorte de gens ? Des personnages peu recommandables gravitaient autour de ces lieux, mais il ne s'ensuivait pas pour autant que Gryce était en rapport avec eux.

Elle reprit sa lecture de la facture. *Clovis, Nouveau-Mexique.* Sara se souvenait vaguement que Jen avait une tante là-bas. Soit. *Boise, Idaho.* Sara se demandait quelle raison on pouvait avoir de téléphoner à Boise dans l'Idaho. Va pour celui-là. Les deux suivants l'intriguèrent davantage. *San José, Costa Rica. Fortaleza, Brésil.* Pourquoi avait-elle appelé là-bas ? Projets de vacances ? Ou envisageait-elle carrément de s'éclipser ? Non, pensa Sara, ces spéculations sont sans fondements.

Elle continua de parcourir la liste du doigt. Elle arrivait presque à la fin quand elle tomba dessus et le reconnut tout de suite. Elle promena son regard autour de la pièce : temps ralenti, les deux vieux palabraient interminablement, le vendeur nettoyait un coupe-jambon, une mouche se baladait paresseusement autour d'un cylindre de salami suspendu au plafond.

Elle regarda de nouveau le numéro. Ce faisant, elle se rendit compte que la porte s'ouvrait brusquement et que quelqu'un entrait dans le magasin – Sol Rosenthal, lugubre avec son manteau, son écharpe et ses gants noirs, son crâne rasé coiffé d'un chapeau mou démodé. Il se dirigea vers sa table et s'assit face à elle.

— Himmler m'a dit que vous me cherchiez.

— Himmler ?

— Le concierge nazi... je le verrais bien vendre des camions de Zyklon-B pour les fours crématoires de Belsen. J'ai pensé que vous étiez peut-être venue là.

Il retira ses gants, lui prit les mains et les tint un bon moment sans rien dire, en la regardant seulement, l'air absent.

— Voulez-vous me dire ce qui se passe, Sol ? demanda-t-elle.

— La vie est une vallée de larmes, et de votre côté, qu'y a-t-il de nouveau ?

— Parlez-moi de Gryce et de vous.

— De Gryce et de moi ?

Il tourna la tête, fit un signe de tête au serveur, qui vint lui apporter une tasse de chocolat chaud. Sol leva la tasse à ses lèvres.

— Je veux savoir, insista Sara.

— Savoir quoi ?

— Allez vous faire foutre, Sol. Ne me racontez pas de conneries. Je veux savoir.

— Je ne vous ai jamais entendue dire de gros mots depuis que je vous connais. Ça ne vous va pas, mon petit, répliqua-t-il en enlevant son chapeau et en le posant sur la table.

— Considérez cela comme une soupape, Sol. Parlez-moi de Gryce et de vous.

Il haussa les épaules. Il avait l'air infiniment triste. Elle pressa ses mains dans les siennes et sentit une raideur dans ses os, une résistance.

— Ecoutez, mon petit, vous ne tenez pas le bon bout. Qu'est-ce que vous êtes en train de me sortir là ? Gryce et moi ? Qu'essayez-vous de me dire ?

— J'étais chez elle quand vous avez laissé le message sur son répondeur, Sol. J'étais là aussi quand elle vous a rappelé. J'ai entendu ce qu'elle disait. Vous comprenez ? *J'ai entendu.*

— Vous voilà transformée en espionne, maintenant ? Sara Hari.

Il but son chocolat à petites gorgées, un cercle de mousse autour de la bouche.

— Sol, ma vie est chamboulée. On m'a arraché mes racines, je suis secouée et tout est sens dessus dessous. Je veux y remettre de l'ordre autant que possible, et je vous pose seulement une question simple : qu'est-ce qui se passe entre Gryce et vous ?

Sol s'essuya la bouche avec une serviette en papier.

— Il ne se passe rien. Restons-en là.

— « Restons-en là ? »

— Oui, bon Dieu, ça suffit.

— Allez, Sol, dites-moi de rentrer chez moi.

Il la regardait fixement, les yeux humides. Elle n'aurait su dire ce qui provoquait ces larmes, une émotion subite ou l'air froid de la nuit dans lequel il avait marché. Il n'avait pas l'air bien, blême, les joues creuses, le visage d'un homme portant un lourd fardeau.

— Vous vous aventurez dans un panier de crabes, mon petit. Vous ne devriez pas. Pas vous. Pas ma Sara.

Il tendit le bras à travers la table et lui caressa doucement la joue, geste qui n'était pas seulement amical. Elle songea à son père, à sa tendresse. La même tendresse.

Elle prit ses doigts dans sa main.

— Dites-moi, Sol, fit-elle calmement, d'un ton patient. Gryce a prise sur vous, n'est-ce pas ? Elle sait quelque chose sur vous, n'est-ce pas, Sol ?

— Ce n'est pas la personne la plus sympathique que j'aie rencontrée, c'est sûr.

— Comment est-ce qu'elle vous tient ?

— Ça ne se dit pas, Sara. Oubliez cela.

— Allez vous faire foutre.

Sol se pencha sur la table, appuyé sur ses coudes.

— J'aimerais que vous n'utilisiez plus ce langage. Dans ma bouche, ça passe. Il n'y a que devant ma femme que je n'ai jamais juré. Quand elle est là, ce qui est rare, je fais attention à ce que je dis.

— Sol, ne changez pas de sujet.

— Qu'est-ce que vous avez donc ? Vous aimez les ennuis ? Vous vous baladez la nuit à la recherche des emmerdements ?

— Si je me balade la nuit, Sol, c'est pour trouver quelqu'un qui me dise enfin la vérité.

— La vérité ? La fille qui cherche la vérité dans un monde de vipères et de menteurs ? Bon. Vous la voulez, la vérité ? (Il jeta un coup d'œil vers les deux

hommes qui se chicanaient dans le coin de la pièce.)
Voyez ces deux-là. Ils sont frères, Sherman et Morris
– à eux deux, aussi riches que Paul Getty. Eh bien,
tous les soirs ils viennent là et ils ont la même dis-
pute. Vous savez à propos de quoi ? Pour savoir qui
paiera l'addition. L'addition ! Ils sont à deux doigts de
se taper dessus pour quelques dollars.

— Et alors ?

— Comment se comporteraient-ils s'il y avait des
millions de dollars en jeu ? Vous voulez que je vous
le dise ? Ils se foutraient une bombe atomique sur la
gueule, voilà ce qu'ils feraient. Lance-roquettes et
sous-marins nucléaires, toute la sauce !

— Où voulez-vous en venir ?

— Elle demande où je veux en venir ! C'est toujours la même chose : l'argent. Toujours plus d'argent.
Toutes les choses moches que se font les gens, c'est
pour de l'argent, mon petit. Plus question de parents,
de famille. C'est une loi, putain – comme la gravita-
tion, la vitesse de la lumière, l'électricité –, une loi de
la nature. Faites-en votre profit : pour de l'argent, les
gens se comportent comme des chiens.

— Et c'est le cas de Gryce ?

— C'est notre lot à tous. Montrez-moi un saint, je
vous montrerai le solde de son compte en Suisse.
Montrez-moi une œuvre de bienfaisance qui vient en
aide aux orphelins roumains, je vous montrerai des
millions de dollars planqués à Monaco...

Il retira sa main.

— Le cynisme n'est pas mon fort, dit-elle. Trop
facile.

— Facile ? J'ai mis toute ma vie à le devenir,
cynique. Vous, vous avez encore le temps.

— Je ne vous ai jamais entendu parler de cette façon.

— Vous m'entendez le faire, maintenant.

Après quelques instants de silence, elle demanda :

— Dites-moi comment elle vous tient, Sol.

— Laissez cela, Sara. Vous avez déjà assez d'emmerdements comme ça.

— C'est votre dernier mot ?

— Oui, dit-il en achevant son chocolat.

— Je ne vous ficherai pas la paix, Sol. Je vous casserai les pieds jusqu'à ce que vous me le disiez.

Il haussa les épaules, regarda le plafond. Elle le dévisageait mais était incapable de dire ce qu'il pensait. Impassible, impénétrable. Il prit un cigare, gratta une allumette et disparut derrière un nuage de fumée comme un illusionniste amateur.

— Gryce a des amis étranges, Sol. Vous le saviez ?

— Ça me surprend.

— Vous avez déjà rencontré un certain Theodore Pacific ?

— Jamais entendu parler de ce gars-là, fit Sol en secouant la tête.

— Pacific est étroitement lié aux investisseurs russes.

— Ouais ? D'où tenez-vous l'information ?

— Aucune importance. Croyez-moi sur parole. Gryce a rencontré Pacific un peu plus tôt dans la soirée. Elle est allée chez lui et y est restée une bonne heure. Posez-vous la question, Sol, demandez-vous ce que Jennifer Gryce peut bien faire avec un type activement à la recherche de l'argent russe qui a disparu. Etrange relation, vous ne trouvez pas ? Jen Gryce, votre employée, de mèche avec un gars lié à la mafia... Pourquoi, Sol ? Pourquoi ?

Sol Rosenthal tira deux rapides bouffées de son cigare. Sara connaissait ce geste : il réfléchissait, son esprit fonctionnait à toute vitesse. Il chassa la fumée d'un petit mouvement de la main, mais ne dit rien.

— Pacific fait partie de la bande qui a enlevé mon père.

— Et Gryce connaît ce type-là ?

— Oui.

— Vous en êtes certaine ?

— Absolument certaine. Il travaille avec la Russe dont je vous ai parlé ce matin quand je suis venue chez vous. Quel rôle Jennifer Gryce joue-t-elle là-dedans, Sol ?

Rosenthal empilait des morceaux de sucre les uns sur les autres. Son cigare, collé entre ses lèvres, s'était éteint. Il continuait de monter sa pile de sucres, qui finit par s'écrouler, et cela parut le déprimer.

— Aidez-moi, Sol, reprit Sara en posant sa main sur la sienne et en se penchant sur la table. C'est tout ce que je vous demande. Accordez-moi une aide.

— Sara, Sara. Comment puis-je vous aider ? Je ne suis même pas capable de m'aider moi-même.

— Que voulez-vous dire par là ?

— Il faut que je vous explique quelque chose d'aussi simple ? Je ne peux rien pour moi, je ne peux rien pour vous. La nuit, je ferme les yeux et j'entends les équipes de démolition. Ça, c'est dans les bonnes nuits. Dans les mauvaises, j'entends siffler la hache.

Elle resta silencieuse un moment. Les équipes de démolition, le sifflement de la hache. Elle regardait son visage – son air troublé, ses lèvres relâchées, le manque d'éclat de ses yeux. On aurait dit qu'il se perdait dans une autre dimension.

— Dites-moi la vérité, dit-elle. Vous êtes vraiment dans la merde ?

— Vous avez une façon de poser des questions embarrassantes...

— Les fonds détournés... vous en êtes responsable, n'est-ce pas ? La société Rosenthal soutient ses clients. Solide comme le roc, digne de confiance, le bon vieil aigle américain sur le papier à en-tête. Votre argent est en sûreté chez Rosenthal. En voiture, tout le monde ! Le train part à l'heure, chargé de sacs d'or, qui feront des petits du jour au lendemain pour votre profit. Maintenant, rien ne va plus, le train a déraillé et vous ne savez pas comment le remettre sur les rails...

Il la dévisagea, puis ferma les yeux.

— Savez-vous ce qu'est la honte, mon petit ? Savez-vous à quoi ça ressemble ?

— Dites-le-moi.

— Vous êtes tombée sur un expert en la matière, mon petit. Vous êtes assise avec le grand spécialiste de la question. La honte vous bouffe de l'intérieur, comme une saloperie de cancer. En pire. Il n'y a pas de remède pour la soigner, pas de chimio. Vous ne dormez plus, vous errez à travers les rues. J'ai travaillé des années pour...

Il rouvrit les yeux, arracha le cigare de ses lèvres et l'écrasa dans le cendrier, puis s'enfouit le visage dans les mains.

— Ce que vous avez devant vous n'est pas un être humain. C'est une merde. Humez l'air, mon petit. Humez l'air, vous verrez.

— Je sens une odeur de fromage et de salami. C'est tout, Sol.

Il baissa les mains et contempla ses paumes.

— C'est foutu, Sara. Vous comprenez ? dit-il toujours sans la regarder.

— Foutu ? Qu'est-ce qui est foutu ?

— Tout. Tout ce que vous pouvez imaginer.

— Vous parlez par énigmes, Sol.

— Tout n'est qu'énigmes, mon petit. Du début à la fin. Voilà ce que le monde de l'argent représente pour vous, des énigmes. C'est ce que je vous disais à propos de l'effet qu'a le fric sur les gens. Il leur fait tourner la tête. Il leur ôte la raison. Pour eux, plus rien n'a de sens en dehors de lui. Et au bout du compte, il ne reste plus que la honte. J'ai travaillé toutes ces années pour ça ? Travaillé jour et nuit pour me retrouver avec toute cette honte ? Ce sera gravé sur ma tombe. Sol Rosenthal, mort de honte. Ne le regrettez pas, ne lui envoyez pas de fleurs.

— Vous n'êtes plus avec moi, Sol.

— Ouais, vous devriez en être contente. La distance procure la sécurité.

Elle tripota sa tasse vide, promena le bout de son doigt autour du bord, jeta un coup d'œil à la facture de téléphone de Jennifer Gryce. Elle se concentra sur le numéro qui avait attiré son attention lorsque Sol était entré dans le magasin. Gryce l'avait appelé le jour où Mark Klein était parti en taxi pour l'aéroport. Elle se souvint qu'il lui avait souri, envoyé un baiser et fait au revoir de la main une dernière fois.

— Mark vous a ruiné, dit-elle. Tout est de sa faute. Il a détourné les fonds et vous a laissé en plan.

Sol Rosenthal eut un petit sourire bizarre.

— La dernière chose que je voulais, mon petit, c'est que vous subissiez les conséquences de tout ça. Sincèrement.

— Je ne vous suis pas, Sol. La faute revient à Mark, vous n'avez pas à vous sentir responsable à mon égard.

Sol Rosenthal prit son chapeau et se leva brusquement. Il haussa les épaules, un petit geste de... de quoi ? Défaite ? Déception ? Amertume ?

— Vous êtes une bonne petite. Vous méritez mieux que ça, dit-il.

— Ne me laissez pas, Sol.

— C'est mieux ainsi.

— J'ai besoin d'y voir clair, bon sang.

— Y voir clair ? C'est la dernière chose dont vous ayez besoin.

Elle ne lâchait pas sa manche. Elle avait l'impression que s'il lui échappait, tout lui échapperait – toute chance d'y comprendre quoi que ce soit, de démêler l'écheveau. Il avait l'air irrité de la voir s'accrocher à lui. Elle ne lui avait jamais vu une telle expression, du moins dirigée vers elle. C'est en montant le ton qu'il dit :

— Vous savez quel est votre principal défaut, Sara ? Vous êtes une sacrée entêtée. J'ai essayé de vous convaincre de rester à l'écart, j'ai fait de mon mieux. Je ne voulais pas vous avoir dans les parages, vous voir. Je ne voulais pas que vous me harceliez ni voir votre visage, votre peine. Mais vous, vous refusez de partir, de ne plus vous occuper de cette fichue histoire.

Elle réfléchit un moment. Les images affluaient dans son esprit, comme du vif-argent.

— Je n'aime pas les Catskills, dit-elle.

— Les Catskills ou ailleurs, quelle différence ?

Il essaya de s'éloigner. Elle agita la facture de téléphone devant son visage.

— Gryce a appelé un hôtel à Los Angeles, le Cresta Vista Motor Lodge, le jour où Mark est parti à l'aéroport. Je suis convaincue qu'elle a fait en sorte qu'un message à mon intention soit laissé là-bas. J'étais censée croire qu'il était de Mark. Et vous, vous avez reçu la photo des mains de Gryce, vous l'avez remise au mendiant, vous avez tout arrangé, et j'étais censée être assez intriguée pour sauter dans le premier avion...

— Des mendiants, des photos. Ça suffit comme ça, Sara.

— Quel était le but ? Je devais m'envoler pour Los Angeles et attendre que Mark veuille bien se montrer ? On m'aurait peut-être adressé un message sibyllin de temps à autre afin de m'inciter à rester là-bas, éloignée du danger, pour que je ne sois pas une épine dans votre conscience.

Sol libéra son bras d'un coup sec et se dirigea vers la sortie. Elle le suivit, le rattrapa au moment où il ouvrait la porte. Il soupira et la regarda en fronçant les sourcils.

— Vous auriez mieux fait de vous en aller, mon petit, c'est tout ce que je peux dire. Ça aurait facilité les choses.

— A qui ? A vous ? A Gryce ?

Il sortit dans la rue. Elle le suivit. Il s'éloigna rapidement sur le trottoir, Sara se précipita pour ne pas se laisser distancer. Il ne se retourna pas quand elle l'appela. Elle agrippa son pardessus.

Il se retourna brusquement et la dévisagea.

— Quand je vous regarde, je vois ma honte, dit-il. Allez-vous-en. Laissez-moi.

— Cette honte, Sol, dites-m'en la cause.

Il soupira et fourra ses mains dans ses poches.

— Je ne savais pas, dit-il à voix basse.

— Vous ne saviez pas quoi ?

— Que c'était de l'argent russe. De l'argent de la mafia. Je l'ignorais.

— Et Mark ? Il le savait ?

— Mark ?

— *Le savait-il ?* Oui ou non ?

— Ce garçon est un monde à lui tout seul.

— Ça veut dire quoi ?

Rosenthal regarda en direction de l'épicerie fine. Quand il parla, ce fut à voix basse, presque un murmure.

— Ça fait vingt-trois ans que j'habite ce quartier. Un bail. Je suis parti d'un appartement de Brooklyn, sans ascenseur ni eau chaude, pour arriver là. C'est un bon bout de chemin quand on n'a pas été mis sur la voie express et fait des études. Une longue ascension, beaucoup de sueur, de travail, vous pouvez pas vous imaginer. Mais finalement, vous faites votre percée, vous montez votre propre boîte, le fric rentre à flots, déposé par des gens qui veulent devenir riches et éviter le plus possible de payer des impôts. Et vous faites le maximum pour vos clients parce que vous tenez à votre réputation. Vous recherchez les meilleures occasions de placement, et vous tombez sur le bon filon. Alors, vous vous dites : Tout ce que je touche devient de l'or, je suis une sorte de Midas. Vous pensez que les dieux sont avec vous. Vous pensez : Je peux *tout* faire, avec dix dollars je peux en faire cent en un clin d'œil. Tout marche comme sur des roulettes, vous faites affaire sur affaire, vous êtes collé au téléphone vingt-trois heures par jour, vous connaissez tout le monde, de Sacramento jusqu'en Suisse... et d'un seul coup, patatras ! tout s'écroule, ça vous tombe dessus de tous les côtés que les dieux ont une dent contre vous. Et quand ils en ont une, c'est pas de la rigolade.

Tremblements de terre au Japon, inondations aux Philippines, mauvaises récoltes. Les fonds de pension qui s'écroulent les uns après les autres comme un château de cartes. Des écriteaux *Fermé* accrochés aux portes des caisses d'épargne et des organismes de crédit, des cadres supérieurs en cavale à Rio avec des serviettes pleines à craquer. Et vous vous rendez compte que vous avez mangé votre pain blanc ; vos clients vous ont confié tout ce fric et il se balade on ne sait où. Vous ne le reverrez plus, il a disparu dans un trou noir et vous entendez le tocsin sonner dans votre tête... (Il soupira. Il semblait se parler à lui-même.) Alors, vous commencez à la jouer fine. Vous tentez quelques manœuvres pour protéger votre cul. Mais ce que vous utilisez pour cela est ce que vous avez perdu, l'argent de vos clients. Ça ne marche pas et vous sombrez dans le désespoir. Et le désespoir, bon Dieu ! ça vous mène n'importe où. Généralement à la potence...

Il se tut. Il avait de la salive à la commissure des lèvres et semblait vidé.

— Et Mark, dans tout cela ?

Sol Rosenthal ignora la question :

— Je ne voulais pas que vous soyez au milieu de toute cette histoire. Pour votre bien. Pour la paix de mon esprit. Je ne voulais pas voir votre visage, vous comprenez ? Mais vous n'êtes pas partie.

— Je vous ai posé une question à propos de Mark, Sol.

— Oui.

— Et alors ?

Rosenthal s'éloigna de quelques pas. Une fois encore, elle le suivit.

— Quelle est la place de Mark dans cette affaire ?

— Je me souviens d'une chanson connue.

Comment était-ce ? *Je vois une lune noire se lever.*
Quelque chose dans ce genre-là. Eh bien, moi, je vois
des tas de lunes noires se lever, mon petit. Et je n'aime
pas ça. Les tremblements de terre au Japon, les inondations. Rien que des lunes noires, bon Dieu !

Il est en train de perdre l'esprit, pensa-t-elle. Il
déraille. Elle lui frotta les bras gentiment.

— Calmez-vous, Sol, je vous en prie. Vous vous
faites du mal pour rien.

Il pencha la tête sur son épaule, eut un sanglot
étouffé. Il murmura son nom plusieurs fois d'une voix
rauque. Elle se souvenait de toutes les fois où elle
l'avait couvert, avait annulé les rendez-vous qu'il ne
voulait pas honorer, éconduit des gens qui insistaient
pour le voir. Elle se souvenait des petits cadeaux qu'il
lui faisait. Il les appelait des « gages de gratitude » – des
orchidées régulièrement, une broche en argent, un
luxueux agenda avec ses initiales gravées en or. « Vous
me sauvez la vie, mon petit. Que Dieu vous bénisse »,
disait-il souvent. Et il était là maintenant, contre elle,
tout tremblant, l'ombre de l'homme qu'elle admirait.

— J'ai tout foutu en l'air, royalement, dit-il.

— Sol, dit-elle en lui caressant doucement le dos.

— J'ai tout foutu en l'air.

— Je vous raccompagne chez vous. Donnez-moi le
bras.

— Vous avez trop de cœur, mon petit. Vous avez
un cœur grand comme la cathédrale Saint-Patrick.
Quand on me parlait de vous, c'est toujours ce que je
disais. « Elle est trop gentille. Un jour, elle va y laisser
des plumes... » Et, bon sang, c'est ce qui est arrivé.

Il pleurait sans chercher à se cacher. Il s'écarta d'elle
et passa sa main sur ses yeux.

— Vous devriez me haïr, Sara... (Elle le regardait

avec étonnement.) Vous devriez me mépriser pour ce que j'ai fait.

— Je ne vous méprise pas, Sol.

Il porta le poignet de sa manche contre son visage.

— Quand un type se rend compte qu'il n'a plus d'avenir, il cherche autour de lui quelqu'un sur qui rejeter la faute. Alors que son honneur est en jeu, il se comporte comme s'il n'en avait plus. Et Gryce le savait. Elle était au courant.

— Elle savait quoi, Sol ?

— Elle avait tout découvert. Elle disait : « Je veux ci, je veux ça. De l'argent sur ce compte, sur celui-là. Ça ne me déplairait pas de changer de voiture, pensez-y. » Rien de trop voyant. Toujours de bon goût. Elle n'aime pas l'ostentation, Gryce.

— *Que savait-elle, Sol ?*

— Tout.

— Quoi, par exemple ?

Sol Rosenthal se tut un moment. Puis :

— Elle savait que Mark n'avait rien fait de répréhensible.

Sara retenait sa respiration. La ville semblait silencieuse autour d'elle. Le bruit de la circulation avait été comme aspiré hors de la nuit humide. Elle sentit les battements de son cœur s'accélérer.

Sol Rosenthal eut un sourire forcé à travers ses larmes.

— Elle savait que c'était moi.

32

Il faisait très froid dans le grand appartement de Sol Rosenthal. Debout près de la cheminée où le feu se mourait, il se frotta les mains l'une contre l'autre et dit :

— C'est une vraie glacière, ce bastringue. Je me demande pourquoi je le garde. Je ne m'y sens pas chez moi. (Il frissonna, renifla, sortit un mouchoir et se moucha énergiquement.) Ce que je devrais faire, c'est aller vivre en Floride avec Alice... boire des punchs sur la plage...

Il se frotta les mains encore plus vigoureusement. Sara s'assit sur le canapé et regarda clignoter les braises d'une bûche calcinée. Elle était assommée, comme si elle avait reçu un coup sur la tempe. Elle avait l'impression d'être un instrument désaccordé. Il y avait des choses à dire, mais elles n'étaient pas dites. Les manœuvres frauduleuses de Sol, Mark tenu pour responsable, le chantage de Gryce. Elle écouta le bois craquer, regarda une étincelle disparaître dans l'obscurité de la cheminée. Les questions étaient plus nombreuses que les réponses. Où était Mark ? Et son père ? Quels liens Gryce avait-elle avec Theodore Pacific ?

Sol Rosenthal se fourra les mains dans les poches.

— La Floride. Je déteste cet endroit. Trop de vieux Juifs dans mon genre à la retraite, là-bas. Jouer aux palets et aux échecs toute la sainte journée. Je me mettrais à fréquenter la synagogue. Des réceptions et des dîners de charité, tous ces vieux parlant de leurs hémorroïdes, de leur opération de la prostate, me montrant des photos de leurs petits-enfants et attendant que je leur montre des photos des miens, que je n'ai pas...

La voix lui manqua. Il s'approcha du canapé et regarda Sara. Il voulut lui prendre la main, mais elle la retira.

— Je comprends, dit-il. Je comprends ce que vous éprouvez, mon petit.

— Vous croyez, Sol ? Savez-vous vraiment quels moments j'ai passés à cause de vous ? Quels moments je traverse encore ?

Il s'assit à côté d'elle, sans la toucher, sans la regarder.

— Ne le faites pas, dit-il.

— Pas quoi ? « Ne me rappelez pas tout ça ? » C'est ce que vous voulez dire ?

— Je me coltine cette... fit-il avec un geste évasif.

— Pourquoi avez-vous choisi de faire porter le bonnet à Mark ? C'était une loterie ? Vous avez tiré son nom d'un chapeau ? Pourquoi lui ?

— Dans la société, c'est à travers ses comptes que passait le plus d'argent. J'ai pensé que je pourrais puiser dedans, tant il y en avait. Et je me suis également imaginé que je pourrais remettre les choses en ordre et l'argent à sa place avant qu'il ne soit trop tard, mais le trou ne cessait de se creuser. Ensuite ça a été la merde, les types chargés de l'audit sont arrivés comme des mouches, puis les gars du FBI se sont ramenés, et j'ai paniqué.

— Vous n'avez pas pensé à moi, dit-elle.

— Vous vous trompez. Je n'ai jamais cessé de penser à vous, je vous le jure. Seulement, j'étais à cent lieues d'imaginer que ça irait aussi loin.

— Et Gryce ?

— Gryce. Elle m'a démasqué. C'est une petite futée, l'esprit aiguisé comme un rasoir. Elle a pensé que Klein n'était pas le genre de type à magouiller avec le fric de ses clients. Alors, elle s'est dit : Qui d'autre connaît son mot de passe ? Qui a accès à ses comptes ? C'est ma société, Sara. Je possède toutes les clés de la cité. Il ne se passe rien dans la boîte sans que je le sache. J'étais donc la cible évidente. Elle a réclamé sa part du gâteau. J'ai acheté son silence. Puis les enjeux n'ont cessé d'augmenter et, maintenant, j'ai du mal à suivre. Vous devez comprendre. Elle a tout sur papier ; elle garde ça chez elle et des doubles dans un coffre de banque à titre de précaution, pendant que je creuse le trou de plus en plus pour satisfaire ses exigences...

— Je ne comprends pas, Sol. Vous avez fichu ma vie en l'air...

— Je ne savais rien de cet argent russe. J'ignorais que de l'argent sale entrait dans la société. Comment pouvais-je prévoir tout cela ? Pouvais-je prévoir qu'ils enlèveraient votre père ? Qu'ils menaceraient votre bébé ? Bon Dieu de bon Dieu ! (Il inclina la tête, posa ses mains à plat sur ses joues.) Ah, si je pouvais revenir en arrière...

Sara ne dit rien. Sol continuait de marmonner des excuses, s'évertuant à obtenir l'absolution, s'adressant plus à lui-même qu'à elle. Ses paroles n'avaient aucun sens pour elle. C'était comme s'il avait parlé aux murs.

— La seule chose qui dans tout cela ne me met pas mal à l'aise, c'est que j'ai essayé de vous tenir à l'écart de cette histoire. Gryce, elle, était folle de joie de vous faire plonger en même temps que Mark. Je ne sais pas ce qu'elle a contre vous, Sara... peut-être de la jalousie. Vous êtes mariée, et elle, qu'est-ce qui l'attend quand elle rentre chez elle ? Un lit vide ? J'ai imposé une limite. Je lui ai dit : « Il est hors de question que Sara pâtisse de cette affaire. » J'ai imaginé un stratagème. C'était une taquinerie, j'ai pensé que vous tomberiez dans le panneau. J'ai cru que vous seriez intriguée. Le message, le mendiant...

Sa voix retomba de nouveau. Il tapa sur ses genoux et jeta un coup d'œil circulaire dans la pièce avec l'air de quelqu'un qui cherche quelque chose d'important, quelque chose de fixe et d'intangible.

Elle se souvint du pauvre diable sous la pluie, de la façon dont il la suivait en traînant les pieds au milieu de la circulation, du bruit de ses os brisés par la voiture qui l'avait heurté. Elle regarda Sol et dit :

— Vous l'avez fait tuer, n'est-ce pas ?

Sol fit claquer son mouchoir comme pour chasser une mouche imaginaire.

— Il était censé disparaître, ce gars-là. Remettre le message, puis s'éclipser. Mais il avait la cervelle brouillée, il n'avait aucune notion de l'heure, alors il a continué à faire la manche au même endroit et il a gardé la photo que je lui avais donnée...

La photo, pensa-t-elle. Volée par Gryce, donnée à Sol.

— Vous l'avez donc fait tuer.

— Je connais des voyous depuis belle lurette. Font n'importe quoi pour deux mille dollars, posent pas de question. Je me suis dit : On va éliminer le mendiant du tableau...

— Vous avez tué ce pauvre type.

Elle imagina Sol, mû par la peur, paniqué, donnant un coup de téléphone pour arranger le meurtre. Elle l'imagina disant : «Il faut que nous éliminions définitivement ce mendigot.» Et toute pitié qu'elle aurait pu éprouver encore envers lui s'évanouit, dissipée par la colère. Mais la colère, elle le savait, faussait son jugement, l'éprouvait physiquement. Il lui fallait se maîtriser, trouver un plan d'action méthodique, qu'elle puisse exécuter par étapes aisées et rapides.

Elle se leva et arpenta la pièce, se rendant compte que Sol suivait ses mouvements, l'air triste et las.

— Vous avez vraiment tout imaginé, tout réglé, Sol, n'est-ce pas ? Mon mari a disparu. Mon père est Dieu sait où. Les types du FBI aimeraient bien me mettre au bloc. Vous avez une dette envers moi, une sacrée dette. Et c'est le moment de rembourser.

— Tout ce que vous voulez, dites-le-moi.

— Appelez Gryce. Dites-lui que vous voulez la voir.

— Quand ? Maintenant ?

— Maintenant. Inventez une histoire, n'importe quoi. Je n'ai pas besoin de vous donner des leçons sur ce chapitre, j'en suis sûre.

— Vous la voyez sauter dans un taxi et venir ici à... deux heures et demie du matin ? Sara, c'est une fille intelligente...

— Et aussi cupide...

— Elle va flairer quelque chose.

— Convainquez-la, Sol. Faites en sorte qu'elle ait

envie de venir. Vous le pouvez. (Il ne bougeait pas, continuant seulement à taper sur ses genoux avec le plat de la main.) Ensuite, vous téléphonerez à McClennan. Vous lui direz la vérité. Vous lui direz que Mark est innocent et lui demanderez de s'amener ici.

Sol Rosenthal ferma les yeux et renversa sa tête en arrière.

— Oui, je m'attendais à celle-là. Le plus gros morceau.

— Allez-y, Sol, appelez. D'abord Gryce, puis McClennan. Je veux qu'ils soient là tous les deux. J'imagine que Gryce va prendre son temps et McClennan rappliquer ventre à terre. Il sera là dès que vous aurez raccroché. Je veux qu'il l'interroge et je ne tiens pas à manquer ça, croyez-moi.

Il se leva lentement.

— Vous savez ce que dire la vérité à McClennan signifie pour moi.

— Et pour moi, vous savez ce que ça signifie, Sol ?

Il jeta un coup d'œil circulaire dans la grande pièce, se moucha, referma son mouchoir et le fourra dans sa poche.

— Je crois que la Floride, c'est pas pour demain, dit-il avec un pâle sourire, avant de se diriger vers le bureau, le téléphone.

Elle le regardait, consciente de sa lassitude physique, de sa répugnance à s'exécuter. Toute sa vie part à la poubelle, pensa-t-elle. Tout ce pour quoi il a travaillé, tout ce qui l'a fait avancer : fini. Et à cause de quoi ? Des tremblements de terre au Japon, des inondations aux Philippines, des mauvaises récoltes. Des fonds de pension en faillite. Tout l'échafaudage fragile sur lequel repose le monde des finances s'est effondré sous lui.

Elle devait chasser toute trace de compassion qui pouvait rester en elle. Dans un univers de scorpions et de menteurs, elle ne pouvait se permettre d'être faible. Elle voulait voir McClennan coincer Gryce, la clouer au pilori.

Sol s'assit à son bureau, prit le téléphone. Elle ne le quittait pas des yeux. Il décrocha le combiné. Debout derrière lui, elle le regarda composer le numéro.

— Jen ? Je vous réveille ? Il faut que je vous voie... Oui, maintenant... Non, ça ne peut pas attendre... Non, je vous dis, ça ne peut pas attendre... Vous croyez que je vous appelle à cette heure de la nuit pour le plaisir... Non, rien de grave. C'est seulement quelque chose qu'il faut que vous sachiez... Quel coup monté ? Comment pourrais-je monter le moindre coup alors que vous avez planqué dans une saloperie de coffre des documents compromettants... Oui. Vingt minutes. Très bien.

Il raccrocha et regarda Sara.

— Voilà, dit-il.

Il était en sueur, malgré le froid qui régnait dans la pièce. Sara regarda les veines bleues visibles sous son cuir chevelu.

— Maintenant, McClennan, dit-elle.

— Oui, McClennan. Vous avez le numéro ?

— Appelez l'opératrice et demandez le FBI.

— L'opératrice, oui, c'est juste... Attendez, je crois que j'ai noté son téléphone quelque part...

Il ouvrit le tiroir du bureau, en sortit un revolver et dit :

— Appeler McClennan, impossible. Désolé, mon petit, je ne peux pas rester là à l'attendre.

L'espace d'un instant, Sara crut qu'il allait diriger l'arme contre elle, mais son intention était autre. Il écarta les lèvres, se fourra le canon dans la bouche, pencha la tête en arrière et pressa sur la détente, tout cela en une seconde d'angoisse. Bouche bée, elle détourna la tête, entendit la détonation, l'entendit retomber en arrière dans le fauteuil.

Elle ne savait pas combien de temps elle était restée là, la tête tournée de côté. Il n'y avait pas moyen d'évaluer cette sorte de temps, le temps du sang. Des secondes, des minutes, elle resta paralysée ; tandis que la pendule égrenait stupidement son tic-tac sur la cheminée, elle enregistrait un temps hors du temps dont l'écoulement échappait à toute mesure mécanique, et même lorsque la pendule sonna, le son n'eut pour elle aucune signification. Ses jambes sans force fléchissaient sous elle. Elle tomba à genoux et appuya son visage contre le flanc d'un fauteuil rembourré. Le velours contre sa peau. Elle avait envie de se laisser glisser dans un rêve rassurant. « *Voilà l'effet que l'argent a sur les gens*, avait-il dit. *Il leur fait tourner la tête. Il leur ôte la raison.* » Elle entendait un liquide tomber, goutte à goutte, et associa d'abord ce bruit au mouvement de la pendule, puis elle comprit que c'était le sang de Sol Rosenthal qui dégoulinait de son corps.

Elle était toujours incapable de le regarder. Mais elle savait qu'elle aurait à le faire. Il lui faudrait se lever, aller jusqu'au téléphone, appeler McClennan et se montrer assez forte pour ne pas faire attention au sang éclaboussé sur le combiné. Elle tourna sa tête à moitié et vit les pieds de Sol sous le bureau. Ses chaussures noires, les revers de son pantalon. Elle ne voulait pas que Gryce arrive là avant McClennan...

Elle prit brusquement conscience que, pour

l'instant, elle n'avait rien à offrir à McClennan, en dehors de l'histoire racontée par un mort. Elle n'avait absolument rien pour le convaincre de l'innocence de Mark. Elle avait les mains vides. Sol avait refermé le livre, verrouillé le coffre avant d'emporter la combinaison dans la mort. Qu'était-elle censée dire à McClennan ? Klein est innocent, Sol a détourné les fonds ; l'ennui est qu'il s'est fait sauter la cervelle avant de vous l'avouer. Très convaincant. McClennan allait sûrement gober ça !

Evidemment, Gryce connaissait la vérité. Mais elle la nierait. « Du chantage ? Je n'ai jamais entendu une connerie pareille. » Il était évident que Gryce nierait, et Sara n'avait aucun moyen de la contrer.

Elle se remit debout. Maintenant, elle ne pouvait plus s'arrêter de regarder Sol. Son fauteuil avait roulé à un mètre ou deux du bureau, sa tête pendait d'un côté et son visage était réduit en bouillie, en une sorte de masque d'horreur en caoutchouc. Mais c'était Sol Rosenthal. Ce qu'il restait de lui.

Elle se rapprocha un peu, mais n'eut pas assez d'estomac pour regarder. Elle était dépourvue de curiosité morbide. Elle avait les yeux fixés sur le revolver, tombé de sa main sur le bureau. Il était petit, la marque – *Desert Industries* – gravée sur le canon. Elle le prit, sans savoir pourquoi. Il fallait absolument qu'elle fasse quelque chose, elle ne pouvait rester immobile ; la vue de la mort avait cet effet sur elle : elle éprouvait le besoin bizarre de tout nettoyer, d'essuyer les taches de sang, de tout enlever. C'était une réaction de panique et, bien qu'elle en fût consciente, elle ne pouvait la réprimer. Elle regardait fixement le revolver dans sa main. Le sang de Sol... Ses empreintes digitales *à elle*. Ses empreintes sur le revolver, sur le clavier de l'ordinateur de Klein. Toutes ces traces qu'elle laissait d'elle-même étaient autant de preuves de sa culpabilité. Il fallait qu'elle nettoie le revolver, qu'elle trouve un chiffon et le nettoie immédiatement. Qu'elle nettoie tout.

— Quel joli tableau, Sara... (Elle tourna la tête vers la porte.) Ça alors ! Pourquoi l'as-tu tué ?

Sara se tenait le dos au bureau, comme dans une vaine tentative de dissimuler le corps de Rosenthal. Gryce se dirigea rapidement vers le bureau, secoua la tête et soupira.

— La poule aux œufs d'or est morte, dit-elle.

La poule aux œufs d'or. Rosenthal est mort.

Sara entendit Gryce dire :

— Ils vont te garder un jour ou deux au Bellevue Hotel, où ils vont te faire passer quelques tests psychiatriques, t'interroger. Ta grossesse a des chances de t'être favorable. Et ta situation aussi, bien entendu. Des circonstances atténuantes. Ça risque de ne pas être trop lourd, Sara. On ne sait jamais, je pourrais être pour toi un utile témoin de moralité si tu joues tes cartes correctement. Je prends le revolver, si tu permets...

Prendre le revolver, pensa Sara. Elle soupesa l'arme.

— D'accord, dit-elle.

Gryce tendit la main pour le recevoir. Sara le leva et colla le canon contre le front de Jennifer Gryce.

— D'accord. Je suis prête. Commençons à jouer, Gryce.

33

— C'est imprudent, cette virée, Sara. Pas malin.

Les lumières des lampadaires défilaient en dansant, des fenêtres allumées tranchaient sur l'obscurité. Il faisait froid à l'arrière du taxi et l'odeur des précédents clients y flottait encore – vêtements mouillés, sueur, cendre de cigarette. Le chauffeur, protégé des passagers par une grille métallique et une cloison de verre renforcé, avait la lettre Z découpée dans ses cheveux épais, comme s'il avait appartenu à quelque obscure secte. La nuit est chargée de bizarrerie, pensa Sara. De bizarrerie et de tragédie. De cruels égarements. Elle a quelque chose de sauvage.

— Personne ne croira qu'il s'est suicidé, dit Gryce.

— Boucle-la, je ne veux pas t'entendre, ordonna Sara, qui tenait le revolver de Sol Rosenthal caché sous son imper.

— Et personne ne croira que Sol a tapé dans la caisse de sa propre société. Quant à cette histoire de chantage... poursuivit Gryce avec un haussement d'épaules. Si tu avais réellement pensé qu'elle était inattaquable, tu m'aurais conduite au FBI. Au lieu de ça...

Elle eut un geste vague et circulaire.

— Ferme-la, Gryce.

— Qu'est-ce qu'y a, tu n'aimes pas le son de ma voix ?

— Je n'aime rien en toi.

— Ne t'énerve pas, Sara. Le bébé. Rappelle-toi ce qui t'est déjà arrivé.

Le bébé était parfaitement immobile. Tranquillement endormi. Sara n'aimait pas que le revolver soit ainsi près de son ventre. Tenir ce revolver lui déplaisait. Considère-le comme un instrument, rien de plus, se dit-elle. Un moyen de se renforcer. Elle regardait la rue, les devantures des magasins obturées par des rideaux de fer – de vraies forteresses. Ici et là, un sans-abri qui passait en traînant les pieds, une forme blottie dans l'embrasure d'une porte, un clochard endormi sur le trottoir. La ville était pleine de laissés-pour-compte, de pauvres diables et de dingues, de marginalisés et de mourants.

— Tu es coincée, ma chère, reprit Gryce. Ton plan ne tient pas debout. Tu as affaire à des gens qui se soucient comme d'une guigne du caractère sacré de la vie.

Le caractère sacré de la vie. Sara eut une nouvelle bouffée de colère. Elle aurait aimé avoir un peu du calme de Gryce. En cet instant, elle aurait voulu que coule dans ses veines quelque chose de moins volatil que le sang. « *Ton plan ne tient pas debout.* » Elle allait pourtant l'appliquer parce qu'elle ne voyait pas quoi faire d'autre. Parce que... *rien ne peut gravement vous nuire ou vous faire peur si vous prenez vraiment refuge en Dieu.* Mais Dieu n'est pas mon refuge, pensa-t-elle.

Elle avait hérité de John Stone son agnosticisme. En définitive, on ne peut compter que sur soi. On prend des décisions soi-même. Bonnes ou mauvaises, mais les siennes. Il n'y a personne là-haut pour baisser le regard sur vous.

Le taxi se rapprochait de sa destination.

— On arrive, lança Gryce avec une gaieté agaçante.

— Qu'est-ce que vous trafiquez, Pacific et toi ?

— Oh, c'est toute une histoire.

— Résume.

— J'ai rencontré Ted par hasard dans un bar pour célibataires, dit Gryce. Pour être exacte, il me cherchait.

Gryce drague dans les bars pour célibataires !

— Et alors ?

— Il m'a fait une proposition. En contrepartie d'une généreuse contribution, je devais lui fournir des informations.

— Quel genre d'informations ?

— Fais marcher ta cervelle, Sara. Je travaille chez Rosenthal, je sais ce qui s'y passe.

— Tu étais quoi ? Son cheval de Troie ?

— Si on veut. Il voulait que je le tienne au courant de ce que faisaient les types du FBI. Il avait besoin de savoir où ils en étaient de leur enquête, s'ils étaient sur la piste des fonds disparus. Je lui fournissais des communiqués. J'étais ses infos de vingt heures. Quand il y avait des nouvelles, je les lui transmettais.

— Tu vendais des renseignements.

— J'ai fait plus d'allers-retours chez lui qu'un bus du centre-ville. Bien entendu, il voulait savoir aussi si le FBI avait trouvé quelque chose à propos de Mark.

Sara resta silencieuse un moment. Elle essayait d'imaginer Gryce allant et venant en jouant les courriers pour Pacific. Le FBI est en train de faire ceci, de faire cela. Cette idée la déprima, non pas à cause de la déloyauté sans bornes de Gryce, qui ne la surprenait plus, mais parce que, au fond d'elle-même, elle était restée persuadée que Gryce savait où était Klein, qu'elle et ses amis étaient impliqués dans sa disparition. Et maintenant, elle venait d'apprendre qu'il en était autrement. Pacific et la Russe n'auraient pas perdu leur temps à la harceler pour obtenir des informations sur Klein s'ils avaient su où le trouver, ils n'auraient pas payé Gryce pour espionner les agents du FBI, et ils n'auraient pas non plus enlevé son père. Personne ne savait où était Klein, ni Gryce ni Pacific ni la Russe ni McClennan – personne. Il était sorti de son taxi à l'aéroport Kennedy, était entré dans le terminal et pfitt! envolé! Cette pensée était profondément déprimante.

Le taxi ralentit. Le chauffeur cherchait le numéro.

— Laissez-nous là, dit Gryce en tapant sur la vitre. (Elle sortit quelques billets de la poche de son manteau et les glissa au conducteur par l'ouverture de la cloison.) C'est moi qui paie, ma chérie.

Elles sortirent du taxi. Le trottoir était désert. Les lampadaires scintillaient dans les arbres humides. On entendait le vent balayer doucement les feuilles, des gouttes tomber des branches.

— C'est ta dernière chance, dit Gryce. Il est encore temps de faire machine arrière.

— Je ne fais pas machine arrière.

Gryce secoua la tête et sourit.

— Tu veux que je marche devant, j'imagine.

— C'est le mieux.

— D'accord, mon commandant. Profites-en pendant qu'il en est encore temps.

Elles traversèrent le trottoir en direction des marches. La caméra de sécurité panoramiquait, une lampe était allumée au-dessus de la porte. Gryce mit le pied sur la première marche.

— Allons-y.

Sara hésita. Il n'était pas trop tard pour faire demi-tour et s'en aller. Gryce avait raison, la garce. Son plan ne tenait pas debout. Il était boiteux dès le départ. Mais elle y arriverait. Elle y arriverait. Elle suivit Gryce en haut des marches en lorgnant vers l'objectif de la caméra, cet œil malveillant qui scrutait la nuit.

— C'est le moment ou jamais, dit Gryce en levant la main vers la sonnette, le doigt tendu, comme suspendu en l'air. Tu es absolument sûre de ce que tu fais ?

— Sonne.

— Voilà. C'est fait, dit Gryce après avoir appuyé sur le bouton.

C'est fait. Qu'est-ce qui est fait ? se demanda Sara. Elle avait dépassé le simple état de tension et atteint un autre état, transformée en un chaos de perceptions et de sensations incohérentes.

Elle entendit un bruit à l'intérieur de la maison, un bruit de pas. La porte s'ouvrit et Theodore Pacific apparut. Il ne semblait pas troublé et souriait.

— Jennifer. Et tu as amené Sara. C'est sympa. Très sympa.

— Elle a un revolver, Ted, fit observer Gryce.

— Ça c'est moins sympa, dit Pacific. Bon sang ! Ne sommes-nous pas entre amis ? Allez, entrez, toutes les deux.

Il s'effaça pour laisser passer Gryce. Sara suivit, sur ses gardes. Pacific referma la porte avec le pied.

— Je vous offre quelque chose ?

— Volontiers, dit Gryce.

— Et vous, Sara ?

Sara secoua la tête. Pacific prit un air compréhensif.

— Le bébé, naturellement. L'alcool et la grossesse, ça ne va pas ensemble. Sage précaution. (Il se dirigea vers la porte ouverte du séjour et dit :) Par ici.

Gryce lui emboîta le pas. Il y a quelque chose qui cloche, pensa Sara. Ça ressemble à une réunion entre amis. C'est pas bon. Elle regarda Pacific se diriger vers un chariot à boissons. Il prépara deux vodkas-orange, l'une pour lui, l'autre pour Gryce. Les cubes de glace pétillèrent dans les verres.

Il regarda Sara.

— Coca ? Schweppes ? J'ai de l'eau minérale, si vous voulez.

Sara refusa. Elle avait vaguement conscience de la décoration de la pièce où ils se trouvaient – huiles représentant des paysages, natures mortes. Luxueux, de bon goût.

— A ta santé, dit Pacific à Gryce en lui tendant son verre.

— A la tienne.

Il y eut une période de silence. Ça ne va pas, pensa encore Sara. Les cocktails, le sourire de Pacific, le calme de Gryce, la banalité des choses. A trois heures du matin, sa main serrée sur le revolver sous son imper. Le contact de l'arme était la seule chose réelle dans cette situation. Elle avait imaginé tout cela autrement. Elle s'était vue sortant le revolver, le pointant vers Pacific, proférant... quoi ? des menaces ? Exigeant la libération de son père ?

Elle regarda Pacific, en chemise de soie blanche et en jean, se diriger vers un fauteuil et s'asseoir.

— Pas de nouvelles de votre mari, Sara ?

— Aucune.

— C'est ennuyeux. Apparemment, il y en a qui ne prennent pas leurs responsabilités au sérieux.

— Je crois que Sara a une histoire à te raconter, Ted, dit Gryce.

— Une histoire à me raconter ? C'est vrai, Sara ?

— Un vrai conte de fées, reprit Gryce. Sol Rosenthal aurait détourné les fonds et fait plonger Mark. Incroyable, n'est-ce pas ?

Pacific sirotait sa vodka-orange.

— Rosenthal a escroqué ses clients et tout flanqué sur le dos de Mark ?

— Oui. D'après Sara.

— La nature humaine étant ce qu'elle est, je serais prêt à le croire... si ce n'est qu'il y a une faille sérieuse. Pourquoi Klein a-t-il pris la tangente ? Vous avez une explication qui tienne, Sara ? Vous avez une idée de la raison pour laquelle Mark aurait filé, s'il est innocent ?

— Il a eu peur, dit Sara. Il était acculé. Il ne pouvait faire autrement.

Elle n'était pas convaincue de ce qu'elle disait. Mark prenant la fuite alors même qu'il se savait innocent. Au fond d'elle-même, elle avait l'impression inquiétante qu'elle ne le reverrait jamais. Il était mort, enterré dans un endroit où elle ne le retrouverait pas. Mort et enterré. Elle était incapable de fixer cette idée dans son esprit et la laissa s'évanouir.

— Il aurait pu rester dans les parages, tout raconter au FBI. Ça a effectivement l'air d'une histoire à dormir debout.

Pacific avait le regard perdu dans son verre, puis tourna de nouveau les yeux vers Sara.

— Vous avez un revolver sous votre imper ?

Sara acquiesça.

— Vous avez obligé Jennifer à vous conduire ici ?

— Elle ne m'a pas laissé le choix, Ted, confirma Gryce.

Pacific fronça les sourcils, comme si de sombres pensées lui avaient traversé l'esprit, puis il sourit, finit son verre et dit :

— Alors, Sara, vous projetiez de vous servir de ce revolver ou quoi ?

Sara fut prise d'un bref vertige. Les tableaux accrochés au mur semblaient être sortis de leur cadre doré et flotter en l'air.

— Je veux qu'on me rende mon père, dit-elle.

— Et qu'est-ce que vous espérez ? Vous voulez m'obliger à vous dire où il est ? Avec le revolver ? (Pacific sourit, fit un clin d'œil à Gryce, qui ricana et regarda son verre. Une plaisanterie pour initiés.) Vous voulez que je vous conduise à lui, c'est ça, Sara ? Que je vous conduise à lui et vous dise : « Le voilà, pourquoi ne le ramenez-vous pas chez lui ? »

— Quel intérêt avez-vous à le garder ? demanda-t-elle. Il ne vous est d'aucune utilité, pas plus que moi. Et Mark...

— Et Mark ne m'est lui non plus d'aucune utilité, hein ?

— Non. Il ne sait rien. Même si vous le retrouvez, il ne sait rien.

— Rosenthal vous a avoué tout cela, n'est-ce pas ? Il vous a dit que Mark était innocent comme au jour de sa naissance. Il vous a dit qu'il avait détourné les fonds de sa propre société.

— Oui.

Pacific se leva et se prépara un deuxième cocktail.

— Je crois que tu devrais demander à Rosenthal si c'est vrai, dit-il à Gryce. Appelle-le.

— Il y a un petit problème. Explique-lui, Sara. Tu étais là. Tu connais l'histoire mieux que quiconque.

— Sol est mort, dit Sara à voix basse.

— Mort ?

— Il s'est suicidé.

— Pas possible !

— C'est extrêmement discutable, Ted, intervint Gryce. Je suis entrée chez Sol et notre princesse était debout à côté de lui, un revolver à la main, la cervelle de Sol éclaboussée sur le mur.

Pacific savourait sa vodka, la faisait tourner dans sa bouche avant de l'avaler. Il réfléchissait. Puis il s'ébroua. Il avait pris sa décision :

— Peu importe en fin de compte si Rosenthal s'est refroidi lui-même ou si Sara l'a fait pour lui. En tout état de cause, il n'y a plus personne pour confirmer votre histoire, Sara. Je peux très bien imaginer que Rosenthal ait été déprimé par sa situation financière et ait préféré tirer le rideau. Ça arrive. Il y a des gens qui ne supportent pas d'être ruinés et de perdre leur réputation. En même temps, je peux tout aussi facilement imaginer que, furieuse à cause de cette embrouille avec votre mari, vous vous soyez disputée avec lui, et que, Rosenthal s'étant montré désagréable, vous soyez sortie de vos gonds et lui ayez...

— Ça ne s'est pas passé comme ça, dit Sara.

— Peu importe, dit Pacific. Aucune importance. Ça ne change rien. En ce qui me concerne, je suis toujours à la recherche de Klein.

Sol était mort et cela n'avait aucune importance. Sara observa le visage de Pacific, ses yeux noirs insondables, froids et incroyablement durs. Elle n'arrivait pas à imaginer ce qu'il avait dans le cœur. Certainement pas des sentiments.

Gryce la regardait, d'un air tranquille et satisfait. Pacific faisait crisser le bord de son verre en y promenant son doigt. Que se passait-il ? La scène allait-elle rester figée ? Trois personnes enfermées dans un silence stérile ? Non. Sara sortit le revolver de dessous son imper.

— Ah, voilà la chose, commenta Pacific. Vous allez vous en servir ?

Sara ne répondit pas. Elle ne savait pas si elle allait l'utiliser.

— Supposons que vous le fassiez, Sara. Ça ne vous rendra pas votre père. Réfléchissez-y. Ou bien vous me descendez, et à quoi ça vous servirait ? Ou bien vous descendez Jennifer, et ça ne fait que compliquer le problème. C'est comme ça, Sara. Vous n'avez pas d'issue. Aucun chevalier servant sur un destrier blanc ne remonte la rue pour venir vous sauver. En tout état de cause, le fait que vous sortiez un pétard ne m'impressionne pas, désolé de vous le dire.

Gryce fit tinter les glaçons dans son verre.

— Range ce revolver, Sara, dit-elle. Cette saloperie me rend nerveuse.

Sara secoua la tête.

— Tout ce que je veux, c'est retrouver mon père.

— J'aimerais vous le rendre, Sara, dit Pacific. Je ne m'en sentirais que mieux. Mais ça ne dépend pas uniquement de moi. Vous comprenez ce que je vous dis ? J'ai des associés. Des collègues. Des gens à consulter. Même si je le voulais, je ne pourrais vous l'amener sur un plateau. Est-ce que je me fais comprendre ?

— C'est la Russe qui décide, dit Sara.

— Effectivement.

— Et vous êtes à sa solde.

— J'ai une âme de mercenaire. Et j'ai aussi un train de vie à assurer.

— Si elle vous dit « Sautez dans le feu », vous sautez ? Le bon petit Teddy Pacific.

— Vous cherchez à me contrarier, Sara ? Vous voulez me mettre mal à l'aise parce que je travaille pour elle ? Voilà longtemps que la révolution féministe a eu lieu, ma belle. Je travaille pour n'importe qui, homme ou femme. Je m'en contrefous, du moment qu'ils paient. Si c'est votre intention, vous perdez votre temps.

Je perds mon temps, pensa Sara. Elle ne pouvait pas tourner les talons et repartir d'ici sans avoir abouti à quelque chose. Au point où elle en était, elle ne pouvait revenir en arrière. Elle devait réfléchir, et réfléchir vite, mais plus elle s'efforçait de rassembler ses pensées, plus elles se dispersaient. Elle était venue là avec un espoir fou. La vue du revolver était censée impressionner Pacific ; il devait la conduire à John Stone. « Allez, sans rancune, embarquez votre papa. » Voilà le scénario stupide qu'elle s'était laissée aller à imaginer. Mais ça ne marchait pas, il n'y avait jamais eu la moindre chance que ça marche. Et maintenant, elle s'enlisait.

Il se leva de son fauteuil, se dirigea vers elle.

— Me voilà, dit-il. Une belle cible, vous ne pouvez pas me manquer.

Elle y pensa, pensa à ce geste simple : appuyer sur la détente – la chose la plus simple du monde et aussi la plus difficile. Elle se souvint de ce que Klein lui disait toujours : « Si tu dois te servir du revolver, vise et ne réfléchis pas à deux fois. » Klein, pauvre Klein, qu'elle avait commencé à mépriser et qui n'avait rien fait de mal. Un homme innocent.

— Tuez-moi, dit Pacific.

Assise de l'autre côté de la pièce, Gryce lança :

— Laisse-la tranquille, Ted. Elle va péter les plombs.

— Vous ne me tueriez pas, hein, Sara ?

Il se tenait immobile, les bras en croix. Pour la première fois depuis qu'elle l'avait rencontré dans le train, elle vit quelque chose de vivant dans ses prunelles sombres, elle ne savait trop quoi – une sorte de sollicitude, comme un message. Je me trompe, pensat-elle. Il se demande seulement si je vais appuyer sur la détente, c'est tout. C'est de l'inquiétude que je lis dans ses yeux. Rien d'autre. Il est mort, intérieurement. Son esprit est une chambre noire, hermétique aux sentiments.

— Baissez cette arme, Sara, dit-il.

— Non, fit-elle en secouant la tête.

— Lentement, insista Pacific, qui fronçait maintenant les sourcils.

— Ted, ne va pas trop loin, conseilla Gryce. Ne te laisse pas tromper par les apparences. C'est une dingue.

— Elle n'est pas du genre à tuer quelqu'un, Gryce. Ce n'est pas dans sa nature. N'est-ce pas, Sara ? Ce n'est pas dans votre nature.

— Je... dit-elle.

Mon Dieu, ne me laissez pas flancher maintenant. Pointe-le et ne réfléchis pas à deux fois. Oui, c'est aussi facile que ça.

— Elle ne tuerait pas un être humain, continua Pacific.

Vas-y, pensa Sara.

Pacific tendit la main.

— Certains d'entre nous sont nés pour tuer.

311

D'autres n'ont pas la tête assez froide. Ils n'ont pas cette froideur meurtrière.

— Ted, ne déconne pas comme ça avec elle...

Sara regarda Pacific dans les yeux. Elle regarda sa main s'approcher du revolver. Elle se sentait fléchir. Elle ne voulait pas que ça se passe ainsi, mais sa détermination s'évanouissait.

— Vous n'êtes pas née pour tuer, dit-il en tendant la main plus près.

Elle ferma les yeux.

Voilà. Il tenait le revolver. Elle avait plié. Elle referma sa main vide. Elle était désorientée. Un caractère bien trempé. Elle ne l'avait pas quand c'était le plus nécessaire. Mais elle savait pourtant qu'elle avait fait ce qu'il fallait en le laissant prendre l'arme. Un instinct, tenace et perceptible comme le battement du cœur, et cependant aussi incompréhensible qu'un mot d'une langue oubliée, l'avait convaincue. Quelque chose d'autre aussi – quelque chose d'étrange dans le regard de Pacific, de rassurant dans son expression.

— Je ne suis pas comme vous, Sara, dit-il. Je n'ai aucun scrupule.

Il se retourna et tira, rapidement mais avec précision. Gryce n'eut pas le temps de comprendre ce qu'il faisait, pas le temps de bouger, elle laissa tomber son verre et glissa de son fauteuil. Elle resta étendue par terre, la bouche ouverte, les yeux blancs.

Sara eut l'impression que la pièce oscillait, que la maison s'écroulait. Un mauvais goût lui emplit la bouche, un flot de salive chaude et amère qui rappelait l'odeur d'un fruit acide. Des lumières dansaient et tremblotaient dans son champ de vision, rais zigzagants, comme le déploiement de couleurs annonciateur de la migraine.

Pacific s'approcha du corps et le regarda.

— Elle aimait les jeux dangereux. Comme vous, madame Klein. A une différence près : elle n'avait aucune humanité. (Il se retourna vers Sara.) Restez où vous êtes. J'ai un ou deux coups de fil à donner.

34

— Ne me posez pas de questions car il y a peu de chances que j'y réponde.

Sara était à la place du passager, elle écoutait le feulement du moteur de la voiture de sport, la sentait vibrer sous elle, regardait le visage de Theodore Pacific, la fixité de son expression, ses yeux rivés sur la route, sa mâchoire serrée. La symétrie parfaite de ses beaux traits avait disparu, et il n'y avait plus trace de cette redoutable affabilité si calculée. Maintenant, il était terrifiant, tout simplement. Elle pensa à Jennifer Gryce, au jour où elle avait été sa demoiselle d'honneur, à sa robe couleur pêche, au bouquet de fleurs qu'elle portait dans ses bras, à Jen souriante, l'amie pour la vie. Qui aurait pu prévoir alors que la demoiselle d'honneur finirait sa vie sur le parquet d'un hôtel particulier de Manhattan, avec une balle dans la tête ? Elle pensa : Je me sens engourdie. Je n'éprouve rien, aucun sentiment de perte.

Elle regarda Pacific.

— Comment pouvez-vous espérer que je ne vous pose pas de questions ?

— Poser des questions, c'est comme fumer, c'est mauvais pour la santé. On a dû vous le dire, quand vous étiez petite.

— Qui êtes-vous, Pacific ?

— Qui croyez-vous que je suis ?

— Je n'en ai pas la moindre idée.

— Alors, laissez tomber, parce que moi non plus je ne le sais pas.

— Ça veut dire ?

— Que je change de peau. Que je me suis perdu de vue. Ça veut dire ce que vous voulez. (Il lui jeta un coup d'œil rapide.) Vous n'auriez pas dû mettre Gryce dans cette situation, Sara. Vous auriez dû rester en dehors de tout ça. Je naviguais là-dedans en douceur, je reconstituais le puzzle. La seule chose que je n'avais pas prise en compte, c'est votre fâcheuse obstination. Erreur de ma part.

— Pourquoi l'avoir tuée ?

— Parce que je ne voyais aucun moyen de vous faire sortir de chez moi indemne sans éveiller ses soupçons. Rien à foutre, de toute façon elle ne servait plus à rien.

Il avait prononcé la dernière phrase sans la moindre inflexion de voix, sans aucune trace de regret ou de tiraillement de conscience – le froid énoncé d'un fait. Elle ne servait plus à rien.

— Vous vouliez me protéger, dit Sara après quelques instants de silence.

— Exact.

— Pour quelle raison ?

— Encore vos satanées questions.

Il fixa la route pendant un moment, puis jeta de

nouveau un coup d'œil à Sara. Leurs regards se croisèrent brièvement, mais assez longtemps pour qu'elle lise une détermination inflexible sur son visage.

— Vous m'effrayez, dit-elle.

— Je m'effraie moi-même.

Elle essaya de trouver une position plus confortable. Elle regardait la route et n'avait pas la moindre idée de l'endroit où ils allaient. Elle ne connaissait pas le quartier et, de toute façon, Pacific faisait des tours et des détours, comme pour déjouer une éventuelle filature. « Je m'effraie moi-même », avait-il dit. Qui était-il ? D'où venait-il ? Elle pensa à la précision avec laquelle il avait tiré sur Jennifer Gryce, comme un tueur-né. La nuit était chargée de mort et d'alliances déconcertantes. Il n'avait pas voulu que Gryce le soupçonne. Mais de quoi ? De ne pas être celui qu'il semblait être, celui qu'elle pensait qu'il était ?

— Vous avez payé Gryce pour qu'elle vous fournisse des informations, dit Sara. Pour qui croyait-elle que vous travailliez ?

— Des éléments criminels, répondit-il vaguement. Peu importe ce qu'elle croyait. On ne lui disait pas tout. Seulement ce qu'elle avait besoin de savoir. De toute façon, qu'est-ce qui comptait pour elle ? L'argent apaisait tous ses doutes, si tant est qu'elle en ait eu.

— Pour qui travaillez-vous, en fait ?

Il ne répondit pas. Ils pénétraient de plus en plus profondément dans des quartiers de cauchemar – immeubles délabrés, terrains vagues où, autour de feux allumés dans de vieux bidons à pétrole, s'attardaient des silhouettes sombres.

— Pour McClennan ? insista-t-elle.

— McClennan est un fonctionnaire apprécié.

Abreuvez-le de paperasse, et il sera heureux comme un cochon dans la fange. Donnez-lui des juges auxquels il pourra soutirer des mandats, et il sera fou de joie, comme un gamin qu'on emmène au cirque. Mieux encore, donnez-lui quelqu'un à harceler, et il sera dans son élément.

— Quelqu'un comme moi ?

— Un peu comme vous, peut-être.

Elle regarda un grand feu qui illuminait l'intérieur d'un immeuble dont il ne restait que les quatre murs, les chevrons à moitié pourris léchés par les flammes. Elle avait envie de demander à Pacific où il les conduisait, mais s'en abstint.

— Vous semblez bien connaître McClennan.

— Ne cherchez pas à creuser, Sara. Vous ne trouverez pas de pétrole.

Les brasiers disparaissaient derrière eux, l'obscurité envahissait de nouveau la ville.

— Vous ne travaillez pas vraiment pour la Russe.

— Vous continuez de creuser, Sara.

— Vous faites seulement semblant de travailler pour elle, n'est-ce pas ?

En guise de réponse, il emballa le moteur.

— Vous travaillez en sous-main, tenta-t-elle.

— En sous-main, répéta-t-il avec mépris. Le mot est mal connoté.

La lumière verte du tableau de bord colorait ses paupières, lui donnait l'apparence d'un extraterrestre. Il semblait sculpté dans du cuivre oxydé.

— Je travaille pour la Russe. Soyons clair là-dessus. Elle me paie. Et si elle me paie bien, c'est parce qu'elle me fait confiance. Elle suit les conseils que je lui donne. Et il m'a fallu longtemps pour gagner sa confiance. Très longtemps. Des années.

— Et elle ne soupçonne rien ?

— Soupçonne quoi ?

Sara haussa les épaules.

— Que vous n'êtes pas celui que vous semblez être.

— Qu'est-ce que je semble être ?

— Ce... ce personnage, Theodore Pacific.

Il arrêta la voiture en bordure d'un terrain vague en laissant tourner le moteur et la regarda.

— Mettons quelques petites choses au point. Je m'appelle Theodore Pacific. Vous voulez voir mon acte de naissance ? Je suis à la tête de plusieurs sociétés. Je fais des investissements. Certains ne sont peut-être pas parfaitement légitimes, mais ça me regarde. Je suis associé avec des hommes peu recommandables – pas des tendres – parce que je suis obligé de tremper dans certains milieux. Vous n'avez pas à savoir le reste. D'accord ?

Elle tendit la main et serra la sienne, posée sur le volant.

— Non, vous n'êtes pas ce que vous dites, vous êtes quelqu'un d'autre.

— Que croyez-vous, Sara ? Si vous cherchez un héros, vous vous gourez. Je ne suis pas là pour redresser les torts, sauf les miens. Et s'il se trouve que ça vous aide, tant mieux.

— Je crois qu'il n'y a pas que ça, Pacific.

— Vous savez quel est votre problème ? Vous vivez hors de la réalité. Vous avez cette jolie maison avec vue sur le détroit. C'est votre monde. Vous taillez vos rosiers, vous faites des enfants, voilà votre vie. L'univers dans lequel je vis n'est pas le même. Il pue, il est dangereux, c'est la lie, et je suis probablement contaminé par lui. Mais c'est mon univers et j'ai bien l'intention de continuer à y vivre tant que j'aurai besoin de le faire.

— C'est-à-dire ?

— Le temps qu'il faudra.

— Qu'il faudra pour faire quoi ?

Il passa une vitesse et démarra. La question de Sara resta sans réponse. Elle s'interrogeait sur lui, ses dénégations, ses motifs. Il connaissait McClennan et le tenait en piètre estime : était-il lié au FBI ? Travaillait-il certains aspects des affaires que McClennan ne connaissait pas ? Agissait-il à un niveau plus profond, dont McClennan n'avait aucunement conscience ?

— Comprenez une chose, dit-il tout à coup. Il y a la loi, et il y a différentes manières de la faire respecter. Parfois, c'est simple. Un type barbote quelque chose dans un supermarché et le gars de la sécurité le pince à la sortie. Aucune ambiguïté. Ensuite, on se déplace le long du spectre et, à un certain moment, ça devient plus flou. Vous êtes pris dans cet embrouillamini et vous ne pouvez dire où se termine l'application de la loi et où commence le merdier. Il arrive que l'on ne sache pas s'il y a une différence. Il se peut qu'il y en ait, il se peut qu'il n'y en ait pas. Peu importe. Fin de l'allocution.

— Vous essayez de me faire comprendre que c'est là que vous travaillez. Dans cette zone floue.

— Je n'essaie rien du tout. Comme je l'ai dit, fin de l'allocution.

— Il me faut donc imaginer le reste.

— Je me fiche de ce que vous imaginez. De toute façon, ce ne sera pas exact.

Elle se détourna de lui. Elle essaya d'imaginer sa vie et la conçut comme un équilibre délicat entre le luxueux hôtel particulier, avec ses peintures de bon goût, et des endroits comme celui-là, hors de portée des caméras de sécurité, ces faubourgs sinistres où cessait la vie urbaine, où tout partait à vau-l'eau, où les mauvaises herbes envahissaient les lieux où des hommes avaient vécu et travaillé. «Je me fiche de ce que vous imaginez, avait-il dit. De toute façon, ce ne sera pas exact.» Peut-être. Peut-être qu'à l'origine il n'était pas Pacific et l'était devenu en cours de route, et parce qu'il jouait ce rôle depuis des années, il ne savait plus très bien qui il était. Prisonnier de son personnage, son moi étouffé. Et tout cela pour quoi ?

Toute la question était là et il n'était pas disposé à y répondre.

Sara était maintenant incapable de dire où commençaient les pâtés de maisons et où ils finissaient. Des ruines et des terrains vagues. Elle n'aimait pas cet endroit et n'avait pas envie d'y être.

— Où allons-nous ? demanda-t-elle.

— Vous voulez récupérer John Stone, non ?

— Oui.

— Vous voulez retrouver une vie normale ?

— Oui.

— J'ai une bonne nouvelle pour vous. Vos vœux sont sur le point d'être exaucés.

— Comment ça ?

— Réfléchissez. John Stone ne nous est plus d'aucune utilité. Si Rosenthal a détourné les fonds de sa propre société, il ne sert plus à rien de séquestrer votre père. Nous n'avons plus besoin de lui parce que nous n'avons plus besoin de conserver un moyen de pression sur vous.

— Et Mark ?

— Il est tiré d'affaire.

— Qu'est-ce que ça veut dire, exactement ?

— Le temps de la réunion de famille est venu. Thanksgiving et Noël en même temps, madame Klein.

— Vous savez où est Mark ?

— Je crois pouvoir le localiser.

— Le service n'est probablement pas gratuit.

— Il y a toujours un prix à payer.

— Combien ?

— Vous pensez que je suis intéressé par l'argent ?

— Je ne sais pas quoi penser ni ce qui vous intéresse.

— Votre argent n'est pas utile. Le prix à payer est tout autre. Le silence.

— Le silence ?

— Vous ne me connaissez pas. Vous ne m'avez jamais rencontré. Si vous me croisez dans la rue, vous ne vous arrêtez pas, vous ne me souriez pas, vous ne me faites pas signe, pas de clin d'œil. Si McClennan, ou quelqu'un d'autre, vous interroge, vous n'avez jamais entendu parler de moi. C'est clair ?

— Il va me poser la question.

— Vous n'avez rien à lui dire, Sara. De toute façon, des dispositions seront prises. Vous serez couverte.

— Quelles dispositions ?

— Nous y sommes presque, dit-il en guise de réponse.

Elle regarda et ne vit rien. Toujours les mêmes terrains vagues, les mêmes vestiges de la civilisation. Puis, sortie de nulle part, une clôture métallique apparut dans les phares. Pacific gara la voiture, tira le frein à main et coupa le contact.

— Accordez-moi dix minutes. Restez ici, ne bougez pas.

Il sortit du véhicule. Elle le regarda aller vers une porte. Il introduisit une clé dans le cadenas, ouvrit la porte et entra. Elle ne pouvait le suivre des yeux dans l'obscurité. Elle avait l'impression qu'une bâtisse à un étage se dressait derrière la clôture. C'est vers elle qu'il se dirigeait, visible par moments, à d'autres non. Elle attendait dans la voiture, oppressée par le vide de la nuit. Le moment est venu d'une réunion de famille. Thanksgiving et Noël en même temps. Mark tiré d'affaire.

Il lui avait dit d'attendre. Mais elle se sentait vulnérable dans cet endroit horrible. Tout, autour d'elle, n'était que décombres, formes impossibles à identifier, vagues entités qui pouvaient être des gens, des créatures nocturnes rabougries, elle ne savait pas.

Elle se tapotait les genoux avec appréhension. « Attendez. Accordez-moi dix minutes. » Que faisait-il ?

Elle tourna la tête et vit la lueur de Manhattan au loin, pareille à l'explosion d'une étoile. « Vos vœux sont sur le point d'être exaucés. Vous allez reprendre une vie normale. »

L'obscurité entourait la voiture comme une carapace lourde de menaces. Elle ne pensait pas être capable de rester assise là, d'attendre son retour. Non, pensa-t-elle. Fais ce qu'il a dit. Ne bouge pas. Tu es plus en sûreté dans la voiture avec les portières verrouillées. Les ombres ne peuvent t'atteindre. Elle essaya d'immobiliser ses pensées, d'apaiser ses peurs. Pacific avait dit qu'il lui rendrait la vie, le plus beau cadeau qu'on puisse faire...

Pouvait-elle avoir confiance en lui ?

Elle ne s'était pas encore posé la question. Elle avait accompagné cet homme mystérieux, ce tueur, et elle l'avait laissé la conduire en ce lieu isolé, puis, à sa demande, elle avait accepté sans discuter de rester dans la voiture et d'attendre dix minutes. Elle était censée lui obéir, ne rien faire. Elle regarda d'un air inquiet à travers le pare-brise. Tu es obligée de lui faire confiance, pensa-t-elle. Tu n'as pas le choix. Tu dois croire cet homme que tu ne connais pas. Elle ouvrit sa portière. C'est stupide, se dit-elle. Reste où tu es. Fais confiance à Pacific. Fais confiance à l'homme qui a proféré des menaces à l'encontre de ton bébé, qui a enlevé ton père, qui a abattu Gryce sans ciller, sans un soupir de regret...

Elle sortit de la voiture. Il flottait dans l'air une forte odeur de solvants chimiques qui la suffoqua. Elle promena son regard sur des hectares de décombres, puis se retourna vers la clôture. Rentre dans la voiture, Sara. Fais ce qu'il t'a dit. Pacific va revenir et te faire renaître à la vie.

Elle écouta la brise flotter à travers le paysage, disperser des vieux papiers, agiter les mauvaises herbes, courber les tiges de pissenlit. L'odeur de produits chimiques fut un moment chassée par la brise, puis elle revint, âcre, toxique. Elle lui piquait les yeux, pénétrait par ses narines, lui bloquait l'arrière-gorge. Elle respirait mieux dans la voiture, les glaces fermées...

Sara la Contrariante. Il faut toujours que tu te mettes en travers. Tu ne sais pas quand il faut rester tranquille et attendre.

Elle s'approcha de la clôture. Elle examina la porte, le cadenas ouvert, regarda vers la bâtisse et vit une fenêtre éclairée. Elle poussa la porte. Le sol était couvert de graviers et crissait sous ses pieds. Elle sortit de l'allée et marcha dans l'herbe humide. Elle se dirigeait vers la lumière.

Elle entendit ce qu'elle supposa être des voix, mais ce pouvait tout aussi bien être la brise qui se levait de nouveau. L'air était à peine respirable. Elle imagina des cuves de produits chimiques, des émanations nocives. Elle en percevait le goût dans sa bouche, sentait leur effet sur ses bronches, les imaginait pénétrant dans ses poumons et transmises par son sang à son bébé. La lumière qui passait par la fenêtre lui frappa le visage. Elle était parfaitement immobile, la gorge sèche.

Elle regarda par la fenêtre.

Elle vit d'abord du plastique, des tonnes de grosses feuilles empilées ou entassées contre les murs. Elle approcha furtivement son visage des carreaux et se rendit compte que c'était le plastique qui sentait mauvais et libérait l'odeur violente de ses composants chimiques.

Maintenant, elle voyait Pacific, au milieu des stocks de plastique. Il avait l'air minuscule dans la pièce haute de plafond. Il parlait à quelqu'un que Sara ne voyait pas, caché par les piles de feuilles. Il faisait des gestes lents avec ses mains, haussait les épaules de temps en temps, secouait la tête parfois. A certains moments, comme s'il était suffoqué par la mauvaise odeur, il mettait ses mains en coupe, les portait à sa bouche et semblait tousser.

Par quelque bizarrerie acoustique, elle distinguait un mot ou deux par-ci par-là. Elle l'entendit mentionner le nom de Sol Rosenthal. Les paroles étaient étouffées, comme des murmures dans une séance de spiritisme. Elle l'entendit dire « Ça ne sert pas à grand-chose... », puis le reste de la phrase lui échappa, absorbé par les masses de plastique. Il se taisait à présent, les bras ballants. Il avait dit tout ce qu'il avait à dire. Le personnage à qui il s'adressait était toujours caché. Une ombre tomba, un mouvement derrière les feuilles empilées. Puis l'ombre s'immobilisa, la personne encore cachée à la vue de Sara.

Celle-ci pensa : La Russe. Qui d'autre cela pourrait-il être ? Elle s'attendait à voir le déambulateur en aluminium, les cheveux jaunes, le visage maquillé. L'ombre bougea encore. Pacific porta une nouvelle fois sa main à sa bouche. Il semblait attendre quelque chose, mais quoi ? Une décision ?

Attendre, toujours attendre.

Tout était parfaitement silencieux, immobile.

L'ombre se rapprocha.

Sara vit le visage rougeaud, les sourcils gris en bataille. Elle vit l'éclair lancé par les bagues en turquoise sur les doigts potelés, le costume croisé marron. Elle vit Pacific tendre la main et prendre quelque chose dans celle de l'autre, puis les deux hommes sourirent comme s'ils se détendaient soudain, étant parvenus à un accord.

George Borbokis, avocat, inscrit au barreau de l'Etat de New York pour exercer le droit.

Le droit et la tromperie. Et quoi d'autre encore ? C'était comme si tous les piliers qui soutenaient l'ordre social s'étaient effondrés. Sara avait l'impression de tomber.

Elle s'écarta de la fenêtre et, en trébuchant un peu, s'obligea à repartir vers la clôture et la voiture. Elle perdit l'équilibre, se tordit la cheville, faillit tomber, atteignit la porte, l'ouvrit et se dirigea vers la voiture. Elle imaginait des allégeances à l'intérieur d'autres allégeances, des alliances à l'intérieur d'autres alliances, toutes entrelacées comme les cerceaux des spectacles de magie. Les voilà liés, l'instant d'après ils sont séparés, et vous ne voyez pas les coutures, les coupures secrètes.

Elle crut comprendre. Pacific l'avait attirée jusque dans cette banlieue perdue pour la tuer. Peut-être n'avait-il besoin que de l'approbation de George Borbokis, et maintenant il l'avait – quelques mots à voix basse, une poignée de mains, un accord scellé...

Elle arriva à la voiture, agrippa la poignée de la portière, puis se souvint que Pacific avait emporté les clés avec lui. Impossible de partir. Elle était coincée là, dans cet endroit paumé, sans pouvoir aller nulle part, entourée par tous ces décombres, ces pans de murs calcinés, ces terrains vagues, et elle était seule dans un monde de coalitions perfides. Elle ouvrit la portière côté passager et vit Pacific franchir la porte et venir vers la voiture. Elle se glissa sur le siège et le regarda à travers le pare-brise tout en refermant la portière. Elle était morte de peur, incapable de réfléchir correctement.

Il ouvrit sa portière au moment précis où elle pensait appuyer sur le bouton pour la verrouiller.

— C'est fait, annonça-t-il.

— C'est fait ? demanda-t-elle, effrayée par ces mots. Qu'est-ce qui est fait ?

— L'affaire, répondit-il en démarrant, avant d'ajouter, après avoir conduit un moment sans rien dire : Quelque chose vous tracasse ?

— Je pensais...

— Qu'est-ce que vous pensiez ?

— Je ne sais pas...

Elle se plongea dans le silence. Elle aimait cela, le calme de cette obscurité intérieure. C'était un lieu tranquille où les peurs ne faisaient pas irruption. Il n'était pas sur le point de la tuer. Elle laissa cette pensée l'imprégner. Pacific n'avait nullement l'intention de la tuer. Elle avait fantasmé.

— J'imagine que vous n'avez pas aperçu grand-chose.

— Aperçu ?

— Par la fenêtre.

— Vous m'avez vue ?

— Plus exactement, c'est vous qui m'avez vu. Et vous avez vu aussi quelqu'un d'autre.

Elle resta coite.

— George Borbokis personnifie peut-être la cupidité, reprit Pacific, mais il sait quand il fouette un cheval mort. Il sait à quel moment se servir du fouet et à quel autre s'arrêter.

— Expliquez-moi. Expliquez-moi quels rapports il y a entre ces gens-là. Borbokis, la Russe. Démontez le mécanisme et expliquez-moi comment il marche, dans un langage que je puisse comprendre.

Pacific resta silencieux un moment. Les lumières de Manhattan se rapprochaient.

— Il y a des choses que vous n'avez pas besoin de savoir. Ça ne vous regarde pas. Qui fait quoi et pour qui. Qui est associé avec qui. Qui rend service à qui. Ce genre de choses. Vous me suivez ? Il y a de gros enjeux.

— Je suis censée rester dans un état de bienheureuse ignorance.

— Je ne peux pas vous dire les choses plus simplement, Sara. Mais j'ai une suggestion à vous faire. Plus qu'une suggestion, c'est un impératif. Et nous en revenons à notre accord.

— Le silence ?

— Le silence. Exactement.

— Je n'ai pas vu Borbokis.

— Voilà une fille sage. Vous n'avez pas vu Borbokis.

Elle se tassa dans son siège autant qu'elle put. Elle aurait voulu se taire, mais elle ne put s'empêcher de dire :

— Borbokis est lié avec la Russe et mêlé à ses histoires de fric. Il ne peut en être autrement. C'est la seule explication. Il est impliqué dans toute cette escroquerie. C'est peut-être même lui qui a mis l'affaire dans les pattes de Mark, peut-être...

— Sara, coupa Pacific d'une voix peu amène. Je vais faire le ménage dans votre mémoire. Vous n'avez pas vu Borbokis. Vous n'avez jamais vu aucune Russe. Rien de tout cela n'est jamais arrivé. J'insiste bien. Rien de tout cela n'est jamais arrivé. Vous n'en parlez ni à votre père ni à votre mari. Sauf à être d'accord là-dessus... vous pouvez dire adieu à une fin heureuse de l'histoire. Vous me suivez ?

Elle ne dit rien pendant un moment. Ses pensées se bousculaient. Elle devait les remettre en ordre. A partir de maintenant, il fallait qu'elle les maîtrise et les réduise au silence.

— Je veux que ça se termine bien, dit-elle.

— Oui, c'est ce que veulent la plupart des gens.

Ils revenaient vers Manhattan. Sara commençait à reconnaître des immeubles, des noms de rues, ses points de repère.

Pacific se gara devant un immeuble en grès brun délabré dans la 73ᵉ Rue. Il sortit une clé de sa poche et dit :

— Avec la permission de George Borbokis, un type que vous n'avez jamais vu. C'est au deuxième, Sara. Vous voulez monter ou vous voulez que j'y aille ?

— Je vais y aller.

Elle ouvrit la portière. Pacific ne dit rien pendant quelques instants. Puis :

— N'oubliez pas, Sara. Quand vous traversez un de ces moments de curiosité, quand vous n'arrivez pas à chasser certaines pensées de votre cerveau, songez à vos enfants, à vos rosiers, et regardez la jolie vue sur l'eau que vous avez de chez vous.

— Je n'y manquerai pas.

— Je parle sérieusement. Il est dangereux de se souvenir de certaines choses. Vous êtes une fille sympa et, c'est drôle, je vous aime bien.

Pacific poussa un soupir. Sara ne sut comment l'interpréter – la fatigue d'un homme qui mène une bataille trop longue, la lassitude de celui qui est arrivé à la conclusion que, pour redresser les torts en ce bas monde, la fin justifie les moyens. Tous. Quoi qu'ait signifié ce soupir, c'était celui d'un homme seul.

— Une dernière chose... (Elle attendit.) La prochaine fois que vous feuilletez les pages jaunes pour chercher le nom d'un avocat, passez rapidement sur la lettre B.

Il lui fit un clin d'œil comme il l'avait déjà fait une fois, alors qu'il était quelqu'un d'autre, dans un autre temps et un autre lieu – dans l'allée derrière le bar de Port Jefferson.

Elle lui toucha la main, peut-être un geste de gratitude. Il lui sourit et ce n'était pas ce sourire glacé qu'elle lui avait déjà vu, mais un sourire franc et ouvert, comme s'il lui permettait d'entrevoir brièvement sa personnalité véritable, celle de l'homme qui n'avait pas toujours vécu dans les lézardes et les zones obscures de la société. Elle sortit de la voiture.

Elle entra dans l'immeuble, un lieu sombre qu'on avait laissé se délabrer. Elle monta au second. Une odeur aigre flottait dans l'air. Elle introduisit la clé dans la serrure. La pièce était vide, à l'exception d'un matelas, d'une caméra vidéo sur un trépied et d'une chaise. Les rideaux étaient tirés. La lumière venait d'une simple ampoule au plafond.

John Stone était assis au bord du matelas, les mains et les chevilles ligotées. Il avait les yeux fermés.

Elle lui poussa doucement l'épaule. Il ouvrit les yeux et dit :

— C'est drôle. Je pensais justement à toi.

Elle serra son père contre elle et le berça comme s'il avait été un petit garçon revenu d'une longue escapade au cœur des bois.

35

Le jour se levait quand ils arrivèrent chez son père, à Port Jefferson. John Stone dormit dans la voiture presque tout le long du trajet. Elle le conduisit dans le séjour, où elle le fit s'allonger sur le canapé. Elle lui retira ses chaussures et ses chaussettes, regarda ses pieds noueux, marbrés de veines. Elle s'assit à côté de lui, lui caressa le front, le contempla.

Il dormit par intermittence. A un moment donné, en se réveillant, il dit :

— Tout compte fait, ils m'ont assez bien traité, sauf le matelas qui était inconfortable et tous ces tranquillisants qu'ils me faisaient avaler.

Une autre fois, il fit cette remarque :

— Ils m'ont fait lire ce stupide message à ton intention. Je leur ai dit que tu ne serais jamais dupe, que tu étais trop intelligente pour cela.

Elle lui dit qu'il avait besoin de dormir, que tout irait bien désormais. Elle resta longtemps assise près du canapé, sans rien faire d'autre que le regarder.

A un certain moment, alors que le soleil était

complètement levé, elle sortit sur le perron, s'assit sur les marches, écouta chanter les oiseaux dans le calme du matin, pensa à Pacific, se demandant qui il était et pourquoi il avait fait tout cela. Elle traversait ce qu'il avait appelé un « moment de curiosité », mais comment s'en empêcher ? Dans ces moments-là, elle ne pouvait faire taire son mental, réfréner ses spéculations. Pacific, son univers étrange, la place singulière et dangereuse qu'il semblait occuper entre le crime et la justice, tout cela lui mobilisait l'esprit. Elle pensa à ces rouages tournant au milieu d'autres rouages : George Borbokis, la femme de Saint-Pétersbourg, Sol Rosenthal, Jennifer Gryce. Elle pouvait feuilleter les pages de ce catalogue et se demander comment s'imbriquaient exactement toutes les pièces. Pour certaines, elle le savait. Pour d'autres, elle ne pouvait que le deviner. D'autres étaient encore entourées de mystère.

Ça s'est peut-être passé ainsi, pensa-t-elle, la Russe est venue voir Borbokis, peut-être parce qu'il est connu dans certains milieux comme un homme à qui s'adresser lorsqu'on a besoin d'effectuer quelque opération financière délicate. Il sait comment tourner les règlements, comment préparer les documents pour qu'ils aient l'air orthodoxes.

Peut-être.

La Russe désire investir de grosses sommes. Disons vingt ou vingt-cinq millions de dollars, peut-être plus. Juste pour commencer. Des sommes plus importantes encore doivent suivre.

Peut-être.

Borbokis entre en contact avec Mark, lui présente la Russe ou l'un de ses collaborateurs. Peut-être Pacific lui-même. Peut-être pas. Mark ne connaît pas l'origine des fonds. Mais un client est un client, une commission n'est jamais à négliger, Mark est plein de zèle. Alors l'argent change de mains, des comptes d'investissement sont ouverts dans différentes parties du monde. Tout semble parfaitement limpide. En apparence.

Peut-être.

Et Pacific observe, attend, suit les fonds à la trace, car il essaie de mener sa propre enquête. Il s'efforce de ne pas perdre la piste de ce flot d'argent russe illicite. Tout se passe bien, il est aux premières loges pour surveiller les opérations, jusqu'au moment où Rosenthal pioche dans la caisse. Comme des chiens qui font les poubelles, McClennan et ses hommes furètent partout et l'enquête de Pacific est compromise. Il se sert alors de Gryce pour obtenir des informations sur celle de McClennan, car il doit se tenir au courant des progrès de celle-ci et écarter Mark parce qu'il veut que McClennan s'égare sur de mauvaises pistes, parce que, parce que...

Elle s'arrêta là, incapable de poursuivre ses spéculations plus loin. Elle avait mal à la tête. Elle essayait d'échafauder un édifice solide avec des matériaux fragiles. Et elle en revenait toujours au même point : elle ignorait qui était Theodore Pacific.

Elle ne le savait pas et ne le saurait jamais.

Mais elle savait du moins une chose : Pacific lui avait promis de lui rendre la vie. Il lui avait déjà restitué son père. Elle pensa au reste : sa vie normale, son mari. Où était-il ? Elle regarda le soleil émerger par-dessus les toits, lacis de lumière suspendus dans les branches des arbres comme des décorations de Noël diaphanes. Elle écouta son père ronfler doucement à l'intérieur de la maison. Un son ordinaire, paisible. Miraculeusement familier. Elle était fatiguée, mais elle savait qu'elle aurait du mal à trouver le sommeil.

Elle étendit ses jambes. Elle sentait le soleil sur son visage, et le reste de fraîcheur du matin. Cette pointe de froid ne la gênait pas. Bientôt, le quartier allait commencer à s'éveiller lentement, à regret, au jour nouveau – sonneries de réveils, branchement des percolateurs, bols de céréales remplis, lait renversé, plaintes des gamins sortant de leur lit à contrecœur. Les choses de tous les jours.

Elle se leva pour rentrer dans la maison. Elle fit demi-tour et commençait à gravir les marches du perron lorsqu'elle entendit une voiture remonter la rue. McClennan en sortit.

Il la regarda. Il avait l'air hésitant. Il restait là, les bras croisés. Elle n'allait pas lui donner la petite satisfaction de redescendre les marches pour l'accueillir. C'était à lui de venir à elle.

Il marcha jusqu'au pied des marches et, en se protégeant les yeux du soleil, dit :

— J'imagine que vous ne connaissez pas encore la nouvelle.

— Quelle nouvelle ?

— A propos de Rosenthal.

Il lui expliqua. Elle fit semblant de ne pas être au courant, mais se sentit réellement bouleversée, car c'était la première fois qu'elle se rendait vraiment compte que Sol était mort. Cette prise de conscience l'affligea. Elle était incapable d'éprouver de la haine pour Rosenthal, quoi qu'il ait fait. Elle se souvint de la façon dont il s'était tué, mais l'image s'effaçait déjà et elle savait qu'un jour elle l'enterrerait complètement.

Un jour, dans bien longtemps. Le futur était la seule direction dans laquelle elle pouvait regarder.

— Il s'est fourré le canon d'un revolver dans la bouche. Il a appuyé sur la détente. Mort.

Le revolver, pensa-t-elle. Elle l'avait emporté avec elle en partant de chez Sol et l'avait laissé chez Pacific.

— Le revolver était posé sur le bureau, reprit McClennan. Avec un petit mot. Une confession complète.

Le revolver posé sur le bureau, un petit mot...

— Que disait le petit mot ?

— Comme toujours en pareil cas. Qu'il était désolé. Qu'il espérait que les gens comprendraient et lui pardonneraient. Qu'il regrettait les torts qu'il avait faits à des innocents. Qu'il regrettait ses malversations et s'était fourvoyé. Il innocentait votre mari. Voilà ce qu'il a dit.

— Il a écrit tout ça ?

— Tapé à la machine et signé.

Sol n'avait jamais pu taper quoi que ce soit à la machine. Quand il écrivait quelque chose, c'était en pattes de mouche, et il le faisait taper par une secrétaire. Le plus souvent, il dictait. Un revolver, une lettre tapée à la machine, tout ça c'était du Pacific. Il avait tout réglé.

— Il a, semble-t-il, blanchi votre mari de tout soupçon.

Sara perçut une pointe de doute dans sa voix. Peut-être se raccrochait-il à l'idée qu'il pourrait épingler Mark pour une raison ou pour une autre. Il y avait dans le caractère de McClennan quelque chose à quoi elle ne se ferait jamais, une ténacité qui dépassait l'entendement. Il n'était pas homme à renoncer à ses convictions facilement, aussi infondées qu'elles aient pu être. Elle supposait que cette disposition d'esprit lui était nécessaire dans son travail, qu'elle était gravée dans son cerveau. Excusons-le, pensa-t-elle. C'est le jour de l'amnistie.

— S'il n'avait pas décidé, pour quelque obscure raison, de prendre la tangente, il m'aurait fait économiser beaucoup de temps, remarqua McClennan.

— Est-ce que vous l'auriez cru s'il vous avait affirmé son innocence ? On ne peut pas dire que vous vous soyez montré particulièrement réceptif à l'idée de la *mienne*...

— Je fais mon boulot.

Elle se retourna et poussa la porte.

— Je ne crois pas que j'aurai souvent l'occasion de vous voir, désormais, dit-elle en jetant un regard à McClennan.

— Il n'y a pas de raison. J'aurai besoin de m'entretenir rapidement avec votre mari dès qu'il réapparaîtra. Quel que soit le moment. Des questions de détail, sans plus. Comme la raison de sa disparition. Si vous avez de ses nouvelles, je veux être le premier informé. Voilà un numéro où vous pouvez me joindre à tout instant.

Elle prit la carte de visite qu'il lui tendait et dit :

— Une dernière chose. La prochaine fois que j'utilise mon téléphone, j'aimerais pouvoir me dire qu'il n'y a pas d'oreille indiscrète sur la ligne.

— Quelles oreilles indiscrètes ?

Elle rentra dans la maison, referma la porte et regarda à travers la grille de la porte McClennan retourner à sa voiture. Puis elle entra sans se presser dans le séjour, où son père s'était réveillé. Elle s'assit sur le bord du canapé et lui caressa la main.

— Comment te sens-tu ? demanda-t-elle.

— Ça va. Si ce n'est ce sentiment de m'être comporté comme le dernier des imbéciles...

— Comment ça ?

— En laissant ces types m'embarquer comme ils l'ont fait. Le truc était pourtant simple et j'ai marché. La façon dont le grand malabar m'a abordé en prétendant vouloir me dire quelque chose seul à seul. Dehors, naturellement. « C'est à propos de votre gendre », qu'il a dit. J'aurais dû rester où j'étais. En tout cas, je l'ai suivi. Surprise surprise. Le soi-disant vendeur de concessions funéraires attendait dans le parking. Ils m'ont empoigné et poussé dans une voiture. Je me suis débattu, évidemment... mais on ne peut pas lutter contre le chloroforme. Quand j'ai rouvert les yeux, j'étais dans la pièce où tu m'as trouvé. Ils ont voulu que je lise devant une caméra un carton avec ce laïus stupide... (Il souleva sa tête du coussin.) Ils m'ont donné une nourriture de cochon. Des hot dogs et des frites.

— Qui te l'apportait ?

— Des hommes différents. Une ou deux fois, le jeune type... Il y avait quelque chose de drôle avec lui.

— Quoi donc ?

— J'ai du mal à le définir. J'avais l'impression qu'il jouait un rôle. Je n'ai jamais vraiment cru qu'il pouvait me faire du mal.

Sara ne dit rien.

— Qu'est-ce qui s'est passé en mon absence ? reprit son père.

— Certaines choses.

— C'est ce que répondait ta mère quand elle ne voulait pas me faire de confidences. Tu es pareille, Sara. Y a-t-il eu des nouvelles de Mark ?

Elle secoua la tête.

— Je pense que nous allons en avoir bientôt, dit-elle au bout d'un instant.

— Tu m'as l'air optimiste.

— Pourquoi pas ? Le pessimisme ne mène à rien.

Il fourra les mains dans les poches de son pantalon et fit cliqueter quelques pièces.

— Une chose m'intrigue... (Elle savait ce qu'il allait dire.) Comment as-tu fait pour me retrouver ?

— C'est une longue histoire, Papa.

— Et tu n'es pas prête à me la raconter, n'est-ce pas ?

Elle lui sourit et ne répondit pas.

— Pourquoi ont-ils décidé de me relâcher ?

— J'imagine qu'ils en avaient assez de te nourrir.

— Non, ce n'est pas seulement ça, hein ?

Ils entrèrent dans la cuisine, où elle fit du café. Elle le but en regardant au fond de l'arrière-cour la serre qui réfléchissait le soleil du matin. Son père se tenait, pieds nus, dans l'encadrement de la porte. En pleine lumière, il semblait tout frêle.

— Tu sais ce qui a été le plus dur ? La pensée que j'allais mourir dans cette satanée pièce. Qu'ils allaient me garder là et finir par m'oublier. Et j'étais assis là, à dépérir.

Elle s'approcha de lui et passa ses bras autour de son cou.

— Tu es précieux.

— Eh oui, un vieux trésor.

— Inestimable.

— Et un peu abîmé.

— Les vieux trésors le sont souvent.

Elle l'étreignit, l'embrassa sur la joue, sentit sa barbe de plusieurs jours. Elle se rendit compte qu'il pleurait doucement dans ses cheveux. Elle le serra plus fort et, quand finalement il recula, elle vit qu'il avait les yeux rouges et mouillés de larmes.

— Il y avait plus dur encore que la perspective de mourir dans cette pièce... (Il s'interrompit et s'essuya les yeux avec la manche de sa chemise.) C'était celle de ne jamais te revoir.

Jamais te revoir. Rien n'était plus terrible que ces deux mots. Elle le regarda et c'est la gorge serrée qu'elle lui dit :

— Tu me reverras souvent, Papa.

Elle resta allongée un moment dans son ancienne chambre. Elle n'avait pas tiré les rideaux et voulait que le soleil entre dans la pièce. Elle voulait voir le chêne et sa vieille balançoire accrochée aux branches quand elle rouvrirait les yeux. Elle s'endormit, rêva de Mark. Un rêve lié à l'eau, aux marées, à des turbulences.

Elle fut réveillée par la sonnerie du téléphone et se précipita au rez-de-chaussée pour répondre avant que son père ait eu le temps de le faire. Elle décrocha le combiné.

— Je ne sais pas par où commencer, dit-il.

— Commence par rentrer à la maison.

36

Elle attendait anxieusement chez elle lorsque le taxi arriva. Mark en descendit, son sac de voyage à la main. Elle sortit et le regarda payer le chauffeur. Il se retourna, se dirigea vers le perron. Elle descendit les marches à sa rencontre et il laissa tomber son sac à ses pieds. Elle l'étreignit un moment en silence, lui toucha le visage avec le bout de ses doigts et vit dans ses yeux qu'il était las, ébranlé. Elle le prit par la main, le conduisit à l'intérieur de la maison, où il s'arrêta et regarda autour de lui à la manière d'un homme qui se retrouve dans un lieu qu'il reconnaît à peine.

Ils entrèrent dans le séjour. Il promena ses doigts sur son ventre, puis l'attira sur le canapé où ils restèrent assis un moment, sa tête contre l'épaule de Sara, sa main posée à l'endroit où se trouvait le bébé. C'est un instant délicat, pensa-t-elle. Il la touchait, la caressait, comme s'il avait eu besoin de reprendre depuis le début le processus de familiarisation – son corps, le bébé, la maison.

Elle écarta une mèche de son front, embrassa sa

bouche, sa joue, ses paupières. Elle remarqua que ses yeux étaient un peu injectés de sang. Tout en le touchant, elle se rappela les doutes qu'elle avait eus à son égard en son absence, toutes les fissures qu'elle avait vues s'ouvrir dans leur relation. Elle les considérait maintenant comme de petites trahisons de sa part, des marques de déloyauté. Elle les écarta de son esprit. Il leur fallait un nouveau commencement. Mark était de retour. Il était à la maison. Il était innocent. Les fils de leur vie commune pouvaient être rassemblés et de nouveau tissés.

— Comment va le bébé ? demanda-t-il.

Ses premiers mots. Il les avait prononcés d'une voix rauque.

— Il grandit sans arrêt.

Il remonta sa robe, posa ses mains sur ses hanches, pencha la tête et posa ses lèvres sur son nombril pendant qu'elle le tenait par la nuque. Avant de comprendre vraiment qu'ils étaient réunis, il allait y avoir des tâtonnements, des silences, des hésitations, peut-être même un certain embarras, elle le savait.

— Je croyais... commença-t-elle.

— Quoi ?

— Que je ne te reverrais jamais.

Les mêmes mots que son père. Elle avait laissé John Stone chez lui à Port Jefferson, en lui disant de ne pas oublier de verrouiller la porte et de fermer les fenêtres, « *pour ta tranquillité d'esprit* », avait-elle ajouté, et il avait obéi comme un enfant.

— Je suis entré dans l'aéroport, entreprit d'expliquer Mark.

Il avait les lèvres sèches, fendillées.

— Tu n'as pas à parler de cela maintenant, dit-elle. Ça peut attendre.

— Non, ça ne me dérange pas, j'ai besoin de parler. J'ai besoin... (Il eut un geste évasif.) Dès que je suis entré dans le terminal, on m'a fait appeler au téléphone. Et un type que je ne connaissais ni d'Eve ni d'Adam m'a dit que tu avais eu un accident, rien de grave, mais qu'on t'emmenait à l'hôpital. Il m'a demandé de le rejoindre au comptoir d'information pour m'expliquer...

Il la regarda dans les yeux. Elle se demanda si c'était de la peur qu'elle y lisait. De la souffrance, en tout cas. Il se tut quelques instants. Puis :

— Quelqu'un m'attendait au comptoir, un jeune homme. Très aimable, inquiet, convaincant. «Votre femme est tombée, m'a-t-il dit. Elle était sur un escabeau et elle a perdu l'équilibre. » Il arrivait de la salle des urgences pour m'emmener directement à l'hôpital. J'étais alarmé, je me demandais dans quel état tu étais. Lui était très rassurant, il n'arrêtait pas de répéter que ce n'était pas grave, seulement une légère commotion, le bébé allait bien, mais bon sang... Il était hors de question que je m'embarque pour Hong Kong en te sachant à l'hôpital. Les affaires attendraient.

Un jeune homme, pensa-t-elle. Très convaincant. Oui, « il » savait se montrer convaincant. Il savait se montrer un tas de choses.

— Il avait sa voiture dehors. Je suis monté. J'étais inquiet. Je ne pensais pas clairement. (Il marqua une pause, ferma les yeux.) Brusquement, il a sorti un revolver. J'ai tout de suite pensé qu'il me kidnappait. Il m'a obligé à prendre le volant. J'ai plaidé ma cause mais il ne m'écoutait pas. Je lui ai demandé combien il voulait. Il n'a pas répondu. Il m'a emmené dans une maison délabrée – je serais incapable de la retrouver. Un coin perdu, quelque part du côté de Jersey, je ne sais pas trop où. Il m'a conduit à la cave, m'y a enfermé et est parti. Pas de fenêtres, pas d'issue. Coincé dans cette cave humide et froide...

Il leva la tête et la regarda.

— Il venait une fois par jour, parfois deux, m'apportait à manger et à boire, me posait des tas de questions. Il ne parlait pas de rançon, n'exigeait rien. Seulement des questions. Il voulait des renseignements sur la société Rosenthal, des détails sur mes clients, il voulait savoir où j'avais investi leurs fonds, pour quelles sommes, quel genre de clients j'avais. Je n'arrive pas à comprendre pourquoi. Un concurrent ? Une forme d'espionnage financier ? Je ne savais que penser... j'avais perdu toute notion du temps. Est-ce que je savais que des fonds avaient été détournés chez Rosenthal ? Savais-je où était passé l'argent ? Bon sang, évidemment je savais qu'il se passait quelque chose dans la société. Il aurait fallu être aveugle pour ne pas le remarquer. Les vérificateurs qui travaillaient la nuit, puis tous ces types tirés à quatre épingles qui examinaient les documents. Au pire, j'imaginais une grosse erreur comptable. Ça arrive parfois. Quelqu'un appuie sur une mauvaise touche d'un clavier – le facteur humain. Je ne croyais guère à un détournement de fonds. Je n'avais aucune réponse à lui donner et j'ignorais ce qu'il cherchait vraiment...

Elle pensa : Je pourrais te le dire. Elle se souvint qu'elle s'était engagée au silence.

— A un certain moment, je ne sais plus quand exactement, il a apporté un téléphone portable. Il m'a dit : « Appelez votre femme. Dites-lui que vous êtes à Hong Kong, que tout va bien et que le Kimberley est un hôtel agréable. Soyez convaincant. Ne dites rien qui puisse l'alarmer... » (Mark avait les sourcils froncés. Il était pâle.) Puis il est arrivé ce matin à la première heure et a déclaré que je pouvais m'en aller. Comme ça, de but en blanc, sans explication. Il en avait fini avec moi. J'étais libre. Il m'a dit : « Marchez dans cette direction. A trois kilomètres d'ici, vous trouverez une station-service avec un téléphone. Appelez votre femme. Elle est certainement impatiente d'avoir de vos nouvelles. » Il a démarré et il est parti.

Mark Klein sourit pour la première fois depuis son arrivée, mais il avait l'air tendu.

Elle le prit par la main et dit :

— Allons là-haut.

Ils firent l'amour en silence et, de crainte de faire mal au bébé, il se montra attentionné, doux et lent dans ses mouvements. A travers ses paupières mi-closes, Sara voyait le reflet de l'eau dessiner des arabesques changeantes sur les carreaux. Ensuite, Klein s'étendit à côté d'elle et lui caressa les seins.

— Je croyais que tu m'avais abandonnée, dit-elle.

— Tu croyais *quoi* ?

Il se releva sur un coude et la regarda. Il déplaça sa main sur sa joue et l'examina d'un air grave.

— Que tu étais parti. Sorti de ma vie. Que tu t'étais envolé.

— Tu penses que je suis capable de ça ?

— Je m'y refusais, Mark, crois-moi. Imagine dans quelle situation j'étais. Pas de nouvelles de toi...

— Comment pouvais-tu seulement penser que je t'avais laissée tomber ?

— Parce que les gens du FBI sont venus ici et te

344

cherchaient. Parce qu'ils avaient un mandat de perquisition. Et parce que, contrairement à ce que tu m'avais dit, tu n'étais pas à Hong Kong – j'ai appelé l'hôtel, tu n'étais pas sur leur registre...

— Attends. Les gars du FBI sont venus ici avec un *mandat de perquisition* ?

— Ils ont emporté tout ce qui était dans ton bureau. Et ils me soupçonnaient ; ils croyaient que j'avais participé à l'escroquerie et t'avais aidé à détourner des fonds de chez Rosenthal. Que devais-je penser ?

— Une escroquerie ? Moi ?

— Oui, toi. C'est ce qu'ils croyaient.

— Et ils pensaient vraiment que *tu* étais dans le coup ?

Elle acquiesça.

— Ouais, ils l'ont cru jusqu'à ce que Sol...

— Jusqu'à ce que Sol quoi ?

— Jusqu'à ce qu'il se tire une balle dans la tête.

— Il s'est *suicidé* ?

— Il a été incapable de supporter l'idée qu'il avait détourné les fonds de la société, ruiné ses clients et sa réputation.

— Sol... commença Mark, blanc comme un linge.

— Des millions. Des millions de dollars.

— Bon Dieu de bon Dieu. Je n'arrive pas à croire qu'il se soit supprimé.

Il y a des choses que tu ignores, pensa-t-elle, et que je ne peux pas te dire. J'ai conclu un pacte avec le diable, avec un ange déchu, avec Pacific, quoi qu'il puisse être.

Elle écouta la marée, au loin.

— C'est tout ce qui importe, dit-elle, tout ce que je sais.

Il posa son oreille contre son ventre et, pendant quelques instants, elle se sentit mal à l'aise, assaillie par un souvenir déplaisant. Puis elle se détendit.

— Il donne des coups de pied, dit-il.

— A qui le dis-tu !

Ils restèrent étendus en silence. Elle avait les yeux fermés et se sentait en sécurité. Elle écoutait le rythme régulier de sa respiration et essaya de se l'imaginer prisonnier dans une cave obscure. Il avait dû passer par des moments difficiles quand il se demandait si ses souvenirs n'étaient pas tout simplement des rêves – femme, bébé, foyer –, de pures fictions. Il avait dû traverser des périodes de désespoir et de frustration, d'angoisse et d'abattement. Ce que j'ai connu, Mark a dû le connaître aussi, pensa-t-elle.

Il se leva et entra dans la douche. Elle écouta le tambourinement de l'eau. Il réapparut avec une serviette autour des reins. Les poils de sa poitrine étaient humides et luisaient. Il s'allongea sur le lit à côté d'elle et dit :

— Je n'arrive pas à me faire à l'idée que Sol s'est suicidé. Ça ne m'est pas encore entré dans le ciboulot.

Elle appuya son visage contre sa poitrine, huma le parfum familier du savon et de l'eau de Cologne. Une brise légère agitait les rideaux de la fenêtre ouverte. Le soleil avait disparu et la pluie tombait doucement. Elle l'écouta bruisser dans les buissons. Elle avait un sentiment d'achèvement, l'impression qu'un cercle se refermait, que la mort et la trahison appartenaient à un autre monde.

Un peu plus tard, ils descendirent dans le bureau. Il regarda ses classeurs. Il tira les tiroirs, les referma. Il le faisait de manière distraite, comme un homme affligé d'un tic nerveux dont il n'a pas conscience. Ouvrir, fermer. Ouvrir, fermer.

— Ils m'ont laissé quelques trombones, je vois.

— Tu vas tout récupérer, dit-elle. Ils n'ont plus aucune raison de garder tes affaires.

Elle passa ses bras autour de lui et le tint embrassé un moment. Elle le sentait légèrement mal à l'aise, comme s'il avait été contrarié qu'on soit entré là.

— Ma pauvre chérie. Tous ces emmerdements quand je n'étais pas là... dit-il en montrant la pièce d'un grand signe. Seule, enceinte. Aucun signe de vie de ma part. Subir toutes ces conneries, les perquisitions et Dieu sait quoi...

Il examinait minutieusement son visage. Avec le bout de son doigt, il écarta doucement une mèche folle tombée sur son front. Il fit cela comme s'il avait inscrit un schéma subtil sur sa peau.

— Tu es censé te mettre en contact avec un agent du FBI, un certain McClennan. C'est lui qui a délivré le mandat. Il est à ta recherche.

— Je vais l'appeler.

— Plus vite nous aurons enterré le passé, mieux ce sera. Tournons la page, Mark. Pensons à l'avenir, au bébé et à tout ça.

Il se détourna et arpenta la pièce. Il tripotait des trombones, qu'il accrochait ensemble.

— Ce McClennan, c'est lui qui te suspectait?

— Oui.

— Il t'en a fait baver.

— Tu peux le dire.

Il se tenait le dos à la fenêtre, les bras croisés, les poings serrés.

— Je vais lui parler. Tout de suite.

347

La première chose que fit Mark le lendemain matin fut d'aller rencontrer McClennan à Wall Street. Restée seule, Sara téléphona à son père. Elle lui annonça que Mark était de retour. Elle résuma, car les détails risquaient d'appeler des explications qu'elle ne voulait pas donner.

— Tout va bien, donc, dit John Stone. Tout est à sa place.

— Oui. Tout.

— Sauf l'argent, bien entendu. J'ai regardé le journal. On ne parle que de Sol Rosenthal. Le trou est pour l'instant de trente-sept millions cinq cent mille et des poussières. C'est une estimation prudente, disent-ils. Ça fait une sacrée somme et des tas de gens vont être durement touchés.

— Oui, dit-elle. (Il avait plu toute la nuit. Le détroit était couvert de brume, le paysage morne et chargé de mystère.) J'avais pensé faire un saut.

Son père lui répondit que cela lui ferait le plus grand plaisir.

Elle raccrocha et sortit sur le seuil. On apercevait un voilier à travers les lambeaux de brume. Elle le regarda quelques instants, puis rentra. Elle pensa au rendez-vous de Mark avec McClennan, se demanda ce qu'ils pouvaient se dire. Mark allait avoir à expliquer sa disparition. C'est un monde de mystères, pensa-t-elle. Un monde d'énigmes où choses et gens s'évanouissent sans laisser de traces.

A midi, elle prit sa voiture et se rendit chez son père. Ils s'assirent tous les deux dans la cuisine. John Stone souffla sur son thé noir pour le refroidir, puis dit :

— J'imagine que celui qui a retenu Mark en captivité est de mèche avec mes ravisseurs.

— Je suis prête à le croire.

— Et tout ça est bien évidemment lié au détournement des fonds.

Elle acquiesça. Elle regarda son père reposer sa tasse sur la soucoupe. Dehors, la pluie tourbillonnait autour de la serre, qui avait l'air abandonnée. Sa porte battait en couinant sur ses gonds.

— Et Mark n'avait rien à voir avec la disparition de l'argent.

— Absolument rien.

— Je dois te faire un aveu. Pendant un moment, j'ai été convaincu du contraire.

— Tu n'étais pas le seul.

— Je ressens le même soulagement que toi, vraiment, mais c'est curieux...

— Qu'est-ce qui est curieux ?

— La façon dont nous entretenons parfois des soupçons qui se révèlent infondés. Il y a peut-être quelque chose dans la nature humaine qui, malgré nous, nous fait noircir le tableau. C'est une idée assez déplaisante.

— Tout était contre Mark, dit-elle. Tu ne pouvais t'empêcher de penser au pire.

Il tendit le bras par-dessus la table et toucha l'alliance de Sara.

— N'importe. Comment va Mark ?

— Il est encore sous le choc. Mais ça ira. Son rendez-vous avec le FBI est une simple formalité. Il devra répondre à quelques questions, c'est tout.

— J'ai songé à aller au commissariat pour faire une déposition sur ma petite mésaventure, dit-il en retirant sa main. Mais j'ai changé d'avis. Que leur dire ? Qu'on m'a enlevé, drogué et retenu contre mon gré ? Ils m'interrogeront alors sur la façon dont j'ai été libéré... et que pourrais-je leur répondre ? Que mon intrépide fille m'a délivré ? Et comment a-t-elle fait ? Je ne saurais comment le leur expliquer. Que dire ? Qu'elle n'a pas voulu me le raconter ? Qu'elle en fait mystère ? La première chose qu'ils feraient, c'est de venir frapper à ta porte. Et j'imagine que tu n'as plus envie qu'on vienne te déranger. Tu as besoin de paix et de calme.

— La paix et le calme ne seraient pas pour me déplaire. (Elle le regarda avec gratitude.) Vous êtes un homme compréhensif, John Stone.

— J'essaie.

Elle détourna le visage et regarda tomber la pluie. La porte de la serre claquait toujours dans la brise. John Stone se leva et enfila un vieil imper.

— Ce bruit me rend fou, dit-il en sortant par la porte de derrière.

Elle le regarda avancer péniblement à travers les hautes herbes. Elle jeta un coup d'œil distrait sur le *New York Times* ouvert sur la table. La photo de Sol Rosenthal faisait la une, une vieille photo de Sol en smoking. Elle n'eut pas envie de la regarder et tourna la page rapidement.

L'article lui sauta aux yeux. Une certaine Olga Vaskenaya, membre présumée d'une mafia moscovite, avait été arrêtée, la nuit précédente, à Brooklyn, à la suite d'une longue enquête effectuée par des « agents spéciaux ». Aucune photo de la femme n'illustrait l'article. Sara se sentit envahie par le soulagement, comme si à un niveau inexploré de sa conscience elle avait pensé à la Russe. Elle se demanda où elle était et s'il y avait des chances qu'elle réapparaisse un jour dans sa vie.

Pas maintenant, pensa-t-elle. Olga Vaskenaya était sur la touche.

Sous l'article, un reportage avertissait des dangers représentés par la « mafia russe », par l'expansion rapide de son territoire, et expliquait qu'une nouvelle génération d'enquêteurs avaient été formés pour lutter contre ce genre de « terrorisme financier ». Une nouvelle génération, pensa-t-elle. Des gens qui jouaient à des jeux dangereux. Des jeunes qui étaient impitoyables, prenaient des risques et ne savaient pas toujours où situer la frontière qui circonscrivait leur domaine d'action légal. Qui menaient leur existence dans l'ombre, et ne devaient leur survie qu'à la solidité de leurs nerfs. Une nouvelle génération, qui édictait ses propres règles.

Comme Pacific.

Son père rentra dans la cuisine et secoua son imper. Il s'assit à la table et finit son thé.

— Peut-être qu'un jour tu me raconteras tout.

— Peut-être, dit-elle, bien qu'elle en doutât.

Elle rentra chez elle au milieu de l'après-midi. Mark était dans l'arrière-cour, debout devant le jeune bouleau argenté, un verre de scotch à la main. L'arbre avait à peu près deux mètres de haut.

— Il a belle allure, dit-il en tapotant le tronc mince. Il me semble qu'il faudrait quand même le nourrir un peu.

Sara regarda l'arbre sans vraiment le voir.

— Comment ça s'est passé ? demanda-t-elle.

— Avec McClennan, tu veux dire ? On peut se demander si les agents du FBI ne prennent pas des leçons de mauvaises manières. Il y a peut-être des cours du soir où ils acquièrent les bases nécessaires avant de faire un stage pratique de grossièreté...

Il se détourna de l'arbre en buvant son whisky à petites gorgées.

— Ce type-là est d'un scepticisme pathologique. Comment pouvais-je travailler chez Rosenthal sans m'apercevoir que Sol pillait les comptes de mes clients ? Comment pouvais-je ne pas avoir vu ce qui se passait ?

Il fit tourner son verre et tinter les glaçons.

— Il a fait en sorte que j'aie le sentiment d'être le dernier des cons, et aussi d'avoir commis une forfaiture. Est-ce que je travaillais avec Rosenthal ? Avions-nous organisé ensemble cette arnaque ? Il vous harcèle jusqu'à ce que vous ayez l'impression d'avoir quelque chose à vous reprocher. C'est sa spécialité : amener les gens à se sentir coupables.

— Il a le petit mot laissé par Sol avant de se suicider. Que veut-il de plus ?

— Allonger son tableau de chasse, j'imagine. Il m'a posé ensuite un tas de questions sur le gars qui m'a ramassé à l'aéroport. Comment pouvais-je lui répondre ? Je ne connais pas ce mec-là. J'ignore son nom. Je ne connais même pas la raison pour laquelle il m'a embarqué et enfermé dans cette saloperie de cave. McClennan a un petit sourire narquois qui me déplaît profondément. Je ne peux pas dire qu'il ne croit pas à mon histoire d'enlèvement, mais comme il ne peut prouver ni le contraire ni que j'ai participé au détournement de fonds, il est fou de rage. Il a dit qu'il me rappellerait s'il a besoin de me revoir. Ce qui, je l'espère, ne sera pas nécessaire...

Il leva les yeux vers les branches arachnéennes du bouleau.

— Pendant ce temps-là, la société est en train de s'effondrer totalement. Les assignations lancées par les avocats des clients mécontents commencent à pleuvoir. On ne peut leur en vouloir. Ils se sont fait gruger, alors ils veulent se rattraper sur la bête – si tant est qu'il reste quelque chose à gratter, ce dont je doute fort. Et les bureaux grouillent d'agents du Trésor. Un vrai asile d'aliénés. Les gens vont et viennent, les documents sont saisis à la pelle, les ordinateurs embarqués. La moitié du personnel n'a même pas jugé bon de venir aujourd'hui. J'imagine qu'ils ont lu les articles sur Sol dans la presse du matin et ont estimé qu'il valait mieux rester chez soi.

— Qu'est-ce qui va se passer, maintenant ?

— Rien du tout. Les portes de la société sont fermées à double tour. Rosenthal Brothers appartient au passé. Et, d'après ce que j'ai compris, ce n'est pas la seule boîte en train de couler – des établissements financiers en Extrême-Orient, à Londres, à Bonn. Il y a eu un véritable imbroglio de transferts illicites, d'investissements dans des sociétés qui n'existaient que sur le papier, de circuits d'évasion fiscale, de relevés de comptes bidons, et tout ce que tu peux imaginer.

Sara sentit le bébé donner des coups de pied.

— Te voilà au chômage.

— On peut le dire.

— Ça te tracasse ?

— Pas vraiment.

— Nous avons des économies, n'est-ce pas ?

Jusque-là, elle n'avait jamais réellement pensé à cela. Elle avait toujours supposé que Mark, qui la tenait à l'écart de ce qu'il appelait les corvées d'intendance, avait des comptes d'épargne quelque part, des comptes à terme, des placements dans des sociétés de crédit immobilier, des banques, des investissements.

— Bien sûr. Nous pourrons nous débrouiller.

— De combien disposons-nous ?

— Nous avons ce qu'il faut.

— Donne-moi un chiffre approximatif.

— Quarante mille en compte à terme. Je pourrais les débloquer et supporter les pénalités pour retrait anticipé, mais pourquoi pas. Nous avons aussi vingt-cinq mille en compte sur livret, et aussi vingt mille en compte courant et dix-huit mille et des poussières que j'ai placés dans un fonds collectif.

— Ça fait plus de cent mille dollars, dit-elle.

Le chiffre la surprit. S'il lui avait fallu deviner, elle aurait été bien en dessous.

— C'est vrai. Ça paraît beaucoup, mais si tu mets en regard les dépenses mensuelles, ça ne durera pas éternellement. Remboursement du crédit de la maison, assurance-vie, assurances sociales, tout cela vous grignote très vite vos économies...

— Mais c'est assez pour vivre jusqu'à ce que nous trouvions autre chose, dit-elle. Plus qu'assez.

— Ouais, c'est assez.

Elle sentit en lui une légère distance, qu'elle attribua au contrecoup de son enlèvement, à la nouvelle du suicide de Rosenthal, à la perte de son travail. Trop de malheurs d'un seul coup. Il toucha le tronc du bouleau, arracha une feuille et referma son poing dessus, puis renifla la feuille écrasée.

— Oui, il a vraiment besoin d'être nourri.

Le lendemain matin, un article du *New York Times* attira son attention. George Borbokis avait été arrêté, inculpé de transactions monétaires illégales. Pacific n'a pas lambiné, pensa-t-elle. Une photo montrait Borbokis, perplexe et en sueur, en train de descendre l'escalier du tribunal après la lecture de l'acte d'accusation. La légende disait : *Un avocat important de Manhattan jure de prouver son innocence.* Elle montra l'article à Mark, qui le lut lentement, puis resta silencieux un moment.

— J'ai toujours cru que George était réglo, dit-il finalement. Merde alors ! Je pensais la même chose à propos de Sol. Il semble que je ne sois pas le meilleur juge du caractère humain...

Elle le regarda replier le journal et le poser à côté de lui. Elle se souvenait de George Borbokis la dernière fois qu'elle l'avait vu. L'odeur nauséabonde des produits chimiques. Les terrains vagues. Elle s'était interrogée sur les relations entre Borbokis et la Russe.

— Est-ce que Borbokis t'a envoyé des investisseurs potentiels ? demanda-t-elle.

— Jamais il ne m'a présenté qui que ce soit directement. Deux ou trois fois, il m'a appelé pour me dire qu'un de ses clients cherchait à faire un placement sain. Je lui ai fait une ou deux suggestions, et il les a soumises à ses clients. Certains les ont suivies, d'autres pas. Il a une flopée de clients riches. Et les riches ont toujours besoin de conseils en matière d'investissement parce que ce qu'ils veulent par-dessus tout, c'est devenir plus riches encore.

Elle se demanda si la Russe (ou un de ses représentants) était entrée, ne serait-ce qu'indirectement, dans la sphère de Mark, mais elle se souvint de ce que lui avait dit Pacific : « Vous n'avez jamais rencontré aucune Russe. »

Mark se leva, se plaça derrière elle et lui massa les épaules.

— Je t'aime, dit-il.

Elle ferma les yeux, sentit le bout de ses doigts s'enfoncer dans ses muscles, apaisants.

— Je crois que je vais aller m'allonger un moment, dit-elle. Tu veux me tenir compagnie ?

Elle se réveilla en fin d'après-midi. Elle était seule dans le lit. Elle se leva, sortit de la chambre sans se presser et s'arrêta en haut de l'escalier. En dehors du murmure de la pluie, la maison était silencieuse. Elle descendit au rez-de-chaussée, chercha Mark dans toutes les pièces et finit par le trouver sur le perron. Il se retourna en entendant la porte s'ouvrir. Il avait l'air fatigué, une sorte de vide dans le regard.

Elle s'assit à côté de lui sur un transat.

— A quoi penses-tu ? demanda-t-elle.

Il alluma une cigarette en protégeant de la brise la flamme de son Zippo.

— Je pense que ça nous ferait du bien à tous les deux de partir pendant quelque temps.

— Partir ? Qu'est-ce que tu as en tête, Mark ?

— Des vacances. Deux semaines dans l'un de ces hôtels où le personnel est aux petits soins. Un de ces endroits où l'on n'a rien d'autre à faire que de se prélasser au bord d'une piscine en se laissant masser par des larbins, où on vous sert votre dîner aux chandelles dans votre suite. C'est de ça que nous avons besoin : nous faire un petit plaisir après toutes ces conneries.

Des vacances, pensa-t-elle. Mais elle n'avait envie d'aller nulle part. Elle voulait rester là. Mark, la maison, tout. Elle éprouvait aussi le besoin de ne pas s'éloigner de son père. Ça ne lui disait rien de partir en voyage – faire les bagages, les fatigues du trajet pour arriver dans un endroit où elle n'avait pas envie d'être, aller à la plage dans l'état où elle était et prendre des coups de soleil.

— L'idée ne te séduit pas ?

— La perspective de prendre l'avion à ce stade de ma grossesse ne me dit trop rien.

— Des tas de femmes enceintes prennent l'avion, Sara. Tu es trop prudente. (Il prit une pile de « suppléments vacances » de différents journaux.) J'ai parcouru ces pages. Cancún. Acapulco. Puerto Vallarta. Il y a des hôtels du tonnerre, dans ces coins-là. Et ils ne pratiquent pas des tarifs excessifs. Pense au soleil, à la détente.

Il lui tendit la liasse de publicités. Elle y jeta un coup d'œil rapide – corps bronzés, piscine d'un bleu improbable, serveurs en veste blanche, soleil, palmiers. Elle leva la tête et vit l'expression d'attente de Mark. Il essayait de lui faire plaisir, de lui faire comprendre que tout était redevenu normal. Ils pouvaient prendre des vacances. Les morceaux étaient recollés.

— Peut-être plus tard, dit-elle. Après la naissance du bébé.

Elle ne voulait pas faire retomber son enthousiasme, jouer les casse-pieds. Elle croisa ses mains sur son ventre. Le vent, qui venait du détroit, rabattait la pluie sous le porche et de grosses gouttes tombaient sur le papier glacé des « suppléments vacances ».

— Le Regina à Puerto Vallarta a l'air bien, dit-il.

357

Au bord de l'eau. Pêche en haute mer. Golf. Le paradis.

— Mark, dit-elle.

— Ecoute, si tu n'as pas envie d'y aller...

— C'est si inattendu...

— La spontanéité, ma chérie. Il n'y a que comme ça que c'est amusant. Nous pourrions aller en train jusqu'à San Diego, puis louer une voiture et descendre en suivant la côte, ce qui nous permettrait d'éviter de prendre un vieux coucou jusqu'à Puerto Vallarta et calmerait tes appréhensions. (Il fit un grand geste en ouvrant les bras.) Je suis de retour et tout va très bien aller ! lança-t-il en riant et en la prenant doucement par les épaules.

— Laisse-moi y réfléchir jusqu'à demain.

— Ne tarde pas trop.

Elle le regarda dans les yeux. Oui, il était de retour. Le Mark d'avant – avec ses accès d'enthousiasme, son énergie, sa spontanéité – était de retour. La maison respirait, elle s'était remise à vivre. Les ennuis étaient finis. Entièrement.

37

Elle s'éveilla et regarda l'affichage lumineux du réveil sur la table de nuit. Minuit passé. Elle ne savait trop ce qui l'avait tirée de son sommeil – le vent qui se précipitait à l'assaut de la maison, un mouvement du bébé, un rêve. Elle se dressa sur son séant, entendit la respiration régulière de Mark. Le vent soufflait en rafales capricieuses, tourbillonnait autour de la maison, sifflait dans la cheminée. La marée montait. Elle frissonna et se frotta les mains pour se réchauffer.

Elle regarda la fenêtre, dont les carreaux accrochaient un clair de lune livide pareil à de l'argent terni. Le vent se retira avec un grand soupir, revint à la charge, bourrasque qui fouetta la maison, secoua une fenêtre au rez-de-chaussée, fit grincer le porche. Fantômes, créatures fabriquées par cette formidable fusion de l'obscurité, du vent et de l'imagination.

Elle prit son peignoir et le passa sur ses épaules. Elle toucha Mark, dont la peau dégageait de la chaleur. Il ne bougea pas. Sara avait la gorge sèche. Elle avait besoin de boire. Elle posa les pieds par terre. Elle pensa aller dans la salle de bains et se faire couler un verre d'eau, puis se rendit compte qu'elle avait une envie terrible de sucré et de frais, quelque chose comme du jus de canneberge ou de pomme avec des glaçons.

Il fallait qu'elle descende à la cuisine. Elle se leva, s'éloigna du lit en nouant la ceinture de son peignoir. Mark s'agita dans son sommeil, marmonna une parole incompréhensible sortie d'un rêve, puis retomba dans le silence. Elle se dirigea sans bruit vers la porte, l'ouvrit, regarda la volée de marches plongée dans l'obscurité, appuya sur un interrupteur. Le vent se déchaîna de nouveau, chargé des bruits de la nuit – le tremblement des branches, le frémissement des feuilles, la fuite précipitée de quelque chose soufflé par le vent sous le porche ; une brindille, un bout de papier, peut-être un des « suppléments vacances ». Cancún ou Puerto Vallarta emporté dans la nuit.

Elle commença à descendre les marches. A mi-chemin, elle sentit un courant d'air agiter le bas de son peignoir. Une fenêtre était ouverte quelque part. Elle atteignit le bas de l'escalier et obliqua vers la cuisine en allumant la lumière sur son passage. Le vent avait ouvert la fenêtre du séjour. Un rideau claquait. Elle se dépêcha de refermer la fenêtre, frissonna de nouveau. La maison lui donnait l'impression d'être fragile, comme si elle s'était trouvée à l'intérieur d'une construction en carton sur le point d'être arrachée à ses fragiles fondations par la tourmente qui arrivait du détroit en rugissant.

Elle passa à côté du piano noir laqué et entrevit son reflet dans le couvercle levé – un fantôme de Sara, un spectre glissant sur le bois verni. Elle entra dans la cuisine, alluma la lumière, ouvrit le réfrigérateur, en retira une brique de jus de canneberge et remplit un verre. Elle le tint sous le distributeur de glaçons et les cubes dégringolèrent dans le verre. Puis elle but avidement tout en remarquant que la lumière de la cuisine éclairait dehors jusqu'à l'arbre de Mark, dont le tronc pâle oscillait dans le vent.

Elle finit de boire, posa le verre vide dans l'évier et sortit de la cuisine. C'est à ce moment-là qu'elle la sentit.

Non, ce n'est pas possible, c'est un effet de mon imagination, se dit-elle.

Mais elle était bien là, flottant dans l'air, invisible, palpable, infecte. Elle aurait aimé que ce soit un rêve, se réveiller dans son lit et se tourner vers Mark pour qu'il la réconforte, mais l'odeur devint soudain plus forte. Elle se tenait immobile, consciente du rythme irrégulier de son cœur épuisé.

L'odeur des clous de girofle.

Ensuite elle entendit le bruit, le tap-tap qu'elle pensait ne plus jamais entendre. Elle ne bougea pas. La maison sembla soudain en porte-à-faux, déformée, comme si le vent avait finalement réussi à en arracher le toit.

Elle tourna la tête.

La lumière était réfléchie par l'aluminium du déambulateur et les lèvres rouges et brillantes de la femme. L'homme, Charlie, était appuyé contre le piano, les mains dans les poches de son pardessus. Son large visage rubicond semblait étrangement indifférent.

— Il existe aux Etats-Unis ce système étonnant qu'on appelle la liberté sous caution. Ils vous arrêtent, puis vous leur donnez de l'argent, et ils vous permettent de vous en aller pourvu que vous leur promettiez de revenir. Il va de soi que personne n'a l'intention de tenir une promesse aussi ridicule. Un système vraiment étonnant, Sara.

Sara regardait la Russe. Elle portait un manteau de fourrure, un foulard et des gants. A l'intérieur de la structure métallique de son déambulateur, elle faisait songer à un petit animal méchant à moitié coincé dans un piège.

— Alors, Sara, vous n'avez rien à me dire ?

Des pensées informes tourbillonnaient dans la tête de Sara. Mais il y avait des blocages, les messages n'étaient pas retransmis par sa langue. C'était un cauchemar qui allait s'évanouir, dont elle allait se réveiller.

— Certes, je vous surprends. C'est compréhensible. Je viens chez vous au milieu de la nuit – une nuit affreuse – et vous êtes étonnée de me voir, non ? Si vous lisez les journaux, vous croyez que je suis derrière les barreaux. Mais non, je suis là.

Sara se rendait compte que Charlie bougeait légèrement, s'écartait du piano et se redressait. Elle pensa à Mark, qui dormait là-haut.

— Pourquoi êtes-vous venue ici ? demanda-t-elle.

— Nous avons cru comprendre que votre mari vous a été rendu, Sara. N'est-ce pas, Charlie ?

Charlie acquiesça.

— Des retrouvailles. Et votre père, lui aussi, est de retour chez lui. Comme c'est mignon, fit la femme en souriant. C'est le genre de choses qui me touchent. Elles m'émeuvent. Mais je m'émeus facilement. Je suis – comment dit-on ? – sentimentale...

Aussi sentimentale qu'une tronçonneuse, pensa Sara.

— Mark n'a rien fait, dit-elle d'une voix rauque. Il

n'a pas volé votre argent. C'est Rosenthal qui a fait ça. Pas Mark.

— Peut-être, fit la Russe en haussant les épaules.

— Il n'y a pas de peut-être. Mark n'a strictement rien à voir avec cette histoire.

La femme s'approcha. Ses cheveux, plaqués en arrière, lui donnaient l'horrible rictus de quelqu'un dont on a raté le lifting. Elle agrippa le bras de Sara et le tint comme dans une serre. L'odeur des clous de girofle était entêtante, âcre.

— Peut-être ne suis-je pas aussi disposée que vous l'êtes à croire à la version de Rosenthal, Sara. Peut-être suis-je d'une nature légèrement plus sceptique...

— Il n'y a pas à être sceptique, rétorqua Sara en se libérant et se dirigeant vers le téléphone. Assez de ces conneries, je vais appeler McClennan...

Charlie s'interposa.

— Pas de coups de téléphone, ordonna la vieille.

Sara se retourna et la regarda.

— Sol a laissé un petit mot. Il y avoue ce qu'il a fait. Avant de se supprimer, il m'a même *dit* que Mark n'avait rien à voir avec le détournement des fonds. Qu'est-ce que vous voulez de plus, bon sang ? Il n'y a rien d'intéressant pour vous ici. Vous ne le comprenez donc pas ? Comment est-ce que je dois vous le dire ?

— Ce petit mot. Il tombe tout à fait à propos pour vous. Pour votre mari. Pour votre père. Mais j'ai des doutes sur sa provenance.

— Je ne sais de quoi vous parlez. Sa provenance. Qu'est-ce que ça veut dire ?

— Venez, sortez de la maison. Sur le seuil seulement. J'ai quelque chose à vous montrer.

Sara secoua la tête.

— Jamais de la vie. Je ne vais nulle part avec vous. Je l'ai déjà fait une fois et je ne recommencerai pas.

— Charlie, rends-la un peu moins rétive.

L'homme la gifla. Ce n'était pas un coup très fort, mais le claquement de sa main ouverte résonna à l'intérieur de son crâne et le choc la remplit de terreur. Charlie l'avait prise par le bras et l'entraînait de force vers la porte. Il l'ouvrit violemment et tira Sara sur le palier. Elle avait du mal à respirer à cause du vent, qui l'aspirait, soufflait en bourrasque contre son peignoir.

— Regardez, dit Charlie.

Quelqu'un était assis sur l'un des transats. Parce qu'il était dans l'ombre, Sara ne pouvait voir son visage. La Russe appuya sur l'interrupteur. L'ampoule jaune jeta une faible lumière sous le porche.

— Vous voyez, dit la femme.

Sara regarda, puis détourna les yeux, mais la femme lui prit le menton et l'obligea à tourner de nouveau la tête dans la direction du transat.

Elle se sentit nauséeuse. La nuit s'emplit de bruits chaotiques, et elle imagina des chauves-souris, des oiseaux blessés, des rongeurs, un univers de créatures déchaînées et d'objets à la dérive qui vrombissaient autour d'elle. *Que lui avaient-ils fait ?*

Elle avança lentement d'un pas en direction du transat. Ses bras pendaient mollement à ses côtés. Son visage avait été détruit – paupières tuméfiées, lèvres fendues et gonflées, innombrables contusions sur le front. Il avait la gorge tranchée et toute couleur avait quitté sa chair. Ses oreilles étaient couvertes d'une couche de sang noir coagulé, ses yeux vides, morts, sans profondeur. Une épave humaine, une ruine sans vie.

Elle sentit quelque chose céder au tréfonds

d'elle-même. Des émotions qu'elle ne pouvait identifier. Des sentiments qu'elle n'avait jamais eus. Elle s'affaissa contre la balustrade du porche. Charlie la saisit, la força à se redresser et la tourna une fois encore vers l'homme assis sur le transat.

— Il nous a trahis, dit la vieille. Il a joué à un jeu très dangereux, Sara. Il était malin, mais je n'ai jamais été entièrement *convaincue* de sa loyauté. Il y a toujours eu au fond de moi cet instinct, ce sentiment tenace, de ceux qui ne vous quittent jamais et auxquels je prête toujours l'oreille. Ensuite, quand j'ai été arrêtée dans ma chambre d'hôtel, expérience humiliante s'il en fut, je me suis dit : Quelqu'un devait se trouver bien placé pour me trahir. Quelqu'un a dû conduire la police jusqu'à moi. Il était le suspect logique. Le seul... (Elle s'approcha un peu plus près de Sara.) Il a fallu une forte dose de persuasion, comme vous pouvez le voir. Mais finalement, il y a toujours une limite à la douleur qu'un être humain peut supporter. Il savait quel risque il courait, bien sûr. Il vivait avec. C'était son boulot. Il est très difficile de se faire passer sans cesse pour quelqu'un d'autre. C'est extrêmement éprouvant et c'est toujours du funambulisme. Parfois, la corde casse et on tombe, jusqu'en bas.

Ils l'ont torturé, pensa Sara. Ils ont découvert qui il était et l'ont battu à mort, puis ils l'ont amené ici, sous ce porche où la lumière jaune lui donne l'air d'être de cire, irréel.

— Il a fini par avouer, Sara. Qu'il avait écrit le petit mot prétendument laissé par feu M. Rosenthal. Qu'il avait innocenté votre mari dans ce petit mot. Si cet écrit est un faux, qui sait quels autres mensonges demeurent ? Je tiens à voir Mark Klein moi-même.

— Ce... commença Sara.

Mais elle n'avait aucune idée de ce qu'elle voulait dire et ne termina pas sa phrase.

Ses pensées étaient dispersées. Elle avait une seule chose en tête : les souffrances subies par Pacific, comme si elles avaient été siennes. Elle se sentait brutalisée, violentée. Elle se demanda jusqu'où avait été la résistance de Pacific. Probablement jusqu'aux limites du supportable, et même au-delà.

— Quel effet cela vous fait ? demanda la vieille. C'est déplaisant ? Un cadavre sur le seuil de votre jolie petite maison. Comme c'est dérangeant ! Comme ça fait désordre !

Sara détourna la tête de Pacific. Elle essaya d'imaginer les diverses strates de son existence, ses secrets, la façade qu'il devait maintenir. A la fin, tout s'était écroulé, il avait été découvert. Et maintenant il n'était plus que cette... cette monstruosité. Bien que le vent soit un peu tombé, la nuit lui était devenue étrangère. Elle n'était plus chez elle et ne le serait plus jamais. Même si elle était atteinte de la forme la plus extrême d'amnésie, cet endroit ne serait plus jamais le même. Pacific serait toujours là, sur le perron, un spectre non apaisé. Pacific serait toujours là, dans un coin de son esprit, une cendre dans sa mémoire.

— Allons réveiller votre mari, Sara. Je veux lui poser certaines questions.

— Mark n'a rien fait, répéta-t-elle.

Elle l'imagina subissant les mêmes tortures que Pacific et cette pensée était comme de la lave sous son crâne.

— Je tiens à en juger par moi-même.

La Russe ouvrit la porte, rentra dans la maison et Charlie poussa Sara à l'intérieur. Celle-ci protesta faiblement, mais Charlie leva la main et elle flancha, parce qu'elle ne voulait pas qu'il la frappe encore.

— Charlie, ordonna la femme, monte à l'étage et ramène-moi Mark Klein.

Charlie commença à monter l'escalier. Malgré sa corpulence, il se déplaçait à pas feutrés. Sara avait envie de le suivre, de le retenir, de l'empêcher d'atteindre la chambre. Mais la vieille la tenait fermement par le poignet.

— Ecoutez-moi, Sara. Je sais par expérience qu'une tromperie ne vient jamais seule. On en découvre une puis, en creusant davantage, on en trouve toujours d'autres. L'infortuné Pacific pratiquait la tromperie depuis de longues années.

Sara regardait Charlie monter l'escalier. Elle se demanda comment elle pourrait avertir Mark. Crier ? Mais Charlie approchait déjà du palier, le vent se levait à nouveau, et si elle se mettait à crier maintenant, de toute façon, il y avait toutes les chances que Mark, profondément endormi, ne l'entende pas. Et même s'il l'entendait, Charlie serait dans la chambre avant que Mark soit complètement réveillé. Elle jeta un coup d'œil à la vieille et dit :

— Mark est innocent, bon sang ! Pourquoi est-ce que je n'arrive pas à vous le faire comprendre ? D'accord, il se peut que le petit mot n'ait pas été écrit par Sol, mais c'est lui qui a volé cette saloperie de fric, il me l'a dit...

— C'est vous qui me le dites, Sara. Je vous ai demandé de vous taire. Je ne suis pas d'humeur à vous entendre.

— Je vous en prie.

— Pas de pleurnicheries.

Sara vit Charlie disparaître en haut de l'escalier.

Il se dirige vers la chambre, il ouvre la porte sans bruit. Il entre. Mark dort comme un plomb. Charlie l'empoigne, le tire hors du lit, le traîne en bas de l'escalier. Et ensuite ?

Elle ne peut rester à ne rien faire. Elle ne peut laisser Charlie faire du mal à Mark. Rien ne doit lui arriver. Mue par une impulsion soudaine, elle lance un coup de pied au déambulateur. Le cadre métallique s'incline d'un côté, puis dégringole par terre et la vieille s'écroule avec un petit cri de surprise dans un tourbillon de fourrure.

— Petite sotte ! lâche-t-elle.

Elle se traîne vers le déambulateur, s'en saisit, tente de se relever tandis que Sara commence à grimper l'escalier. Elle arrive sur le palier, jette un rapide coup d'œil en contrebas, voit la vieille qui s'évertue à se remettre, elle et le déambulateur, en position verticale.

Alors, Sara continue d'avancer, bien qu'elle n'ait aucune idée de ce qu'elle peut faire. Son unique pensée est de venir en aide à Mark, de l'avertir, s'il en est encore temps, de le sauver, d'une manière ou d'une autre. Elle s'entend prononcer son nom, elle entend le vent violent percuter la maison et la vieille hurler d'une voix furieuse, mais ces sons proviennent d'un autre monde. Elle n'est que mouvement, se précipite en appelant Mark, oubliant la mollesse provoquée par son état physique, l'enfant dans son ventre. Elle voit la porte de la chambre devant elle, au bout du couloir. Elle est ouverte. Un rectangle noir.

Elle entend une voix. Celle de Charlie, celle de Mark, elle ne saurait le dire.

Puis elle s'arrête net lorsque la détonation ébranle la maison, comme si les murs venaient de se fissurer, le toit de s'effondrer, comme si la foudre avait fendu la cheminée.

Elle sent la vie la quitter, telle une vapeur qui s'échappe. Puis le bruit d'une masse pesante tombant sur le plancher se fait entendre et elle attend. Elle ne peut se résoudre à entrer dans l'obscurité de la chambre. Elle est comme suspendue. Le cœur lui manque. Ses impressions lui parviennent à travers un prisme brisé. La détonation résonne sans fin dans sa tête.

38

Elle fit un pas hésitant vers la porte de la chambre. Il n'y avait pas de pesanteur dans l'univers où elle était. Rien n'était fixe dans l'espace. Le bébé descendait dans sa matrice. Elle s'imagina qu'elle entendait les battements de son cœur, qu'elle voyait se soulever et s'abaisser ses petits poumons.

Un homme apparut dans l'encadrement de la porte.

Elle avait conscience du fait qu'il tenait un revolver, que la ceinture de sa robe de chambre était mal nouée, de la pâleur de son visage. Le soulagement qu'elle éprouva était infini.

— *Mark*...

— Ça va, je n'ai rien, dit-il. Tu n'as pas à t'inquiéter. De rien du tout, crois-moi.

Elle tendit la main pour le toucher, lui dit que la femme était en bas, qu'elle était venue réclamer l'argent. Il écouta, puis la dépassa rapidement. Elle le suivit, encore consciente des échos de la détonation, comme si ce bruit devait résonner jusqu'à la fin des temps entre ces murs.

La vieille, agrippée à son déambulateur, se tenait au pied de l'escalier, visage levé. Mark commença à descendre, et Sara lui emboîta le pas, comme aspirée dans le sillage de son mari. Mark atteignit la dernière marche.

— Vous avez eu Charlie par surprise, dit la femme. Vous êtes très rapide, Mark Klein. Très rapide. Admirable.

— Je l'ai entendu entrer, répondit Mark. J'étais prêt. Il ne m'a pas laissé le choix.

Sara s'était arrêtée au milieu de l'escalier, une main sur la rambarde. Elle regarda Mark s'approcher de la vieille, le Walther à la main.

— Il y en aura d'autres, reprit la vieille Russe. Vous avez liquidé Charlie... et puis après ? Ce n'était qu'un soldat dans une armée. Vous ne pouvez les tuer tous.

Elle haussa les épaules. Elle avait retrouvé son calme. Elle se maîtrisait de nouveau. Un caractère bien trempé, pensa Sara. Elle devait avoir autre chose que du sang dans les veines.

— Mark, exhorta Sara. Dis-lui, bon sang ! Dis-lui que tu n'as rien à voir avec la disparition de son fric. Dis-lui de nous foutre la paix et de ficher le camp.

— Oui, Mark, dites-moi. Laissez-moi entendre tout cela de votre propre bouche.

La vieille déplaça légèrement son déambulateur et eut un soupir de lassitude.

— Sol a avoué, dit Mark. Je suis désolé que vous ayez perdu votre argent. Que voulez-vous de plus ?

— Vingt-huit millions de dollars, observa la Russe.

— C'est Sol qui les a détournés. C'est un fait établi. Si vous ne me croyez pas, demandez au FBI. Demandez aux gars du Trésor.

La femme sourit.

— Après moi, d'autres viendront. Je ne suis que l'un des investisseurs étrangers qui ont été trompés. Il y en a d'autres, et ce sont des fouineurs. Ils me rendront responsable de cette perte, car j'étais celle à qui ils avaient fait confiance pour placer leur capital. J'étais celle qui avait la connexion dans ce pays. Et cette responsabilité, je ne suis pas prête à l'endosser, croyez-moi.

— Rosenthal est mort. L'argent a disparu. La société est foutue. Si vous croyez que je peux vous être utile, vous êtes à côté de la plaque. Vraiment à côté.

— Vous raconterez ça aux autres, Mark Klein. Ils auront des questions à vous poser. Des tas de questions. Ils voudront s'assurer de tout cela par eux-mêmes.

— Je n'ai rien à leur dire.

— Il se peut qu'ils ne le comprennent pas.

— Il faudra bien qu'ils le comprennent, Olga.

Olga ? Sara sentit un nerf tressauter dans sa paupière. Ça ne collait pas. *Olga.* Ils s'étaient déjà rencontrés, il devait y avoir eu quelque chose, un rendez-vous arrangé par Borbokis. Oui. « Mark, je vous présente Olga. Elle a de l'argent à placer. Avez-vous des propositions intéressantes à lui faire ? » Oui, quelque chose de ce genre. Cela s'était peut-être passé dans le cabinet de Borbokis. Ou bien au restaurant, dans une chambre d'hôtel. Peut-être y avait-il eu plusieurs rendez-vous. Peut-être.

Mais Mark avait dit : « Jamais George ne m'a présenté qui que ce soit directement. »

Et pourtant, Mark et Olga s'étaient rencontrés. Ils avaient discuté, convenu d'un accord.

Borbokis les avait mis en relation et ils s'étaient mis en affaires. L'argent avait changé de mains. Il avait été englouti dans la machine Rosenthal et, là, s'était évaporé.

Sara avait l'impression d'entendre une conversation qui se déroulait dans une autre pièce, dans une maison différente, à des kilomètres de là. « *Jamais George...* » Elle pensa à Charlie là-haut dans la chambre, peut-être étalé sur le plancher. Elle pensa à Pacific sous le porche, livide et immobile sur le transat. La maison de la mort.

Elle descendit l'escalier. « *Jamais George...* » Un mensonge. Un simple mensonge, et pourtant terriblement significatif, parce qu'il impliquait un dédale de mobiles cachés et de combines. Il impliquait des silences et des secrets.

Et puis elle pensa : Non, j'ai probablement mal compris, je ne faisais pas vraiment attention à ce qu'a dit Mark, ses paroles m'ont échappé, c'est aussi simple que ça. Rien de grave, aucune raison de s'alarmer. Mais elle entendait un bourdonnement dans sa tête, comme un rondin de bois que l'on sciait au loin. Puis elle sentit une douleur, un début de migraine, un étourdissement. Elle porta une main à son front. L'air autour d'elle vibrait.

Elle dépassa la femme, dépassa Mark et se dirigea vers le téléphone qui miroitait dans son champ de vision. Elle dit :

— Je vais appeler McClennan. Laissons-le s'occuper de cette garce une bonne fois pour toutes.

Elle décrocha le combiné. Mark lui prit le téléphone des mains.

— Attends. Nous devons bien réfléchir avant d'appeler McClennan.

— Bien réfléchir à quoi ?

La douleur envahissait son crâne comme un raz de

marée. Pas le moment de s'évanouir, pensa-t-elle. Mais elle avait l'impression de planer, tous les objets semblaient s'éloigner d'elle rapidement.

— Eh bien, Mark ? dit la Russe. Votre femme vous a posé une question simple. Pourquoi ne pas appeler McClennan tout de suite ? Pourquoi perdre du temps ? Finissez-en. A moins que vous n'ayez pas envie de donner ce coup de téléphone ?

Mark passa le dos de sa main sur sa bouche, puis il attira le visage de Sara contre son épaule et la serra contre lui.

— Ce n'est pas si simple, chérie.

— Pas si simple ? Rien de plus facile. Je décroche le téléphone, j'appelle McClennan, il rapplique et prend les choses en main.

Mark lui caressait les cheveux. Sa main était froide. Ce contact lui paraissait bizarre, comme si cela avait été la main d'un inconnu.

— Sara, écoute-moi.

— Ecoute quoi ?

Sa voix résonnait comme dans une cathédrale.

— McClennan est à l'affût d'un prétexte pour m'impliquer dans cette affaire, Sara. Tu connais sa façon de penser. Tu vas l'appeler, d'accord. Il va venir ici, il va trouver là-haut un type avec une balle dans la poitrine, une balle tirée avec mon revolver. Puis peut-être qu'Olga ici présente va lui servir une petite histoire qu'il se fera un plaisir de croire, peut-être le convaincra-t-elle que j'ai après tout quelque chose à voir avec ce détournement de fonds... Tu ne comprends pas ça ? Tu ne vois pas à quel point c'est problématique ?

— Non, je ne le vois pas du tout. Quelqu'un t'a menacé, et tu as été contraint de te servir de ton revolver. Et même si McClennan veut interpréter la situation de travers, il ne croira pas une femme contre laquelle sont engagées des poursuites. Surtout lorsqu'il verra...

Elle indiqua mollement la porte d'entrée, le porche, la sinistre lumière jaune.

— Lorsqu'il verra quoi ?

— Allez jeter un coup d'œil sous le porche, Mark Klein, dit la Russe.

— Pourquoi ?

— Qui sait ? Peut-être que l'air frais vous éclaircira les idées.

Mark ouvrit la porte en fronçant les sourcils. Sara le regarda, son visage jauni par la lumière. Elle regarda le vent agiter ses cheveux dans tous les sens. *« Jamais George... »* Cette pensée était comme une escarre à l'intérieur de sa tête, quelque chose qu'elle ne pouvait s'empêcher de gratter, quitte à le faire saigner. *Je veux croire en mon mari.*

Mark était dehors. Combien de temps y resta-t-il ? Dix, vingt secondes ? Elle ne savait pas. Puis il rentra et referma la porte. Il était sans expression. Sara le regardait sans pouvoir déchiffrer sa réaction. Son mari lui était étranger.

— Vous avez naturellement reconnu l'infortuné M. Pacific, dit la Russe. Il a mené ce qu'on peut appeler une double vie très intéressante, Mark Klein. De son propre aveu, il était apparemment une sorte d'agent spécial du ministère de la Justice, tout en étant engagé dans des activités nettement illégales. Je suppose qu'il a dit la vérité, compte tenu des circonstances dans lesquelles il a été contraint de parler. Mener une double vie peut coûter très cher. Vous êtes de mon avis ?

Une double vie, pensa Sara en examinant son mari. Il était ailleurs, il y avait une distance dans son regard, il réfléchissait. Elle connaissait ce regard. Elle l'avait vu cent fois quand, assis à son bureau, tard dans la nuit, il était plongé dans des tableaux de chiffres, lisait les fax qui venaient d'arriver ou parlait au téléphone. C'était de la concentration... non, ce n'était pas seulement ça, et elle se souvint de ce qu'avait dit un jour son père : « Il y a en lui quelque chose de désespéré. » Et c'était peut-être ce qu'elle voyait maintenant sur son visage, comme si des pressions antagonistes convergeaient sur lui et qu'il essayait de s'y retrouver et de déterminer la bonne façon d'agir. Mais il n'y en avait qu'une, et c'était d'appeler McClennan. Et il ne le faisait pas, parce que...

Mais elle ne voulait pas s'engager sur cette pente savonneuse. Mark était de retour à la maison ; il lui suffisait de décrocher le téléphone et tout irait bien. McClennan allait venir, le brouillard se dissiperait dans son esprit et la douleur s'en irait.

— Mark, dit-elle d'une voix qui lui sembla fluette. Le téléphone. Appelle McClennan.

Il sourit soudain, se dirigea vers le téléphone et l'espace d'un instant il sembla à Sara qu'il allait le décrocher, mais sa main ne resta qu'une seconde au-dessus du combiné et il la retira.

— Je dois prendre le temps de réfléchir, dit-il.

— A quoi ? demanda-t-elle.

— Oui, à quoi, Mark Klein ? renchérit la Russe.

Mark promenait ses doigts sur le clavier du piano, les yeux fixés sur les touches. Sara eut le sentiment qu'elle venait de le perdre, qu'il venait de se glisser dans un labyrinthe où elle ne pouvait entrer. Elle avait envie d'aller vers lui, de le tenir et de lui dire qu'il lui suffisait de passer un coup de fil, un unique petit coup de fil, et tout serait terminé. Mais elle ne bougea pas. Dehors, le vent hurlait dans la nuit et mettait le monde en pièces. Elle se sentait oppressée, comme si elle avait été frappée par la bourrasque qui soufflait du détroit. Elle s'appuya sur le côté du piano, qui vibra légèrement contre son corps.

Mark traversa la pièce en direction de la Russe.

— Vous avez dit qu'il travaillait pour le ministère de la Justice.

— C'est ce qu'il m'a dit. Je n'ai aucune raison de ne pas le croire.

— Il travaillait sous couverture.

— Sous une épaisse couverture, et depuis longtemps. Mais pas assez épaisse.

— Il vous a infiltrés.

— On peut le dire.

Mark se tut quelques instants.

— Qu'avez-vous fait de cette information ? demanda-t-il.

— Je l'ai transmise à mes associés en Russie, évidemment. Ne l'ai-je pas déjà dit ?

— Quels renseignements leur avez-vous donnés exactement ?

— Son nom, ce qui lui est arrivé, pour qui il travaillait. Ce qui concerne Rosenthal et les fonds manquants. Et, bien entendu, votre nom, ajouta-t-elle en haussant les épaules.

— Pourquoi leur avez-vous donné mon nom ?

— Comme vous le dira votre femme, j'écoute mon instinct... en l'occurrence, ce qu'il me disait à votre propos. Que vous n'êtes pas celui que vous semblez être à première vue, ce futur père de famille, ambitieux, travaillant dur, cet employé modèle. Mais lorsque les autres viendront, ils découvriront eux-mêmes la vérité. Et quand je vous l'ai dit tout à l'heure, je ne bluffais pas : ils *vont* venir. Ils vont venir, à coup sûr. Et ce sont des gens brutaux. Surtout quand on les a escroqués.

Sara écoutait cette conversation, mais les oreilles lui sifflaient, comme un bruit de fond sur une bande magnétique de mauvaise qualité. Ils vont venir, pensa-t-elle. Ils vont venir, à coup sûr. Elle serra les poings.

— Pourquoi perds-tu du temps, Mark ? lança-t-elle. Décroche ce putain de téléphone !

— Oui, pourquoi perdez-vous du temps, Mark ? reprit la Russe. Vous avez peur ? Vous paniquez ? Vous vous inquiétez de ce qui pourrait sortir de l'obscurité ? Vous vous demandez quelle sera la réaction de McClennan ? Ou bien est-ce la vérité qui vous inquiète le plus ?

— Pourquoi ne la fermez-vous pas ? rétorqua Mark.

— Impossible de me la faire fermer, Klein, se moqua la vieille. Faire taire ma voix ne servira à rien. Vous en entendrez d'autres, avec un fort accent russe, celles d'hommes aux manières exécrables...

— *Fermez-la, bon Dieu !* explosa Mark.

Surprise par la violence du ton de Mark, Sara fit un pas dans la direction du téléphone. Puisque Mark n'appelait pas, elle allait le faire elle-même. McClennan était peut-être un dur à cuire soupçonneux, mais il comprendrait. Il comprendrait la situation. Il finirait par y voir clair. Parce qu'il ne pouvait en être autrement. Parce que Sol avait innocenté Mark. McClennan pigerait tout.

Elle vit Mark pointer son revolver vers la femme.

— Tuez-moi, fit celle-ci en souriant, ça vous laissera un petit sursis. Parce que, de toute façon, ils vous retrouveront, où que vous soyez sur la planète, et ils vous tortureront, ils tortureront votre femme et il se peut qu'ils fassent quelque chose d'innommable au bébé. Ce ne sont pas des gens charitables, Klein. Ce sont des sauvages.

Sara l'entendit évoquer son bébé et ces paroles éclatèrent dans sa tête, comme le fracas d'une locomotive qui déraille et s'écrase au fond d'un défilé. Prise de vertige, elle vit Mark lever le revolver.

— Je n'ai jamais eu peur de la mort, Klein, dit la Russe. J'ai vécu avec elle trop longtemps. Tuez-moi. Assassinez-moi. Montrez à votre femme qui vous êtes réellement, Klein. Montrez-lui de quelle étoffe vous êtes vraiment fait. Allez-y, faites-le. Mais rappelez-vous ceci : quand j'aurai disparu, votre cauchemar ne fera que commencer... (Elle le défiait, toujours souriante, railleuse, hardie.) *Allez-y*, Klein. Qui sait ? Il y a peut-être un monde meilleur de l'autre côté, même pour quelqu'un comme moi...

Mark tira et Olga Vaskenaya eut l'air momentanément satisfaite, puis elle s'effondra dans son déambulateur et dégringola par terre, le crâne fracassé, ses mains petites et gantées agrippées au tube en aluminium. L'appareil bascula et elle s'y enchevêtra bizarrement, une jambe tordue sous le cadre métallique, l'autre étendue sur le côté, son manteau de fourrure ensanglanté, sa robe remontée découvrant ses cuisses blanches comme de la craie au-dessus de l'élastique de ses bas marron, et Mark était debout au-dessus d'elle, tenant mollement le revolver. Sara s'écroula sur le tabouret du piano, tétanisée, en secouant la tête. Elle sentait une pression dans son arrière-gorge, un sanglot âpre dans son cœur.

Mark se dirigea vers elle.

— Il n'y avait que ça à faire, crois-moi.

— Crois...

Elle étreignit son ventre, lutta contre une sensation de nausée.

— C'est difficile à expliquer, dit-il.

— Menteur. Espèce de sale menteur. Je ne veux pas entendre, dit-elle en se bouchant les oreilles.

Mais les paroles de Mark restaient audibles :

— Ecoute, je savais ce que trafiquait Sol, je l'ai su bien avant tous les autres...

Et, bien entendu, tu l'as signalé tout de suite, en honnête homme que tu es, pensa-t-elle. *Tu es immédiatement allé au FBI pour le leur raconter, n'est-ce pas ?* Elle se retourna et regarda le cadavre de la femme avec incrédulité. « Montrez-lui de quelle étoffe vous êtes vraiment fait. » Ces paroles implosaient dans de lointaines galaxies, rien dans le cosmos n'avait plus de sens. Elle se vit depuis des hauteurs impossibles, fétu dérivant sans défense à travers une obscurité glaciale, une pluie d'étoiles filantes.

— Il s'agit de millions de dollars, dit-il. Je savais que Sol était en train de les faire voyager en essayant de se couvrir. Il vidait mes comptes. La situation ne pouvait durer éternellement.

Mais tu n'es pas un homme honnête, pensa-t-elle.

— J'ai pensé qu'il y en avait assez pour que je me serve. Sol allait tomber, de toute façon. Je savais que c'était inévitable. Je voulais seulement prendre ma part du gâteau avant que tout s'écroule complètement. C'est tout. J'ai pioché un peu dans la caisse. Je ne pouvais pas laisser passer une telle occasion, Sara, parce que je savais que Sol serait tenu responsable de tout.

« *Pioché un peu dans la caisse.* » Elle continuait de se

boucher les oreilles. Elle n'avait pas envie de lui demander ce qu'« un peu » voulait dire. Elle ne voulait pas le savoir. Il fallait qu'elle mette un écran entre elle et Mark Klein. Il allait certainement lui dire : « J'ai fait ça pour nous, pour toi, pour le bébé. » Mon Dieu, ne le laissez pas dire une chose pareille.

Qu'est-ce que Sol avait déclaré le soir de sa mort ? Que les gens font des choses moches pour de l'argent.

Des choses moches.

Quel euphémisme !

Elle se leva du tabouret, envahie par un morne désespoir. Mark la saisit, la fit se retourner, l'étreignit et l'empêcha de s'en aller. Il murmura dans son oreille :

— Huit millions. Nous avons huit millions, et il est impossible de remonter la filière jusqu'à moi, même pas pour un centime. Huit millions de dollars, assez pour vivre toute une vie.

— Quel genre de vie ? Quel genre d'existence, Mark ?

— Une vie agréable.

Il le croit, pensa-t-elle. Il en est convaincu. Elle s'écarta de lui.

— Tu n'es qu'une merde, Klein, dit-elle.

— Tu dis ça maintenant. Mais tu changeras.

— Je changerai comment ? Je changerai de nom ? Je changerai d'identité ? Je me teindrai les cheveux, je porterai une perruque, je me cacherai, c'est ça le changement auquel tu penses ?

— Oui, c'est vrai que certaines modifications devront être opérées, chérie.

— Certaines *modifications* ? Tu as entendu, Mark. Ils vont se mettre à ta recherche. Elle a dit que c'étaient des brutes. Des tueurs, Mark. Qu'allons-nous faire pour le restant de notre vie ? Jeter des coups d'œil par-dessus notre épaule ? (Elle s'agenouilla au pied de l'escalier. Elle était sans forces.) Ne t'approche pas de moi. Je ne veux pas que tu me touches.

— Laissons passer le temps. Il n'y a que ça. Un peu de temps.

— Laisser passer le temps ? Où ça ? A Puerto Vallarta ? Ou est-ce seulement le commencement ? Nous resterons là-bas un jour ou deux avant de changer de coin. Quelle sera l'étape suivante ? Asunción ? Une vallée perdue de Patagonie ? Et ensuite ? Tu n'es qu'un salaud, Klein. Tu m'as menti, tu m'as roulée dans la farine. Et le pire, c'est que je t'ai cru. Il y a cinq minutes encore, je te croyais. J'aurais juré de ton innocence sur une pile de bibles. Je suis stupide. J'aurais dû te percer à jour depuis longtemps.

— Chérie.

Il se baissa et lui caressa la joue.

« *Chérie.* » Elle détestait ça. Une marque d'affection qu'il dépréciait.

— Tu as fait cela pour quoi, Mark ? Par cupidité ? Parce que tu ne pouvais pas laisser passer l'occasion ? Non, ne me dis rien. De toute façon, je ne comprendrais pas. Je ne veux pas entendre le son de ta voix.

Elle repoussa sa main, ferma les yeux et écouta le vent.

— C'était de l'argent facile, dit-il. Tu sais combien de vies de travail il aurait fallu pour gagner une somme pareille ? Une. Deux. Fais le compte. Prendre l'avion pour aller à droite, à gauche, les aéroports, les horaires, les rendez-vous, les chambres d'hôtel, faire des sourires à des gens auxquels on n'a aucune envie de sourire, vendre mes conseils pour une commission minable, voir les autres s'enrichir grâce à mon travail.

Un jour, je me suis dit : Ça suffit. C'est fini. J'en avais par-dessus la tête. Ce que je voulais, c'était rester à la maison avec toi.

Ses paroles ne valaient rien. Elle ne voulait pas les écouter. Elle préférait le bruit du vent, le grondement lointain de la marée. Elle était étendue, la joue contre le plancher, et regardait l'escalier, les yeux mi-clos. La pièce sentait les clous de girofle et la fourrure. Elle entendit Klein s'agenouiller à côté d'elle, sentit sa main sur son épaule. Elle l'écarta d'une secousse. Elle avait envie d'être engourdie, catatonique. Elle avait seulement envie de se laisser aller à la dérive, de flotter au hasard à travers la nuit, de se laisser emporter par les eaux du détroit, toujours plus loin, dans l'obscurité de l'océan.

— Lève-toi, dit-il.

Elle secoua la tête.

— Il faut que nous partions d'ici, reprit-il.

Elle ne répondit pas.

— Sara, ma chérie, il faut que nous partions. Le plus tôt sera le mieux. Je ne sais pas combien de temps nous serons en sécurité ici. Je n'ai pas envie de m'attarder pour le savoir. Nous allons jeter quelques affaires dans un sac. Nous ne devons pas nous encombrer.

Elle ne disait rien. Elle allait se rendre invisible. Son mari était un voleur et un assassin. Sara Klein, mariée à un monstre. Elle aurait voulu être quelqu'un d'autre.

— Laisse-moi t'aider, dit Mark en posant une main sur la sienne.

Elle sentit qu'il la remettait debout. Elle se soutint à la rampe de l'escalier. Elle ne le regardait pas, ne pouvait pas le regarder. Elle se sentait ratatinée, flétrie par les trahisons, les mensonges et la violence.

— Je t'aime, dit-il en posant la main sur sa joue. Voilà une chose certaine, Sara, je t'aime.

L'amour, pensa-t-elle. Quand on aime quelqu'un, Mark Klein, on ne lui fait pas de mal. On ne lui ment pas, on ne le trompe pas et on ne sème pas le chaos et la mort dans sa vie. L'amour était pour elle quelque chose de tout simple, aussi direct qu'un laser C'était l'essence même de la vie, un ensemble de critères, une lumière qui brille constamment. L'amour, ça n'était pas des toiles d'araignée et des ombres, changer d'identité et voyager avec de faux passeports, s'enfuir par des villes frontalières dans des coins perdus, à la recherche d'une sécurité impossible à trouver. Brusquement, son univers lui apparut constitué de régions étranges à travers lesquelles elle était forcée de voyager pour toujours, d'endroits poussiéreux et oubliés, d'haciendas louées, de chambres d'hôtel où on passe une nuit ou deux dans l'appréhension sous un ventilateur grinçant avant de reprendre la route, de trajets épuisants dans des trains crasseux et bondés ou dans des voitures surchauffées. Et toujours, toujours regarder en arrière pour voir si on n'est pas suivi, avoir peur du moindre bruit, se méfier des inconnus dans les restaurants, les cafés, au coin des rues.

Mark la prit par la main.

— Nous sommes riches, Sara. Pense à ça. Viens avec moi. Je vais te montrer.

Il lui sourit. Elle détourna le visage. Il la conduisit à la cuisine et ouvrit la porte de derrière après avoir pris une lampe de poche sur une étagère.

— Je ne veux aller nulle part avec toi, dit-elle.

— Allez, viens.

Il la tira par le bras, l'entraîna à l'extérieur dans le vent avide. Elle n'avait pas la force de résister. Elle

384

n'avait pas la force de faire quoi que ce soit. Son peignoir était tiraillé par le vent. Tout autour d'elle, les arbres et les buissons s'agitaient dans la nuit. La lune était cachée par une masse de nuages qui couraient en désordre dans le ciel. Mark la prit par le coude, alluma la lampe de poche et l'emmena vers la pelouse et les buissons qu'il éclaira avec la lampe. Il y trouva ce qu'il cherchait, une pelle de jardinage. Il la coinça sous son bras et avança de quelques mètres sur la pelouse en entraînant Sara.

Il s'arrêta près du jeune bouleau, l'arbre de leur mariage, dont les feuilles dansaient et battaient. Il posa la lampe par terre.

— Nous y sommes, dit-il.

Il souriait comme si de rien n'était, comme s'il ne s'était jamais rien passé, ni détournement de fonds ni meurtres. Elle se demanda dans quel monde il vivait. Il faisait son chemin en glissant à travers lui et rien ne le touchait. Il naviguait en douceur et rien ne le dérangeait. Il n'y avait aucune moralité dans son univers, rien ne l'obligeait à adhérer à un quelconque code de conduite. Cette pensée l'attrista un moment, mais elle écarta ce sentiment car elle n'avait pas de place dans son cœur pour les regrets.

Il ramassa la pelle et, éclairé par le faisceau de la lampe, creusa le sol avec vigueur autour du pied du jeune arbre.

— Ça y est, tu vas voir, dit-il.

A un certain moment, il se retourna pour la regarder et, dans la lumière rasante de la lampe, elle pensa qu'il avait l'air d'un dément. Il creusait, oublieux du vent qui faisait gonfler sa robe de chambre et lui fouettait les cheveux.

— Voilà.

Il laissa tomber la pelle et s'agenouilla au bord du petit trou qu'il avait creusé. Il écarta la terre meuble avec ses doigts et fit apparaître un paquet enveloppé dans de la toile cirée.

— Nous y sommes, chérie, nous y sommes.

Sous l'arbre du mariage, pensa-t-elle. Elle le regarda diriger le faisceau lumineux sur le paquet. Il le déchira soigneusement et le déplia.

— Regarde. Des bons anonymes. Huit millions en bons anonymes.

Elle vit une liasse de papiers dans de la toile cirée. Elle entrevit une écriture gothique, du luxueux papier de lin. Elle resta les yeux fixés sur la liasse un moment puis détourna le regard en direction du détroit. Du papier. Huit millions de dollars en papier.

Du vulgaire papier, et les gens s'entre-tuent pour ça.

Toujours à genoux, Mark tenait le paquet comme s'il avait été réellement précieux. Mais il ne savait pas ce que « précieux » signifiait, il ne comprenait pas. Une dimension humaine lui faisait défaut, et elle avait été aveugle à tout cela pendant des années.

— Et maintenant, qu'est-ce qu'on fait ? On prend la fuite ?

— Pendant quelque temps.

— C'est-à-dire ?

— Jusqu'à ce que nous trouvions un endroit sûr.

— Tu crois que ça existe ?

— Bien entendu. Et je le trouverai. Nous le trouverons.

— Et le bébé ?

— Le bébé ? Tout ira bien pour lui.

Lui, elle. Où le bébé naîtrait-il ? Dans un hôpital délabré d'une ville de province guatémaltèque, assisté par des médecins débordés de travail et épuisés ? Dans quelque maison isolée à la peinture qui s'écaille, cuite par le soleil, avec l'aide d'une sage-femme rustaude aux ongles sales ? Quel avenir aurait cet enfant ?

Elle sentait le vent se ruer à travers l'obscurité. Elle entendit une voix dans le vent qui portait un message dans une langue qu'elle ne connaissait pas mais comprenait.

Mark se tourna légèrement, courbé sur son paquet.

Elle prit la pelle, la leva au-dessus de sa tête et, haletante, l'abattit sur sa nuque. Le choc sourd du métal contre l'os vibra le long du manche et ébranla ses doigts. Mark poussa un gémissement, se retourna de surprise, bouche bée, et elle abattit la pelle une deuxième fois, le touchant en plein visage. Il s'effondra contre le tronc de l'arbre et le paquet lui tomba des mains. Elle regarda le sang couler de son front dans ses yeux. Elle le frappa une fois encore avec le plat de la pelle sur la bouche et entendit l'air s'échapper brusquement de ses lèvres entrouvertes.

Elle voulait frapper encore, mais ne le fit pas. Elle n'avait plus de forces. Elle recula, vit sa mâchoire pendante, son regard devenu vitreux et exprimant sa douleur, ses mains ballantes à ses côtés. Elle vit le faisceau de la lampe luire sur le paquet et regarda le vent sans pitié faire claquer la toile cirée, commencer à en arracher un à un les papiers et les aspirer dans le mystère impénétrable de la nuit. Elle les regarda s'envoler comme des cerfs-volants rudimentaires en direction du détroit.

Elle ramassa la lampe de poche, fit demi-tour et repartit vers la maison, le faisceau de la lampe droit devant elle. Elle ne se retourna pas quand elle l'entendit l'appeler d'une voix faible. Elle ne regarda pas en arrière. Du reste, ses paroles se perdaient au loin, emportées par le vent comme ses papiers, ses précieux papiers sans valeur.

Elle téléphona à McClennan, lui dit de venir immédiatement, raccrocha, puis, hébétée, debout sur le pas de la porte de la cuisine, elle regarda vers le bouleau, dont le vent jouait comme d'un instrument de musique triste. Elle balaya le pied de l'arbre avec le faisceau de la lampe.

Klein avait disparu.

Il semblait s'être évaporé dans la nuit, avoir été emporté comme un tas de feuilles mortes vers le détroit où grondait le ressac. Il aurait pu tout aussi bien n'être qu'un fantôme sorti de son imagination, si ce n'était ce seul signe de son existence qui s'attardait encore : une feuille de papier accrochée dans les branches de l'arbre et claquant sans fin, comme quelque animal anémique cherchant à s'échapper d'un piège sans issue.

Elle éteignit la lampe, rentra dans la cuisine, referma la porte sur le monde et parcourut les pièces en abaissant les stores.

39

Le travail fut pénible et long, l'accouchement difficile. Tandis que, à moitié groggy, elle expulsait dou-
loureusement une vie nouvelle, Sara pensait par
moments que Mark, masqué et inquiet, se trouvait
dans la salle, l'encourageait en lui épongeant le front
et lui disait : « Ça va aller. Tiens ma main. Serre-la
aussi fort que tu veux. » Parfois, c'était la vieille Russe
qui lui chuchotait à l'oreille : « La chose rose a fini par
émerger en criant, Sara. » Ce furent les moments les
plus difficiles ; elle serrait les dents, entendait des voix
et avait l'impression que sa matrice se déchirait.

Puis, cela s'arrêta, elle se retrouva vide, épuisée et
à vif intérieurement, et une infirmière tenait le bébé
pour qu'elle le voie.

— C'est une fille, Sara. Elle est superbe.

Une fille, comme l'avait prédit la vieille. On
emmena Sara dans une autre pièce, où elle dormit plusieurs heures d'un sommeil sans rêves. Quand elle
s'éveilla, la même infirmière se trouvait à son chevet,
le bébé dans les bras. Elle tendit l'enfant à Sara, qui la
prit et la tint avec précaution contre son sein.

— Vous avez trouvé un prénom ? demanda l'infirmière.

— Il va falloir que j'y réfléchisse sérieusement, répondit-elle en regardant le visage du bébé, minuscule, vulnérable, les yeux clos, chiffonné.

La quintessence de l'innocence. Elle embrassa le front de sa fille. Sa fille, pensa-t-elle.

— J'espère que vous n'allez pas choisir quelque chose comme Wanda, qui est le nom dont mes parents m'ont affublée. Ça fait penser à une femme mal coiffée qui habite dans une caravane, fit l'infirmière avec un sourire avant de s'en aller.

Un peu plus tard, John Stone arriva et s'assit près du lit. Il était sur son trente et un – veste sport en tweed, pantalon marron sortant du pressing, œillet à la boutonnière. Il se pencha en avant et contempla le visage de l'enfant un bon moment.

— C'est le plus beau bébé de l'univers, dit-il.

Il toucha la joue de l'enfant avec une tendresse solennelle, comme si la vie nouvelle était un miracle qui l'éblouissait, un événement irréductible à une formule mathématique.

Sara regarda par la fenêtre. La première neige de la saison était déjà tombée sur les arbres délicats, blancs et squelettiques. L'automne avait vécu, le ciel était lourd de neiges à venir, et la météo annonçait déjà un hiver long et rude.

Mais peu lui importait. Les longues nuits glacées n'étaient pas son affaire.

— Quand est-ce qu'ils te laissent sortir ?

— Demain, j'espère.

Elle songea à la chambre qu'elle et son père avaient préparée dans la vieille maison de Port Jefferson. Repeinte de frais, un berceau, des mobiles suspendus au plafond, des stores de couleur, des petits personnages peints au pochoir sur les murs. C'était une solution temporaire en attendant qu'elle puisse trouver ce que John Stone avait appelé, en lui faisant comprendre que cela n'avait rien d'urgent, une situation plus permanente.

La maison du 3242 Midsummer était maintenant vide, avec un panneau A VENDRE sur la façade. Elle avait vendu aux enchères la plus grande partie du mobilier, et les pièces étaient une succession de boîtes vides qui attiraient les curieux et les fouineurs plus que de vrais acheteurs potentiels. Elle l'imagina, la neige accumulée contre le porche, le bouleau dénudé, mais cela ne l'intéressait pas. C'est de la régression vers une vie antérieure, pensa-t-elle. Seul le présent comptait. Seul le bébé comptait.

— Appelle-la Diana, conseilla son père.

— Le prénom de Maman.

— La déesse de la Lune.

La lune. Sara sentait la bouche du bébé autour de son mamelon, et elle fut pénétrée par le sentiment de la dépendance de l'enfant vis-à-vis d'elle. Mais c'était une relation réciproque, un besoin mutuel. Une main minuscule s'enroula autour de son majeur. La peau ne ressemblait même pas à de la peau, pareille plutôt à une membrane soyeuse.

— Elle est châtain, dit son père. Elle aura les mêmes cheveux que toi.

Il y avait un non-dit dans cette remarque. *Je ne veux pas que cet enfant tienne quoi que ce soit de Mark Klein.*

— Je reviendrai ce soir, fit John Stone.

Il sortit de la chambre sur la pointe des pieds, comme s'il avait craint de déranger la mère et l'enfant.

Sara ferma les yeux et sentit la douce succion de la bouche du bébé sur sa poitrine.

Des fleurs furent apportées en fin d'après-midi, un bouquet enveloppé dans de la Cellophane. La carte attachée contenait un court message : *Félicitations à la maman ! Bises, Tony.* Elle demanda à une infirmière d'arranger les roses dans un vase sur la table de nuit.

Au cours des deux derniers mois, Tony lui avait téléphoné deux ou trois fois par semaine pour s'enquérir de sa santé et lui demander si elle n'avait besoin de rien. Il lui faisait parfois l'effet d'un prétendant dont les efforts seraient voués à l'échec. Elle lui était reconnaissante de sa sollicitude, mais il lui faisait penser à une sorte de Sisyphe essayant de regonfler une chambre à air condamnée à fuir. En fait, tout se résumait à une chose : elle ne voulait plus entretenir le moindre lien avec la société Rosenthal ou ses anciens employés. Elle avait fourré tous ces rappels du passé à fond de cale, dans un coin de son cerveau, même si parfois elle sentait qu'elle avait embarqué un passager clandestin comme Tony Vandervelt. Elle lui enverrait un petit mot de remerciement pour les fleurs et ça s'arrêterait là.

Le lendemain après-midi, elle et le bébé quittèrent l'hôpital dans la voiture de John Stone, qu'il avait nettoyée, lavée et astiquée pour l'occasion, ce qui l'avait touchée. Il conduisit avec une extrême prudence comme si la rue était semée de traquenards. Il était du genre à devenir un grand-papa gâteau, aux petits soins pour le bébé, à lire des tas de livres sur le développement, l'alimentation des enfants et à devenir expert en la matière. Elever l'enfant était en passe d'être la principale équation à résoudre de sa vie de retraité.

Il se gara avec précaution, conduisit Sara et le bébé le long de l'allée qu'il avait déneigée. Elle se demanda si elle allait s'habituer à cette constante sollicitude.

En arrivant dans la maison, elle porta l'enfant au premier étage, la déposa dans son berceau et la reprit immédiatement.

— Je crois qu'elle peut dormir avec moi, au moins pendant les premières semaines, dit-elle.

Elle l'emmena dans son ancienne chambre de jeune fille et l'installa au milieu du lit. Elle s'assit à côté d'elle et, pendant que son père descendait faire du thé, l'examina en se demandant à qui elle ressemblait. Puis elle se leva et regarda par la fenêtre la neige qui avait tout recouvert dans le jardin – le gros chêne, la vieille balançoire transfigurés par leur manteau blanc. La rue entière était blanche, à l'exception de quelques allées et des endroits où les voitures avaient noirci la neige avec leurs gaz d'échappement. Elle écouta les petits bruits sourds du chauffage central, l'eau qui circulait à travers les antiques radiateurs. Elle écrivit *Diana* sur la buée du carreau et regarda les lettres commencer à s'effacer et à dégouliner sur la vitre. Puis elle écrivit *Klein* et *Pacific* et vit aussi les lettres se déformer et devenir illisibles.

Elle entendit son père crier du pied de l'escalier : « Le thé est prêt ! » Elle était sur le point de s'éloigner de la fenêtre quand elle vit une voiture arriver dans le bas de l'allée. Une silhouette familière en sortit et se dirigea vers la maison. Elle écouta le bruit de ses pas sur le perron, puis le tintement de la sonnette. Elle descendit immédiatement et se dépêcha d'aller ouvrir.

— A ce qu'il paraît, les félicitations sont de circonstance, dit McClennan.

Elle le regarda et lui revinrent à l'esprit les longues heures passées en sa compagnie au cours des derniers mois, les interrogatoires interminables. « Parlez-moi encore de Mark. » « Comment a-t-il tué la Russe ? » « Que vous a dit Pacific ? » « Dites-m'en davantage sur Jennifer Gryce. » « Recommencez depuis le début votre dernière entrevue avec Sol. » « Parlez-moi de Borbokis. » Les séances étaient feutrées, les interrogatoires en sourdine. McClennan mettait la pédale douce. Il ne parlait plus de complicité. Certains des bons anonymes de Mark, délavés par les intempéries, avaient été retrouvés dans les parages de la maison.

— Puis-je entrer ?

Elle s'écarta. Elle avait conscience de la présence de son père, derrière elle, à la porte de la cuisine. McClennan se frotta les mains pour les réchauffer et demanda :

— Tout s'est bien passé ?

Elle acquiesça et entra dans le living, suivie par l'agent du FBI. La neige fondue avait laissé des auréoles sur son pardessus gris.

— J'en suis content, dit McClennan.

— Vous avez fait tout ce chemin pour me dire cela ?

— En partie, répondit-il avec un sourire.

— Laissez-moi deviner le reste. Vous voulez savoir si j'ai des nouvelles de Mark.

— Tout juste.

Elle le regarda quelques instants.

— La réponse est non. Rien. Pas un mot.

— Vous êtes sûre ?

Elle ne jugea pas utile de répondre.

— Nous continuons de recevoir des rapports, reprit McClennan. Il a été vu en Louisiane, dans l'Arkansas, dans l'Oregon et ailleurs. Mais ces témoignages sont toujours douteux. Il est facile de disparaître dans la nature quand on le veut vraiment. On peut se procurer des faux papiers sans difficultés. Et puis le pays est vaste.

— Et le monde plus vaste encore.

McClennan fourra ses mains dans les poches de son pardessus et se tint le dos à la cheminée pour se réchauffer.

— Je me demande parfois ce qu'il fait, à quoi il dépense son argent. Je veux le retrouver, Sara. La pensée qu'il est là, quelque part, libre comme l'air, me déplaît.

— Il est peut-être malheureux. Qui sait, peut-être vit-il dans des conditions lamentables ?

— J'espère qu'il a froid et faim, lâcha McClennan sur un ton vindicatif.

Il ne supportait manifestement pas l'idée que Mark Klein lui ait filé entre les doigts. Peut-être cela l'empêchait-il de dormir et passait-il ses nuits à se poser des questions. Peut-être étudiait-il avec avidité les témoignages des personnes qui prétendaient l'avoir vu et passait-il d'interminables coups de fil aux quatre coins du pays.

Elle entendit le bébé geindre faiblement. C'était nouveau pour elle, une extension des limites de son ouïe, une petite alarme soudaine.

— Il faut que j'y aille, dit-elle.

— Je vous rappellerai.

Elle se précipita à l'étage. McClennan était déjà sorti de son esprit. Elle entendit la porte de la maison se refermer. Elle entra dans la chambre, prit le bébé, ouvrit son corsage et la bouche de l'enfant trouva tout de suite le bout de son sein.

Son père apparut sur le pas de la porte.

— Je ne comprends pas qu'il continue à te harceler, dit-il.

— Ce n'est pas le mot, Papa. Je ne l'intéresse plus.

John Stone s'approcha du lit et contempla, l'air béat, la mère et le bébé, comme une image de madone à l'enfant.

— J'ai envie de prendre une photo, dit-il. Je veux en avoir une à toutes les étapes de la croissance de Diana.

— Tu l'as déjà baptisée, à ce que je vois.

— On ne peut pas continuer à dire « le bébé » en parlant d'une aussi jolie petite fille, dit-il en sortant pour aller chercher son appareil photo.

Sara s'allongea et donna le sein au bébé. Son père revint prendre ses photos. Puis elle posa l'enfant sur le lit et s'endormit.

Quand elle se réveilla, le téléphone sonnait sur la table de nuit ; elle le chercha à tâtons dans l'obscurité et, à moitié endormie, porta le combiné à ses lèvres.

— J'ai appelé à la clinique, dit-il.

Elle ne répondit pas.

— C'est une fille, reprit la voix. Une belle petite fille.

Elle ferma les yeux. Le bébé poussa un léger soupir, une odeur de lait flottait dans la chambre.

— Sara ? Tu es encore là ?

— Oui, dit-elle en essayant de se représenter Mark, d'imaginer d'où il téléphonait.

Il y avait des parasites sur la ligne.

— Tu as été courageuse, dit-il.

Elle pensa : J'avais envie d'entendre sa voix. Malgré tout, malgré toutes ces souffrances, ces déceptions, malgré le meurtre, j'en avais envie. Elle tendit la main et toucha le visage du bébé.

— Est-ce qu'elle est mignonne, Sara ?

— Oh oui.

— J'en étais sûr... Va à la fenêtre.

— A la fenêtre ?

Elle se leva, écarta les rideaux, regarda dans la rue

où la neige tombait en tourbillonnant dans le halo des lampadaires. Elle vit une voiture garée en bas de l'allée et un homme debout à côté, un portable à la main. Il leva les yeux vers elle. Elle toucha le carreau, froid contre le bout de ses doigts.

Il porta une main à ses lèvres et lui souffla un baiser. Elle s'imagina sentir la chaleur de son haleine.

Elle l'entendit dire :

— Je t'aime, Sara.

Elle ne répondit pas mais continua de regarder dans la rue, de regarder Mark et le vent emporter la neige en volutes capricieuses.

— Un enfant a besoin de son père, reprit Mark.

Il avait les yeux fixés sur la fenêtre et, quand il bougea légèrement la tête, elle vit son visage dans la lumière du lampadaire.

— Viens avec moi, Sara. J'ai tout arrangé. Les billets d'avion, les passeports. Tout.

— La famille au complet. C'est le bonheur, dit-elle.

— C'est ce que je veux.

Il rêvait. C'était le personnage sorti d'un rêve dans un univers d'arrangements rêvés. Elle se dit : L'amour est parfois comme une drogue, une dépendance dont il faut se libérer, et il faut franchir les étapes de la désintoxication. Ce n'est pas facile, mais j'y arriverai, bon sang, j'y arriverai.

— Parle-moi, Sara.

« *Parle-moi.* » Elle n'avait rien à lui dire. Elle alla jusqu'au lit, raccrocha et débrancha le téléphone. Elle s'allongea près du bébé, ferma les yeux et au bout d'un moment entendit le moteur d'une voiture qui s'éloignait. Elle sentit, sinon du regret, sinon une sensation de dépression, une petite bouffée de tristesse qui, elle le savait, finirait bien par passer.

Elle caressa la joue de l'enfant endormie.